あるくみるきく双書

田村善次郎・宮本千晴【監修】

宮本常一とあるいた昭和の日本

2

九州①

農文協

はじめに

――そこはぼくらの「発見」の場であった――

「私にとって旅は発見であった。私自身の発見であり、日本の発見であった。書物の中で得られないものを得た。歩いてみると、その印象は実にひろく深いものであり、体験はまた多くのことを反省させてくれる。」これは『私の日本地図』の第一巻「天竜川にそって」の付録に書かれた宮本常一の「旅に学ぶ」という文章の一節である。これは宮本先生の持論でもあった。近畿日本ツーリスト・日本観光文化研究所に集まる若者の誰もが幾度となく聞かされ、旅ゆくことを奨められた。そして「どうじゃー、面白かったろうが」というのが旅から帰った者への先生の第一声であった。一生を旅に過ごしたといっても過言ではないほど、旅を続けた宮本先生にとって、旅は面白いものに決まっていた。それは発見があるからであった。発見は人を昂奮させ、魅了する。

この双書に収録された文章の多くは宮本常一に魅せられ、けしかけられて旅に出、旅に学ぶ楽しみと、発見の喜びを知った若者達の旅の記録である。一編一編は限られた村や町の紀行文であるが、こうして地域ごとに集めてみると、期せずして「昭和の風土記日本」と言ってもよいものになっている。

日本観光文化研究所は、宮本常一の私的な大学院みたいなものだといった人がいるが、この大学院は学歴も職歴も年齢も一切を問わない、皆平等で来るものを拒まないところであった。それだけに旺盛な好奇心と情熱をもった多様な性向の若者が出入りしていた。『あるく みる きく』は、この研究所の機関誌的な性格を持った月刊誌であり、所員、同人が写真を撮り、原稿を書き、レイアウトも編集もすることを原則としていた。編集者もデザイナーも筆者もカメラマンも、当時は皆まだ若かったし、素人であった。公刊が前提の原稿を書くのは初めてという人も少なくなかった。発見の喜び、感激を素直に表現し、紙面に定着させるのは容易なことではない。何回も写真を選び直し、原稿を書き改め、練り直す。徹夜は日常であった。素人の手作りからの出発であったが、この初心、発見の喜びと感激を素直に表現しようという姿勢、は最後まで貫かれていた。

月刊誌であるから毎月の刊行は義務である。多少のずれは許されても、欠号は許されない。特集の幾つかに宮本先生の古くからのお仲間や友人の執筆があるし、宮本先生も特集の何本かを執筆されているが、これらは欠号を出さず月刊を維持する苦心を物語るものである。

『あるく みる きく』の各号には、いま改めて読み返してみて、瑞々しい情熱と問題意識を感ずるものが多い。それは、私の贔屓目だけではなく、最後まで持ち続けられた初心、の故であるに違いない。

田村善次郎　宮本千晴

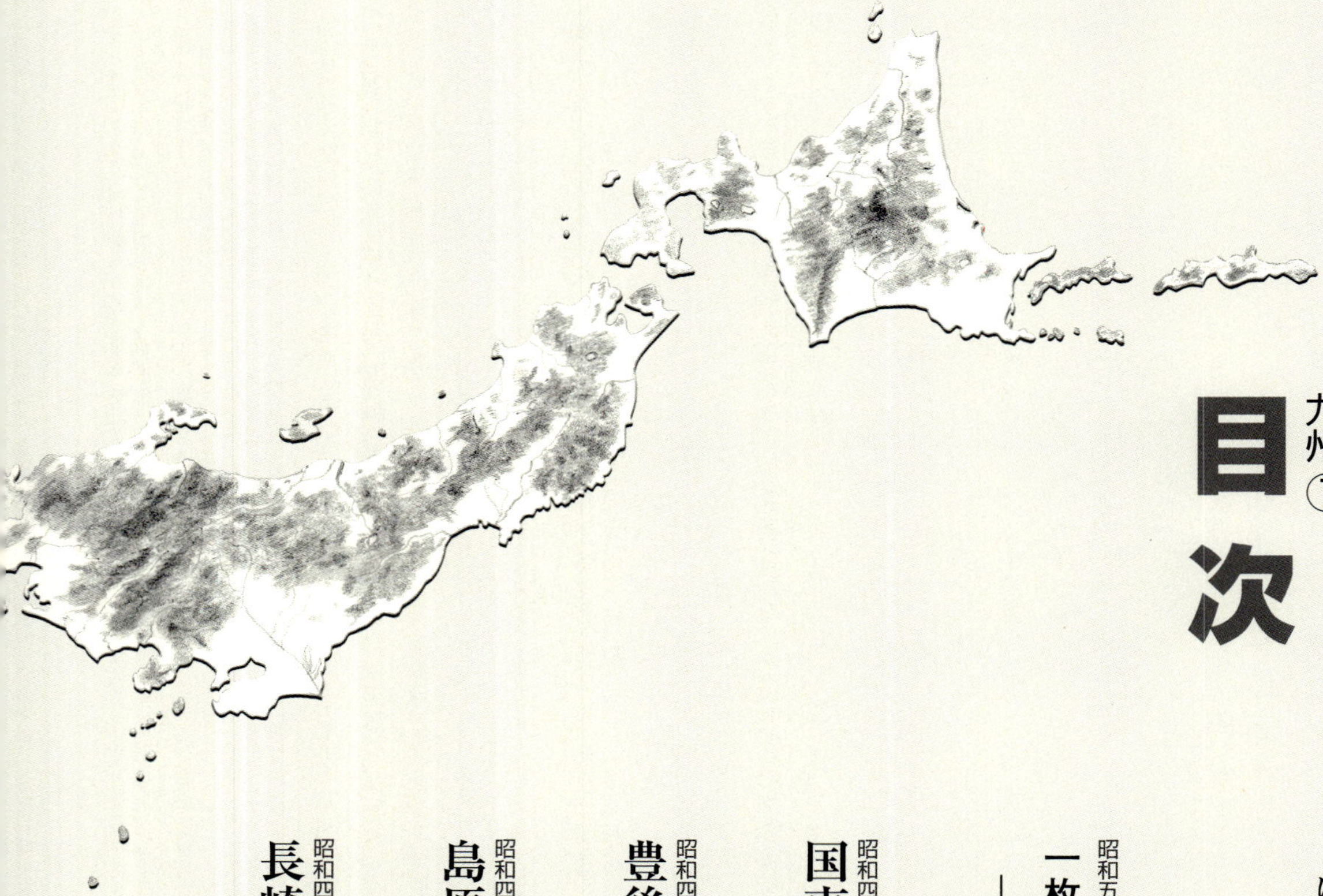

九州①

目次

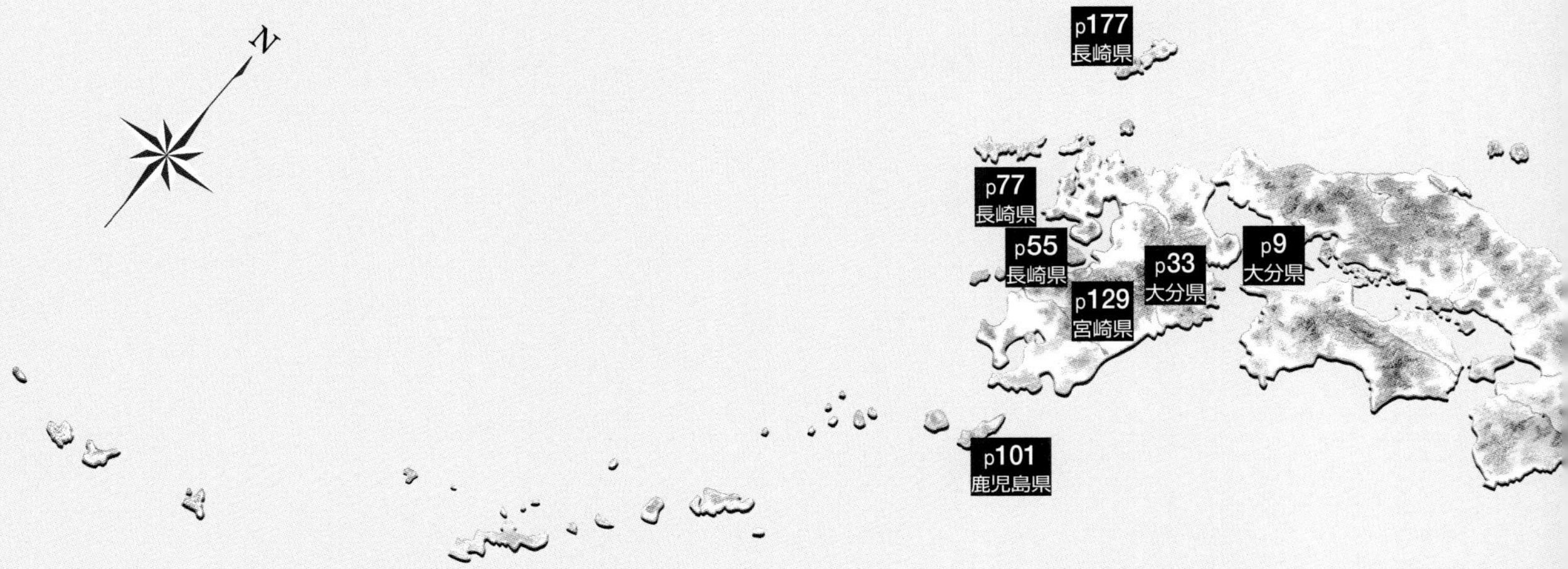
N
p177
長崎県
p77
長崎県
p55
長崎県
p129
宮崎県
p33
大分県
p9
大分県
p101
鹿児島県

凡例

○この双書は『あるくみるきく』全二六三号の中から、日本国内の旅、地方の歴史・文化・祭礼行事などを特集したものを選出し、それを原本として地域および題目ごとに編集し合冊したものである。
○原本の『あるくみるきく』は、近畿日本ツーリストが開設した「日本観光文化研究所」（通称　観文研）の所長、民俗学者の宮本常一監修のもとに編集し昭和四二年（一九六七）三月創刊、昭和六三年（一九八八）一二月に終刊した月刊誌である。
○原本の『あるくみるきく』は一号ごとに特集の形を取り、表紙にその特集名を記した。合冊の中扉はその特集名を表題にした。
○編集にあたり、それぞれの執筆者に原本の原稿に加筆および訂正を入れてもらった。ただし文体は個性を尊重し、使用漢字、数字の記載法、送り仮名などの統一はしていない。
○写真は原本の『あるくみるきく』に掲載のものもあれば、あらたに組み替えたものもある。原本の写真を複写して使用したものもある。
○掲載写真の多くは原本の発行時の少し前に撮られているので、撮影年月は記載していない。
○写真撮影者は原本とは同一でないものもある。
○市町村名は原本の発行時のままで、合併によって市町村名の変わったものもある。また祭日や行事の日の変更もある。
○日本国有鉄道（通称「国鉄」）は民営化によって、昭和六二年（一九八七）四月一日から「ＪＲ」と呼ばれる。『あるくみるきく』はほとんどが国鉄当時の取材なので、鉄道の路線名・駅名など国鉄当時のものが多い。民営化によって廃線や駅名の変更、あるいは第三セクターの経営になった路線もあるが、それらは執筆時のままとし、特に註釈は記していない。
○この巻は須藤功が編集した。

一枚の写真から

宮本常一

—銚子の魚市場—

千葉県銚子市。昭和47年（1972）6月　撮影・須藤　功

　これは櫻田勝徳《かつのり》さんから、戦後間もないころ聞いた話である。櫻田さんは進駐軍の世論調査室に勤めていて、沖縄の民俗調査を委嘱されて沖縄へ行ったことがある。その帰途、飛行機から見ていると、ひろびろとした海の中に漁船が一艘漂流している。人かげも見えないようだ。どうしたのだろうかと思って見ていると、突然人びとが甲板に出て、船がフルスピードではしりはじめた。その前方に白い海鳥が群れとんでいるのが見えた。飛行機はその上をとんで東京へ向った。ほんの三、四分のできごとだった。船はカツオ船だったのである。漁場まで来てカツオの群を見つける間、乗組員は船室で休んでいたのであろう。漂流ではなくて、多分スローで船をはしらせていたものと思われる。カツオの群を見つけて、急にスピードをあげてはしりだしたのであろう。カツオの群に

は大てい海鳥が群がる。

私はこの話を大変面白いと思った。沖へ出ても群に出あわなければ人はなすべき仕事もない。船も半ば漂流にまかせる。一日中そうしていることもあるだろう。ところが群を見つけると、脱兎のごとく群に向って突進する。私はカツオ船に乗ったことがないので、その釣るところを見たことはないが、この話でカツオ釣りがどんなものかがわかったような気がして印象に残った。

この話を聞いて十年あまりたってから、鹿児島県山川港へ行ったことがある。朝早く魚市場へ行ってみると、たくさんのカツオ船が帰ってきて次々に陸上げをして、市場はカツオで埋もれていた。眼を見はるありさまだった。みるみるうちにそれが取引きされて、またそこから姿を消していったからである。私はそこに人間のすばらしい敏捷さと、エネルギーを見た。

薩摩半島には山川をはじめ、枕崎《まくらざき》、坊津《ぼうのつ》などの漁港がある。いずれもカツオ漁の基地である。私は山川から枕崎、坊津とあるいて、坊津に原捨志《すてし》さんを訪ねた。原さんは長い間鹿児島漁連の会長を務めており、代議士も二期ほど務めた。早くに渋澤敬三先生と知りあっていて、その御縁で私も原さんを知った。原さんはみずからカツオ船に乗って出漁した人である。原さんのお兄さんは原耕といい、枕崎で医師をしておられたが、海に深い関心をもち、カツオ船を何艘ももっていた。

カツオ船ははじめは櫓を押して漁場へ行っていた。その頃のカツオ船の行動範囲は四十キロ内外だったが、枕崎の船は島づたいに奄美大島あたりまで出漁していた。それが動力化したことによって、沖縄周辺にまでのびた。そして原耕氏は考えた。カツオは南から来る魚だから、もっと南へ行けばよい漁場があるのではないかと。そこで船をさらに南に進めさせてみた。そして台湾の東の海にカツオの多いことを発見した。するとさらに南の方にカツオがいるはずだと考え、漁場開発の探検隊を組織した。その責任者になったのが捨志さんである。この探検隊は、赤道をこえてバンダ海のアンボイナ島に基地を作った。カツオはこのあたりから北上するのである。捨志さんの話はまとめて『南の島を開いた人びと』(さえら書房)に収めた。

この基地は敗戦で失われてしまったが、カツオが日本近海へやってくる道すじはほぼ明らかになった。アンボイナあたりではカツオは小さくやせている。それが沖縄あたりまで来ると次第に肥えて、日本列島の南岸にそうて北上していく。したがって、カツオ釣の漁村や漁港は太平洋岸に分布している。

山川から東の方へたどってみると、宮崎県油津《あぶらつ》、高知県清水、室戸、和歌山県湯浅、串本、静岡県御前崎、焼津、田子、神奈川県三崎、千葉県銚子、福島県小名浜、宮城県石巻、気仙沼、岩手県釜石、宮古などがある。カツオは日本海流にのって北海道沖までゆく。そしてそのあたりからまた南へ下ってくる。実に長い旅なのである。その長い旅の間に大方釣りあげられてしまうのだが、それでも何尾かはまた南へ帰って産卵するのであろう。

おなじ廻遊魚でも、ブリは大体日本列島の周辺を泳ぎまわっているが、カツオやマグロの行動範囲は実に広い。

その広さにつれて漁民の行動範囲も広くなっていく。南へだけでなく、東の方へも移動する。枕崎、坊津の漁師たちは東北日本の海まで進出していった。一つには枕崎や坊津の沖合いで稼ぐより、他で稼ぐ日の方が多くなってきた。そうすると、基地も静岡県焼津あたりへ移す方がよくなった。しかしそこは基地にするには船を維持する経費が増大する。そこで船籍を焼津に移し、ついで船も売ってしまう。しかしその船を捨てたのではなく、依然として沖へカツオ釣りに出る。そして釣りあげた分をもらう。その方が採算がとれるという。農業に見られる小作のようなものであり、一種の請負制度である。だから、枕崎にも坊津にもカツオ漁師は多いがカツオ漁船はずっと少なくなってきた。

私は旅をすると、魚市場のある町では必ずそこをのぞいてみることにしている。そこで水揚げされた魚を見ると、その地方の漁業がどのような状況にあるかほぼわかる。しばらくは立話もしてくる。銚子の市場ものぞいてみた。いろいろな問題をかかえながらも、実に活気にみちていた。そしてそこには多くのカツオがあげられていた。カツオは十年前も二十年前も三十年前も、同じように獲れている。しかし、それを獲る人たちの組織と獲り方は少しずつ違ってきているのである。

おそらく、船を売って雇われ人になった鹿児島県の漁師たちの子供は、もうカツオ釣になることはあるまい。家に船があるから家業をひきつがねばならぬというのがこれまでの風潮だったが、漁業の上でも経営者と従漁者が大きくわかれはじめている。

カツオはこれからさきもやって来るであろうが、これを獲る人がいなくなるか、あるいは獲り方が変ってしまう日がくるのではないかと思っている。

千葉県銚子市。昭和47年（1972）6月　撮影・須藤　功

国東塔《くにさきとう》。安岐町・両子寺《ふたごじ》

国東

文　姫田忠義
写真　伊藤碩男

採石場から発掘された石仏。豊後高田市間戸

神秘をひろめる石の文化の旅

国東《くにさき》誕生

旅のたのしさは、まず地図を見るたのしさにはじまる。大分県国東半島。まるでだれかがわざとそうつくったようなまるいこぶのような奇妙なかたち。

今からおよそ六千万年前の九州は、瀬戸内海から有明海へぬける阿蘇水道によって南北二つの島にわかれていた。その阿蘇水道にすさまじい勢いでふきあげられた阿蘇九重《くじゅう》の火山群。ふりそそぐ熔岩や火山灰。もりあがる集塊岩層。今の大分県の大部分にあたる地域はこうしてつくられ、九州は一つにつながった。

半島全体が一つのコニーデ（円錐型）火山である国東半島もその時つくられた。そしてその北、つい目と鼻先の海に浮ぶ姫島もそのころあらわれたのである。

異形の半島国東は、かつては陸の孤島とよばれ秘境といわれた。南の別府方面から行くにしても、西の方の中津、宇佐、豊後高田方面から入るにしても、いったん半島内部へ入ってしまうと非常に不便な道しかなかった。折重なる山々がじゃまをしたのである。

最高峰の両子《ふたご》山をはじめ火山特有の奇妙なかたちをしているいくつかの峰々を集約点にして放射線状に谷がひらけている。その谷々をつなぐ道は難儀な山道しかなかった。山すそが海までおしだしているために海岸線をひとまわりするにも山へ入り、山をこえなければならなかった。

けれども今では、海岸線一周のバス道路が開通し、両子山をこえる三方向からの半島横断バス道路も開通している。

両子山頂からの眺めは壮大である。鶴見、由布《ゆふ》、九重の山々が手に取るように見える。神秘の女王卑弥呼の国だといわれる宇佐地方の平野部。姫島から周防灘、中国地方の山なみ、四国、豊後水道。そして眼下に、奇怪な岩の屹立《きつりつ》する国東の峰々、放射線状にひらけた谷々。日本で他にくらべるもののない独特の中世密教文化を花ひらかせた国東半島が、静かに眼下で息づいているのである。

姫島より望む国東半島の山々

姫島への道

国東をまず姫島から歩きはじめる。国東の歴史の夜明けがそこにあるからだ。

姫島への道は三つある。一つは別府からバスで国東半島の東海岸をまわり、姫島の対岸伊美《いみ》の港へ。そして船で姫島へ。他の一つは豊後高田から西海岸まわりで伊美へ。そして船で姫島へ。もう一つは、別府から直接船で姫島へ渡る道だ。

別府から東まわりのバスで行くとき、まず目につくのが日出《ひじ》の町である。

別府湾の北端に当り、国東半島の東の入口に当るこの町は、江戸時代参勤交代の船が出入りしたいわば大海の海の玄関口であった。

古い港のたたずまい、暘谷《ようこく》城とよばれた日出の城跡の石垣。「東洋のナポリ」とうたわれる別府湾が一望に見える。「東洋のナポリ」は、ここから見るのが一番であろう。

杵築《きつき》の町も、また古いたたずまいを残す旧城下町である。ここを中心に南の日出、北の東国東方面にまでひろがる美しい藺草《いぐさ》の畑は、寛文三年（一六六三）、大分の商家に生まれた橋本五郎左衛門が琉球から苗をここに伝えたのにはじまる。いわゆる杵築の青表《あおおもて》、杵築の豊後表がそれである。

美しい奈多《なだ》の松原から安岐《あき》、武蔵、国東の各町へいた

る海岸線は、出入りのはげしい西海岸辺りとちがった長く明るい直線的な砂浜がつづく。ことに奈多の松原は、全部の松が防風林として植えられたもので、それがほとんど人工性を感じさせないほどの古さと美しさをもって国東の自然にとけこんでいる。バスの終着点伊美は、奈多とはちがって自然のままの松原を残す。亭々とそびえる松の老大木がこの辺の歴史の古さを物語っている。

別府からの船から見る国東半島の奇怪な美しさ。屹立する峰々につれてそのたたずまいをかえていくようすは神秘的でさえある。姫島への道は、やはり船が一番であろうか。

姫島＝国東の夜明け

波の上、横一文字に浮ぶ姫島は、さびれゆく瀬戸内海沿岸漁村の中で最も活気のある、むしろ上向きの漁業活動に生きている島である。広い、かつての塩田跡が近代的な車えびの養殖池にかわり、新しい姫島の景観をかたちづくっている。

深江漁港で漁網の手入れをする漁師。江戸時代には、九州の諸大名の多くが、この深江港を参勤交代の船の出入港とした。
日出町深江

タイ、タコ、フグ、その他、活きのいい魚。
黒牛の遊ぶ夕暮れ時の砂浜。
島の西北部に、すばらしい黒曜石の断崖がある。
日本に鉄の文化が入る以前、つまり原始的な石器時代では、黒曜石はなくてはならない大事な石であった。野山に獣を追う原始的な狩猟生活でその日その日をおくっていた人たちには、弓矢は欠かすことのできない道具であり、鏃《やじり》をつくる黒曜石もまた欠かすことができなかった。この石が手に入るかどうかは死活の問題であった。しかもこの石は、そこにもあるここにもあるというものではなかった。日本中で、北海道の十勝・長野県和田峠・足柄・隠岐・壱岐、そして姫島など数ヵ所である。

人々は、小さな丸木船をあやつりながら姫島へやってきた。南は宮崎市辺りから、北は下関の北方、西は遠賀《おんが》川流域や三角《みすみ》半島、さらに朝鮮、東は瀬戸内海をよこぎった大阪付近からもやってきた。そのひろがりは想像以上であり、それぞれの土地の貝塚などから発見された鏃によって確かめられている。姫島の黒曜石には、小さなルビー状の結晶という他のものにはない独特の特徴があり、他のものと区別することができる。

船のつくりといい、途中の危険度といい、今とは比較にならない苦しい旅を当時の人々はしたにちがいない。けれどこの姫島への旅には、絶好の自然の助けがあった。逆転海流とよばれる潮の流れである。

この島の沖には、南の豊後水道と西の関門海峡から流れこんでくる潮の合流点がある。そこで一つになった潮の流れは東へ進み、瀬戸内海の真中辺りの沖で西進してきた淡路島方面からの潮とぶつかる。六時間後、潮は向きを変え、こんどは逆に、姫島沖から関門海峡、豊後水道へと流れる。一日二回、規則正しくくりかえされる。この潮の往復運動が人々の旅を助けた。人々はこの潮にのり、瀬戸内海の奥から、九州の南から、そして朝鮮からもやってきたのだ。

姫島の東部海岸に比売語曾《ひめこそ》神社という日本書紀にもその名の見える古い神社がある。朝鮮から逃げてきた美女をまつるという。また姫島の対岸伊美の八幡宮には、舳先に呪術的な眼をかいた船の模型が奉納されているが、それは明らかに東南アジアの島々の風習を残しており、姫島でつくられたものだという。

はるかな時代の、はるかな国々とのつながりを感じさせる島である。

宇佐＝古代の神の再生

姫島の対岸伊美から別府方面へもどった国東町の海岸地帯にはいくつかの縄文時代の遺跡があり、日出の早水《そうず》台《だい》はプレ縄文から縄文早期にかけての一大遺跡であり、また有名な安国寺の弥生時代遺跡がある。その他国東半島の海岸線にちらばる古墳時代の数々の遺跡。

宇佐は、そういう日本歴史の夜明け時代に燦然《さんぜん》たる光を放った古代の神の国である。

国東半島の根元にあたる宇佐。ここには、謎の女王卑弥呼の国ではないかといわれる古代豪族宇佐氏の国があった。宇佐八幡は、この宇佐国に生れた古代の神々の住いである。

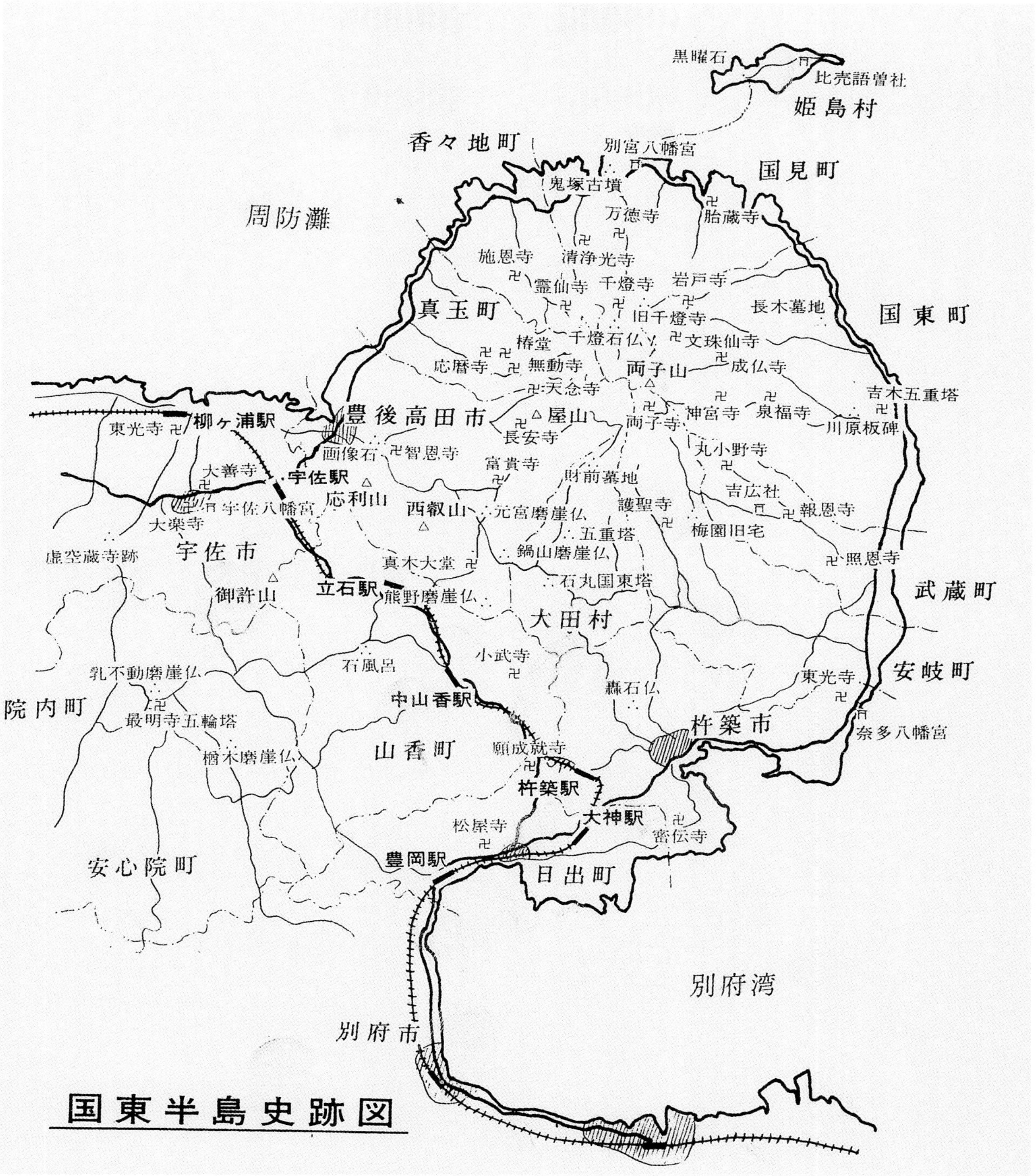

大嶽順公・渡辺伸幸著『国東文化と石仏』（木耳社）挿図を転写

宇佐神宮。「宇佐八幡宮」とも呼ばれ、全国にある八幡神社（八幡宮）の総本社。宇佐市

奈良時代以前の宇佐八幡宮は、ただヤハタの神とよばれていたものと思われる。いま八幡と書いているが、ヤハタはヤキハタから来たものであろう。焼畑は農耕の方法としてはいちばん古いものである。野や山を焼いてそこに種をまき、作物をつくる。農具や木工具の発達しなかった時代には木を伐る作業はできるだけさけた。宇佐の西につづく下毛《しもげ》郡なども、毛というのは獣ではなく、食物のことをケというそれで、食物の豊富なところということであろう。そうしたケをつくり出すヤキハタの神を、宇佐という豪族がまつり、しかも宇佐氏は大きな勢力をもっていた。そして大陸からの文化も十分吸収した。秦《はた》氏との結びつきもその一つであろう。もともと秦氏は大陸から京都へやって来た農耕、養蚕、機織などの技術をもっていた集団で、京都から次第に全国各地へ分散して新しい産業をおこしてゆく。秦氏もまたヤハタの神を信奉するようになって来たのではあるまいか。

土地を支配し、生産をつかさどる神としてのヤハタの神はまた鎮守の神として東大寺建立のときには奈良に迎えられて手向山《たむけやま》八幡となり、平安京がつくられると男山に迎えられて岩清水八幡となる。そのまつられるところは多くはヤハタと名付けられたが、平安時代になると、ヤハタをハチマンとよむようになって来て、生産・農耕の神としてのイメージがうすらいで来る。

大和朝廷がこの神を尊んだのは、日本が農耕国家であり、豊受大神《とようけのおおかみ》とともにヤハタの神をもあがめて生産の統一をしようとしたことにあったかと思われる。そして伊勢神宮とならぶ二所宗廟《にしょうのそうびょう》（宗廟は祖先の御霊屋）ということばもおこって来たのであろうが、この神がまた各地に分祀させられて、多くのヤハタという地名を生んだ。今日日本でもっとも多い社は八幡宮である。それは古代以来宇佐氏が大和朝廷と密接に結びつき、後には武家に信仰せられるようになったことにある。

日本の歴史の上で見のがすことのできない奈良東大寺の大仏建立の時、宇佐氏ははばく大な経済負担を引きうけ、その感謝のしるしとして天皇家は、伊勢神宮を上まわる神領を宇佐八幡宮に寄進している。あるいは弓削道鏡《ゆげのどうきょう》が天皇の位をとろうとした事件の時には、宇佐八幡宮の神託によって道鏡がしりぞけられるなど両者の結びつきはいよいよ固く、宗教的にも政治的にも宇佐の権威は大へんなものになっていった。宇佐八幡宮を「二所宗廟」とする考え方もいよいよ深まっていった。

こういう宇佐八幡宮の権威と実力、そして何よりも新しい社会に順応していく信仰の質と精神が、やがて国東半島に目ざましい密教文化、いわゆる六郷満山《ろくごうまんざん》文化を花さかせるのである。

豊後高田と六郷満山

宇佐八幡宮から東北へ数キロメートル、文字通り国東半島の西の玄関口にあたる豊後高田の町は、江戸時代島原藩の所領地で、島原藩豊州陣屋のあった町だが、戦後近郊農村部を合併して市政をしき、六郷満山文化の宝庫となった。六郷満山とは、国東地方がもとは六つの郷に分かれ、その六郷にみちみちるように平安時代に寺が建てられた。その寺の総称である。全部で百八十五の寺や岩屋。現在豊後高田市に入っている旧六郷の中の田染《たしぶ》郷は、その文化の核心ともいうべきところである。

元宮磨崖仏《まがいぶつ》

四方へ走るバスの発着で終日にぎわう旧豊後高田のバスターミナル。ここから東へ、国東半島の首ねっこの部分をつらぬいて半島反対側の杵築市へぬけるバス道路を走る。約一時間。川にそい、山にかこまれた美しい田染の里へ着く。

川中にこんこんと冷泉が湧く。藁屋根と川と森と山とのなごやかなもつれ合い。西の方に見える山のつらなりは、比叡山になぞらえ西叡山とよばれる。バス停のすぐそばに宇佐から勧請された田染元宮八幡宮。その向って右手、石垣の外に六体の磨崖仏が立つ。たちまち六郷満山の世界である。

露出した自然の岩壁に彫られ、浮びあがっている見上げるような仏たち。大きい仏が三体、小さい脇侍仏が三体。中一体はほとんど磨滅している。向って左から地蔵尊（一・二二メートル）、持国天像（一・八八メートル）、磨滅した仏（制多迦《せいたか》童子?）、不動明王像（二・〇三メートル）、矜羯羅《こんがら》童子（一・二〇メートル）、毘沙門天（二・二〇メートル）。

両子山（721メートル）山頂から豊後高田方面を望む。

六郷満山文化、ひいては大分県の文化の一つの大きな特色は、それが石の文化であり、岸壁の文化だということである。

激しい火山活動によってかたちづくられた国東の山と土地、そこには到るところに柔らかい凝灰石が露出している。凝灰岩は風雨の侵食もうけやすいが人の手も加えやすい。国東半島ならびに大分県全体におびただしい数でちらばっている磨崖や石仏、石づくりの国東塔、五輪塔、板碑《いたび》、笠塔婆《かさとうば》、画像石、六地蔵等々その種類と数の多さおびただしさ。

ことに磨崖仏の多さは、日本では断然他を圧している。大分県下で現在わかっているだけでも六十ヵ所以上、五百体をこえる。草木におおわれて人の目にふれないものがまだどのくらいあるか見当がつかないという。山へ遊びに行った子どもが偶然発見したなどということが今でも続いている。そしてこの大分県の石造仏教文化の揺らん地が国東であり、六郷満山なのである。

また、この元宮磨崖仏が、お寺の横にではなく、八幡宮の横に立っていることに改めて気づく。神と仏を融合させた日本独特の神仏習合の思想、それが六郷満山の思想であり、宇佐八幡宮自身がその積極的な推進者であったということだ。

仏教を日本にとり入れるのに最も熱心だったのは天皇家であった。その背景には、国家統一の事業が進むにつれて、それと裏腹なかたちで朝廷の内部には、それぞれの氏神を擁した氏族同士の対立が激しくなっていった。氏神は、おのれの氏を守るために生みだされたもので、他の氏族の氏神とは利害相反する。現実的利害関係が敏感に反映される排他的な神であった。畑と川の神が融合し、生産の神があらゆる自然や女性の姿と融合したようなわけにはいかなかった。

ところが仏教は、人間の宿命的な罪業に気づき、それを救ってくれる仏のいます理想的な浄土世界を思いえがいていた宇宙的スケールでの思想体系である。狭い朝廷内でいがみ合っているものたちには、新しく、みずみずしく、驚異的であった。聖徳太子をはじめ熱心な天皇家の動きに宇佐氏は敏感に反応した。白鳳時代には、宇佐川のほとりに法鏡寺、虚空蔵寺を建て、聖武天皇の神亀二年（七二五）に宇佐八幡宮が現在地に立てられたと同時に、二つの寺を統一するものとして弥勒寺《みろくじ》を建て、宇佐八幡宮の神宮寺とした。宇佐氏がいち早く実現したこの神仏習合の思想は、当時のもっとも新しい前衛思想であった。

そして平安時代に入り、日本仏教の密教化が進むのと平行して、宇佐八幡宮の後押しで国東の山々におびただしい寺が建てられるのである。寺をかざる木の仏像や、崖に彫られた磨崖仏もまたその動きに伴っている。

熊野磨崖仏

元宮磨崖仏から南へ、車で約二十分、里の人家が見えなくなった谷の奥に、一つの寺がある。丸い青銅製の円盤に阿弥陀如来、観音菩薩、勢至菩薩《せいしぼさつ》の三尊を浮彫りにした有名な弥陀三尊懸仏《かけぼとけ》をもつ今熊山胎蔵寺。

その本堂から山道へ。そして鬼が一夜にして積みあげ

高さ約8メートルある熊野磨崖仏の不動明王像。豊後高田市平野

たというおそろしく荒っぽい百数十段の石段。あたりはすでに深山の趣きである。上りきり、一息いれようとするその眼の前の岩山に、高さ約八メートル、巨大な不動明王の出現である。

キバをむき、降魔の剣をかざしたこの不動明王像は、約三十メートル右の方にたつこれまた高さ六・八メートルという巨大な大日如来像とともに日本最大の石造美術品である。そのスケールの大きさ。見事さ。

大日如来は、宇宙をすべる絶対の仏であり理と知をあわせもつ。不動明王は、如来の使者として威をもって悪動のものを導き、仏道に入らせる役目をもつ。また大日如来像の頭上に刻まれた三つの曼荼羅は、仏教が教える浄土世界の意味と構造を、万人にわかるように図や絵であらわしたものである。

かつてこの辺りは、うっ蒼と生茂った木々におおわれ、巨大なこの仏たちの姿は、暗い木々のかげからわずかにそれと仰ぎ見られるのみだったという。

密教と修験

時代はかわりそれぞれの全容が見られるようにか、仏たちの前は広場のようにきりひらかれている。けれど鬼の石段から巨像の出現へのうつりかわりは劇的であり、一日中ほとんど陽が当らないこの山の側面の暗さと木々の影はやはり神秘の面影をのこす。

が、それにしてもこの巨像たち、殊に不動明王のもっている奇妙な表情はどうだろう。ふつう不動明王は、怒りの形相もすさまじい仏である。ところがこの不動明王は、どう見ても怒りの形相ではない。泣くとも笑うとも困っているとも見えるその表情は、むしろユーモラスである。丸いとびだした目玉、大きくあぐらをかいた鼻、まるで歯のないじいさんのような口、ぽったりとふくらんだ頬。それは、仏という観念からはおよそ想像のつかないものだ。見るうちに自然と笑いがこみあげてくる。そして安らかな感じ、優しみがこみあげてくる。本来不動明王はもっとこわいおそろしいもののはずであった。

岩は、木のようにはせん細な仏をつくるのに適していないだろう。それにしてもこの不動明王は不可解である。大日如来の方にしても、たとえばとぎすました理知の極致といったような極限的なものは感じられない。けれど逆に、何ともいえないおうようさ、おおらかさがある。石というもののもつ質感なのだろうか。それとも造仏の儀軌をよく知らない未熟さの結果なのだろうか。あるいは平安時代につくられたといわれ、あるいは鎌倉時代だといわれるこの作者不明の不思議な巨像は、あわただしい時間の流れを忘れさせる。

平安時代仏教の特色は、いわゆる密教化したことである。秘密深奥の教えという意味をもつ密教は、奈良時代の仏教（密教に対して顕教ともよばれる）が仏教の教えを聞く人に応じてわかるように説いたのに対して、密教に入信したものでないとその修行の方法を教えなかった。その変化の理由は、仏教的思想と人間的現実のへだたりがあまりにも大きいという認識と悲しみであった。何とかして仏の境地に、しかも現世で到達したいといういわゆる即身成仏のねがいが、厳しい儀式と修行を要求する密教化へ拍車をかけた。中途半端なかまえではだめだ、密教はそう考えたのである。山がその修行の場にえらばれ、寺も盛んに建てられるようになった。

板石に刻んだ仏像。94枚あって、至徳2年（1385）、明徳2年（1391）などの年号が見られる。豊後高田市青宇田

一方、古代の人にはおそろしいもの、近づいてはならないものとされていた山へ入り、山の神秘を身体に体験する、いわゆる修験という民間信仰的な信仰者も奈良時代に生れていた。奈良葛城山から出た役《えん》の行者がその中心人物といわれた、大嶽修験、彦山修験など、日本のこれという目立った山々に修験がひろがっていた。国東半島六郷満山の寺や仏像は、すべて仁聞《にんもん》菩薩によってつくられたといわれている。全国の修験の山にひろがっている役の行者や聖宝《しょうぼん》理源《りげん》大師の名とはちがって、この仁聞菩薩の名は国東半島・六郷満山にしか聞かれない。宇佐信仰と結びついたここ独特の修験者だったようである。

六郷満山の寺や仏像には、その手法や仕上がりの状態にいろいろなちがいがある。たとえば熊野磨崖仏の不動明王像と、国宝に指定されている木造の富貴寺《ふきでら》阿弥陀如来像には、つなごうとしてもつながらない質のちがいがある。もっと素朴に考えても、おびただしい数の六郷満山の寺や仏像を仁聞菩薩一人でつくれるなど信じられないことだ。

　とすると、この熊野の仏たちは、一体誰がつくったのだろう。仁聞にしたがう修験の人々だろうか。仁聞の名で語られてしまう多くの無名の人々が、そこにいたことは確かなはずである。

真木大堂《まきだいどう》の木造阿弥陀如来。豊後高田市真中

　それともう一つわたしたちの心をひくのは著名なものだけでも二、三十を数えるこの国東半島の磨崖石仏や磨崖石塔が、両子山を中心にした同心円的な共通の地質（岩）地帯につくられているということである。その土地の地質と文化が、これほど見事に結びついているところも少ない。文化とは、のっぴきならずその土地の自然と結びついている。

真木《まき》の大堂と木彫仏

　本宮磨崖仏から熊野磨崖への道の途中に真木大堂がある。

　外観はただ一宇の茅葺の御堂に、遠い平安の昔がしのばれる。そして一歩御堂に入ると、そこに磨崖仏とはおよそちがった仏の世界が展開する。

　堂内奥を仕切る三つの大きな開き格子の扉。その中央に、高さ二メートル余、いわゆる丈六の木造阿弥陀如来坐像と、その四囲を守る同じく木造の四天王像がある。阿弥陀如来は、この世の念仏行者の臨終の時に、西方十万億土から迎えに来られると信じられている仏である。自分の死後の世界を思い平然としておられるものはないはずだ。ことに平安時代の人々は釈迦が死んでから千五百年後は末法の時代に入り、世は乱れ、救いのない絶望的な時代が永久につづくという末法思想におびやかされていた。平安時代のはじめごろがその千五百年目にあたるのだが、その絶望感が人々にせめて来世はと阿弥陀サマにすがらせるようになる。そのねがいの強さが、異常なまでに阿弥陀信仰を高まらせた。貴族も、一般庶民も、その気持に変わりはなかった。

釈迦如来はどちらかといえば現世の倫理を教え、大日如来は知、薬師如来は現世の利益を説く。死後を説く阿弥陀如来は、今日からいえばむしろ難解な仏のはずなのに、当時の人は最も熱烈にそれを愛した。死こそ最高の神秘である。それを思いなやみ、様々に空想しつづけながら、人々は阿弥陀如来の像を刻みつづけた。日本の仏像彫刻の中で、最高の美をもつといわれる阿弥陀如来像は、こうした日本人の苦悩と空想の中から生みだされたものである。

白牛に乗った、真木大堂の六《ろく》面《ろめ》六《ろっ》臂《ぴ》六足の木造大威徳明王。豊後高田市真中

この真木の大堂の阿弥陀如来も、その一つだ。温容な顔、引きしまった体、流れるような美しい衣紋のひだひだ。激しい落剥にたえて残っている顔の朱の色も、死後をより美しく華麗なものに思いたい人々の心があらわれているのだろう。

まわりにひしめく持国天、毘沙門天、広目天、増長天の四天王にしても、左右の格子扉の中の不動明王像と制多矜羯の二童子、あるいは巨牛の上の大威徳明王にしても、すべて細心の心づかいと技術で仕上げられている。その細心華麗さは、およそ熊野磨崖仏とは異質のものすら感じさせる。木と石の素材のちがいというだけのことであろうか。

富貴寺から龍岩寺へ

真木の大堂から元宮をこえ、一つ山をこえその名もゆかしい蕗の里へ出る。小さな谷に細長くひらける田。ひっそりとかたまる茅葺の家々。国宝富貴寺は、その家々の上に、美しい屋根を見せる。

その肌に千年の歴史を刻む石段。いちょうの老大木。そしておおらかに、豪快にひろがる甍。富貴寺大堂は、宇治の平等院鳳凰堂、法界寺の本堂、中尊寺の金色堂と並び称される平安時代の後期の代表的な阿弥陀堂建築であり、九州で一番古い木造建築物である。

すべて白木（カヤ）づくり、三間《みま》、四間《よま》の単層。簡素で、しかも堂々としている。

御堂の中に、内陣中央に一体の木像阿弥陀如来坐像。

狭い格子の奥にひしめいていた真木の大堂の阿弥陀たちにくらべて、広い内陣にただ一体、高い蓮華台の上にぽつんと坐るその阿弥陀如来の静かさ。

その背後、内陣後壁、一面に、その色のほとんど落ちてしまった浄土変相図がえがいてある。

阿弥陀如来のいます阿弥陀浄土のすがたをえがいた絵だ。そして内陣、外陣の長押《なげし》上の小壁にびっしりとえがかれた様々な仏たちの姿。

その色のほとんどは落ち、その姿すらも定かでないものが多い。

けれど、苦しみ悩む当時の人々に、何とか浄土世界を信じさせようとした造仏師、画工たちのひたむきな努力をひしひしと感じる。

四方の扉を閉じ、かすかなロウソクか護摩の火の光をたよりにこれら御仏たちの姿を見たとき、人々は何を感じただろう。

また一転して四方の扉を開き、明るい外の陽光の中に咲きみだれる花、木々の緑、あるいは漆黒の闇の中の降るような星の光を見たとき、人々は何を感じただろう。そこに一瞬の永遠を感じ、浄土を感じとることはなかっただろうか。

四囲に扉をもつ阿弥陀堂建築は、そういう人間の心の機微を、効果的にとらえているのではないだろうか。

宇佐の南方、院内町旧院内村役場から約二キロメートルの谷あいに一つの部落がある。六郷満山の一つ、龍岩寺の元門前村である。

部落横から山へよる竹藪の道。長い木のキザハシ。石段。その上に、自然の山の洞窟にしつらえられた龍岩寺奥の院礼堂の神秘な姿がある。

弘安九年（一二八六）再建の棟札を残すこの礼堂は、平安時代末期につくられた六郷満山の寺院形式の一つの典型である。岩山の多い国東半島に、数多くの寺院をつくるには必然的にこういう洞窟形式のものも生れて来る。建物の後半分はなく、洞窟そのものが建物の一部になっている。

かすかな破風をみせる優美な屋根。せん細な格子扉。のしかかるすべての重みを支えるべき数本の脚柱すらも細く優しい。荒々しい岩肌がこのせん細、優美なものをおおい包むその奇妙なコントラストが平安末期の人と運

龍岩寺、奥の院の礼堂。院内町大門

命を連想させる。

　礼堂内陣に気品の高い、三体の木像仏が並ぶ。向って右から薬師如来、阿弥陀如来、不動明王のいわゆる弥陀三尊像。一本の木から彫ったという一木彫のこの優れた木造たちと背後の岩壁との深く、静かな調和。これは、熊野にも、真木の大堂にも、富貴寺にもなかったものだ。

龍岩寺、奥の院の礼堂に安置された、手前から木造の薬師如来、阿弥陀如来、不動明王。平安末期の作とされる。院内町大門

ひたむきな日本人の心と技術を極限にまでおしすすめた木の仏と、冷たくそれを包む自然の岩壁とのかもし出す深い静けさ。これは、すでにこの礼堂を外から見た瞬間のものだ。

　千年の昔、仏たちが人々に教え、さとらせようとしたものは、実はこれではなかっただろうか。深く、重い静けさ。裏切ることのない、永遠のものとの無言の対面。それそのものがすでに浄土と感じられたのではなかっただろうか。

六郷満山峰入り

　かつて国東半島では、僧侶や修行者たちが延々と列をつくり六郷満山の寺や岩屋をめぐり歩く「六郷満山峰入り」を行なった。里々の寺を、磨崖仏を、岩屋の礼堂を、そして峰々の行場を歩きまわった。岩をよじ登り、谷をとび下り、厳しい山の修行にたえた。そして最後に、宇佐八幡宮の後にそびえる御許山《おもとやま》に参拝したという。

　六郷満山百八十五ヵ所をめぐるのは容易なことではなかった。一月でも二月でも、里にでては托鉢をして歩いた。江戸時代の末期にこの行事は止み、昭和二十三年一旦再興したがまた止み、昭和三十四、五、六年と僅か五、六日の短時日の峰入りを行なったという。昭和二十三年には二十余りをめぐるのにひと月近くもかかったという。今はまた止んでいる。

　豊後高田市の長岩屋山《ながいわやさん》・天念寺《てんねんじ》や国東半島北部の国東町岩戸寺には、六郷満山の残した古い宗教行事がある。

毎年旧正月七日夜行なわれる修正鬼会《しゅじょうおにえ》である。

修正会というのは、奈良時代からはじまり平安時代の中ごろには完全に民衆化したといわれる新年の仏教行事で、そこには明らかに日本古来の新しい年迎えの民間信仰行事と、仏教的な悔過《けか》や悪魔払いの行事が結びついている。そして悔過や悪魔払いのための呪術をつかさどる呪術師からいろいろな芸が発生し、平安時代の末ごろには呪師十三手といわれるほどになった。鬼の面をつけておどったり走ったりする鬼踊りはその中の一つで、鬼踊りのついている修正会、つまり修正鬼会が、最も古いかたちでよく保存されているのである。

天念寺の場合はこうである。

正月七日夜十一時、天念寺外六ヶ寺から集まった僧侶たちは、この谷の川原に下り読経をはじめる。一方御堂の前には七日間水ごりをとって身を清めてきた青年たちによってつくられた直径一メートル、長さ四メートル余りの大タイマツ六本（正式には十二本）に火がつけられる。読経をおわった僧侶たちは、寺の隣の神社のカグラバヤシを通って御堂にあがりまた読経をはじめる。青年たちは燃えさかる大タイマツを一本ずつ勢いよくかついで仏前に供えては消していく。真暗な闇の中で行なわれる厳粛で、しかもダイナミックな古来の火の神事の変形である。読経五時間。いよいよ鬼踊りである。白い、やさしい顔だちの男女二ひきの鬼（鈴鬼）が鈴をふって踊る。かわって二ひきの荒鬼がとびだす。手に手にタイマツをふって「ソラオニ、ニワヨ、ホーレンショーヨ」と六調子の踊りを踊りながら御堂いっぱいに暴れまわる。「鬼の眼」という丸い餅が群集になげこまれ、それをひろったものを鬼が追い、タイマツでたたく。暗い国東の山にくりひろげられる火の饗宴である。

国東塔

宇佐八幡宮の力と権威を背景に、高度でしかも独特の文化を花ひらかせた六郷満山に、大きな転換期がきた。関東から大友氏という新しい武士勢力が入ってきた鎌倉時代である。大友氏と宇佐氏は激しく対立し、宇佐氏は急速に力を失っていた。

家々をまわる成仏寺の修正会《しゅじょうえ》の鬼。国東町東町　昭和57年（1982）1月
撮影・須藤　功

国東の比叡山といわれ、六郷満山を管轄していた西叡山の高円寺は鎌倉時代初期に廃寺となり、後をついだ屋《や》山《やま》の長安寺もすぐに衰微し、六郷満山の中心は両子山にうつる。その中で登場した新しい石造文化がある。国東塔である。

国東塔は、鎌倉時代以前からあった五輪塔を変形させたもので、国東独特のものである。父母のために子どもたちが建てた追善供養、納経祈願、墓標などいろいろの目的のための塔であったが、生前に自分の死後を供養するといういわゆる〝逆修《ぎゃくしゅう》〟の塔として建てられたものが多い。

国東の寺の山門には、おおらかな表情の仁王像が立っている。山香町小武・小武寺

国東塔の特徴は、丸い石を五つ積み重ねたような五輪塔の素朴さを変形し、ことにその真中の部分を楕円形の雄渾なものに仕上げ、それとその上の笠に当る部分との間に五輪塔にはない石をかませて安定感をよくしたことであろうか。その結果国東塔の姿は、五輪塔のもつずんぐりした感じがなくなり、非常に立姿のいい、しかも力づよいものになっている。

一番古いものは国東町岩戸寺にある弘安六年（一二八三）、一番新しいものは享保六年（一七二一）、四百年以上もの間つくりつづけられたことになる。

一番大きいものは国東町伊美にある高さ四・八一メートルという巨大なもの。小さいものは富貴寺にある高さ一・五八メートルのもの。

その数は国東半島に約六十基。その他大分県下にちらばっているものを集めると大小三百余あるという。

最も古い国東塔のできた弘安六年は、二度目の元寇のあった二年後である。内憂外患、日本中が動揺していた。

正應五年（1292）銘のある国東塔。記銘のあるもっとも大きい国東塔で、高さ4.81メートルある。国東町・伊美八幡宮

ことに元寇の戦場となった博多周辺に近い国東半島の人たちは、外からの危機をひしひしと感じていたにちがいない。しかもそれまで絶対のものと信じてきた宇佐八幡宮の力が崩れ、大友氏という外来勢力による圧迫があった。国東塔をたてる力のない無力なものはともかく、それを建てることのできたものは、少なくともそれ相応の経済的な力をもっていた人たちで、そういう人たちはより強く内外の圧力を感じていたのであろう。逆修の塔としての国東塔が眼に見えて多くなってくるのである。

板碑《いたび》

国東塔が、ある力以上の人の建てたものとするなら、より庶民的な人たちが自分の死をかざり、供養できるようになったのは板碑があらわれてからであった。

板碑というのは、鎌倉時代に入って新しく興ってきた日蓮宗や念仏宗、中国（宋）から渡ってきた禅宗などの力によってひろめられた石の供養塔である。ただし、国東塔のような立派なものでなく、その名のように縦長の板のような石に梵字で阿弥陀如来、観音菩薩、勢至菩薩、いわゆる弥陀三尊の名を刻んだもので、しかもほとんどの場合が本人が死んでから建ててもらうものである。

板碑は、五輪塔が変形し、簡略化したものだといわれている。つまり五輪塔の脚部が長くのび、他が簡略化したもので、後にこれが位牌というものに更に変形していくのである。

国東塔が国東半

財前家墓地。国東塔の前身の五輪塔、宝篋印塔、板碑がびっしり並んでいる。大田村小野

財前家墓地の板碑。板碑は五輪塔を簡略化して庶民の死後のしるしとした画期的なものである。大田村小野

両子山の南にひらける谷の奥にある財前家墓地の六地蔵。大田村小野

島を中心とする大分県独特のものだったのにくらべると、板碑はその発祥地だといわれる関東地方をはじめに、日本全国にひろがっている。大分県には三百余基あり、国東半島にはその中の二百五十六基もある。大分県で一番古いのは安岐町護聖寺のもので正応四年（一二九一）、一番新しいものは同町朝来《あさく》久末にある弘治二年（一五五六）のもの。二百六十年ほどつづけられていたことになる。

　県下で一番大きいものは国東町東堅来の鳴《なるの》板碑で高さ三・三六メートル、小さいのは安岐町朝来弁分の高さ四十五センチのもの。

　板碑があらわれることによって、それまでは供養碑や墓など死後のしるしらしいしるしを何ももたなかった庶民も比較的簡単に造塔ができるようになった。特に国東で大分県の板碑の八十五パーセントが国東に集まっているということは、それだけ材料の石が手に入れやすく、それに宇佐八幡宮や六郷満山のおかげでここが非常に信仰心のあついところだったからであろう。

　板碑は逆修の塔ではない。けれど死んだ後でも自分を供養してくれる人がいるということはどんなにうれしいことだったろう。

　鎌倉時代以前の日本の仏教がもっていた一つの特色は、日本人一人一人のためというよりも、国のため、「国家鎮護」の色彩が強かったということである。天皇家とのつながりの強い宇佐八幡宮を背景にした六郷満山は特にそれが強かったに違いない。そういう従来の仏教が真に民衆化しはじめるのは、鎌倉時代におこった新興宗派の力によると言われている。板碑はその一つのあらわれであった。

　慶長五年（一六〇〇）、天下分け目の関ヶ原の戦で豊臣方につこうとした大友義統《よしむね》は、別府石垣原で黒田如水の軍に大敗し、鎌倉時代以来、二十二代四百年にわたって豊後地方（大分県）から北九州一円に勢力をふるった大友氏は滅亡した。

　海陸交通路の要衝である豊後地方を足場にして積極的な海外貿易を行ない、熱心なキリスト教導入者にもなった大友氏の活動力は、秀吉、家康とつづく中央の権力者に非常な関心と警戒心をもたせた。大友氏滅亡後の豊後地方が極端に細分化され、いわゆる小藩分立の有様になったのも、大友氏の勢力が復活するのをおそれた徳川幕府の政策であった。もちろん国東半島もその例外ではなかった。

　宇佐や豊後高田は島原藩、国東半島西北部は日向の延岡藩の支配下に入り、北部から東部にかけては杵築藩、南部は日出藩に分割された。

藩政下の庶民の生活

　宇佐の東方は中津藩になった。後に福沢諭吉がでたこの中津は、黒田、細川、小笠原、奥平とつづいた歴代の藩主が熱心に治山治水事業をおこない、商業を発達させたこともあって、大へん活気のある文化度の高い城下町であった。江戸時代の南画の大家である池野大雅もここに招かれ、数々のすぐれた書画をのこした。奥平氏の菩提所である自性寺の一室にそれらの書画が保存され、大雅堂とよばれて訪れる人が後をたたない。またここの百太夫神社（古要神社）は、古い傀儡《くぐつ》の神さまで、宇佐八幡宮にも関係があるといわれており、近くに人形芝居を奉納する宮座がある。北原《きたばる》芝居とよばれて有名である。

　中津の奥は耶馬渓《やばけい》である。阿蘇系火山の激しい活動によってできた溶岩台地が、長い年月とともに侵蝕され、あるいは屏風のような絶壁となり、あるいはカツオブシを立てたような姿、軍艦そっくりの岩、鋸の目のような奇観などをいたるところにくりひろげている。渓谷ぞいの道は険しく、しばしば激流が人をのんだ。発願以来三十年もかかって「青の洞門」を掘りあげた僧禅海の物語はあまりにも有名である。歴代中津藩主がまず治山治水に力を注いだのも、中津という町がこの厳しい渓谷を貫ぬく山国川の下流デルタの上にきずかれた町だからである。


　小さな領地に封ぜられた国東、中津地方の藩主たちは、それぞれひたむきな産業開発につとめた。中津藩の商業活動、杵築藩や日出藩の藺草奨励などはその最もいい例であった。けれど庶民、ことに農民の生活がそれでよくなったかどうか。

　大友氏の時代に豊後地方の農民の生活を記したキリスト教宣教師の本国への報告書がある。それによると、農民は武士と坊主のために働かされる奴隷のようなもの。

僧禅海が独力で掘った「青の洞門」でも知られる耶馬渓《やばけい》。本耶馬渓町　昭和44年（1969）9月　撮影・須藤　功

農民の主食は大根の葉やカボチャの葉の干したもの。飢饉のときには、生れた赤ん坊は海岸の波うちぎわに連れていって上に石をのせ、潮が満ちて波にさらわせる。ふだんでも子どもは一人二人で十分とし、それ以上は幼少のときに殺したり、薬をのんで胎児を殺す、とある。

江戸時代に入ってそういうことが行なわれなかったかどうか。大根やカボチャの葉の話、胎児殺しの話は、やはり消えてはいないのである。

そしてそういう生活をせざるを得なかった人々の心は、たえず寺へ、山へ、祈りへとのっぴきならず傾いていったのである。

椿大師堂の大法楽

国東半島中央部の峯の一つである伊美山から西へのびる谷の奥に真玉町黒土部落がある。ここには、他の国東の谷々の部落とおなじように古い六郷満山の寺(無動寺)や神社、十九体の磨崖山、板碑など一連の国東文化の遺跡を一まとめにもっている。その中で特に目をひくのは、真言宗のお寺である椿大師堂とそこでの大師大法楽の行事である。

六郷満山の寺々はすべて天台宗のお寺である。そこへ忽然とあらわれたこの真言宗のお寺は、江戸時代中期、宝暦十年(一七六〇)に四国から八十八ヵ所を迎え、その四十八・四十九の札所として建てられたものである。新しい活動場所を得ようとする真言宗の動きもさることながら、いわばこのなじみのない宗派すらも受け入れ、心の支えにしようとした人々の背景には、さきにもいったのっぴきならない苦しみと欲求があったにちがいない。また、他宗の入ってくるのをとうとう阻止できなかった天台宗六郷満山、つまり宇佐八幡宮の力のおとろえを見ることができる。

毎年旧正月、三月、七月のお大師さんの日に行なわれる大師大法楽。

今はその服装はかわってしまったが、かつては真白の手ぬぐいをかぶり、白の手ヌキと脚はんをまとった遍路姿の善男善女が谷をうずめてやってきたという。弘法大師が椿の枝で岩を突いたので湧いてきたと伝えられる有難い清水をいただき、ふだんの苦労から開放された静かな一日を楽しむ大師大法楽。そこには、修正鬼会に見られるような激情的なものはない。けれどその一日が静かであればあるほど、ここに何かを求めてくる人の心の切実さ、哀れさが感じられてくる。

古代から江戸時代へ、国東の支配者は何回かかわった。国東を六つの郷に分けた大化の改新時代の国郡郷制度とその時の支配者、その六郷を私有化(荘園化)した宇佐八幡宮、そして大友氏、江戸時代の小藩主たち。それらうつりかわる支配者たちの下で、庶民はたえず食うに困り、苦しんでいたのであろう。でなければ六郷満山を軸にしたぼう大な国東の仏教文化を理解することができない。

いつも、何かに頼らざるを得なかった人々のねがい、それなくて宇佐八幡宮や六郷満山、その他の寺や僧侶の繁栄はなかったはずであり、ひいては国東の仏教文化はなかったはずである。

国東半島の南の玄関口である日出の町には江戸時代からの系譜がはっきりしているすぐれた石工が住んでいる。

かつて熊野磨崖仏など日本中に例のない多数の石仏を刻みつづけたのは、仁聞菩薩に代表される無名の修験者たちであった。では国東塔や板碑、あるいは草にうずもれるような小さな磨崖仏の数々を彫り刻んだ人たちは、どんな立場の人だったろう。日出の石工は、その一つの暗示を与えてくれる。

日出の石工は、今でもふだんは百姓である。人の求めに応じて薬師如来や地蔵さまを彫る。しかもここの石工には、ヤゲン彫りという難しい字の彫り方の技術が維持されている。

ヤゲン彫りは、彫った石面の字が奥の方でひろく、彫り口の表で狭い特殊な彫り方である。ふつうの彫り方では、彫り口の表がひろく、奥に彫り進むにつれて字の幅が狭くなる。そういう彫り方では、石の表面が風化したり磨滅したりすると字もだんだんすりへり、遂には見えなくなってしまう。ヤゲン彫りでは、逆に石の表面が風化や磨滅によってすりへればすりへるほど字がますます大きく鮮明に見えるようになる。日出では城(暘谷城)の石碑の文字をはじめ、その技術がいろいろなところで見られる。

千年以上もの時間と風雨に耐えて、今尚はっきりと見える熊野磨崖仏の顔の上の曼荼羅はあるいはヤゲン彫りのような彫り方ではなかっただろうか。ヤゲン彫りの起源ははっきりしないが、そういう宗教的なものと何らかのかたちでつながっていることは間違いないのではないか。何故なら宗教はたえず永遠なものを求め、ヤゲン彫りもまた半永久的なしるしをきざむ技術だからである。

田染の里の凝灰岩の石切り場では、主に墓石をつくっていた。けれど日出では、凝灰岩よりはるかにかたい安山岩で観音さまや地蔵さまをつくっている。ことに近ごろは地蔵さまの注文が圧倒的に多いという。

現代の交通地獄の嵐の中で黙々と立っている地蔵菩

稲藁の鳰《にお》が並ぶ初冬の田染の里。豊後高田市

石地蔵。地蔵は万物を生む大地の神であったインドから伝来した。日出町豊岡

薩。日本の仏教の上では、平安時代になって忽然とあらわれたこの御仏は、もともとはインド教の万物の生を生む大地の神であった。それが何故平安時代に忽然と日本にあらわれたもうたか。それはよくわからないけれどこれ程日本の庶民に親しまれ、愛されてきた御仏は他にないであろう。いつも気どらず、力まず、しかも人間が一番こわがるところに立っていて下さる。狂ったような自動車が交錯する現代の三途の川にも、である。

国東を歩き、日出へでてくると、このあまりにも見なれた御仏の姿にも、深い何かを感じはじめるから妙である。

別府＝現世の地獄極楽

日出までくれば別府はもうすぐである。遠い神話の時代から、すでに霊験あらたかな湯として知られていた速《はや》見《み》の湯別府温泉。奈良時代に編まれた「豊後国風土記」には、赤温《あかゆ》泉、玖信理《くべり》湯の井として今の血の池地獄などのようすが記され、当時は赤湯泉の赤褐色の泥土は、家の柱を丹色《にいろ》に塗る塗料としてつかわれていたという。

おそろしい死後世界の苦痛を連想させる「地獄」群。それとは逆に、人を暖め、慰め、傷をいやしてくれる温泉群。この二つのもののとり合わせは、自然の与えてくれた見事な地獄極楽絵巻である。

それは、これから北方にひろがる国東の密教文化、石造文化と断ちがたく、離れがたい関係にある。いずれも九州を一つにつないだ火の山を母体に生まれ、日本の歴史の夜明け以前から生きつづいてきた双生児なのである。

豊後路をゆく

文　姫田忠義
写真　伊藤碩男

「豊後富士」とも呼ばれる由布岳（1584メートル）。雲海の下に由布院盆地がある。

はるかな九州横断道路

湯の町別府の国鉄駅前をスタートしたデラックスな九州横断観光バスは、人と車、温泉旅館や商店などでにぎわう町なかをぬけるとすぐ山に上る。

みるみる遠ざかる湯けむりと町なみ。そのむこうに美しい別府湾がひろがる。お天気しだいでは、さらにそのむこうに四国の山かげすらものぞめよう。けれどそれはごくわずかな間の眺望であって、それはすぐに視界から消え、バスは雄大な山と高原のつらなりの中にすいこまれていく。

九州横断観光道路の出発点。大分県別府市

別府熊本間一四〇キロメートルを走る九州横断道路。その道のりの大部分は、九州の屋根といわれる九重《くじゅう》連峰をはじめ、世界最大のカルデラ（火口原）や外輪山をもつ阿蘇、九重連峰の北にひろがる飯田高原など重畳する山岳地帯である。別府の西にそびえる鶴見岳と由布《ゆふ》岳は、いわばそのはしりである。

かつてこの山なみは、中部九州の東と西の往来をさまたげる巨大な障壁であった。ことに九州の最高峰である九重山を中心にした九重連峰の高さと厳しさが人々の前にたちふさがっていた。

人々は九重をさけ、阿蘇から大野川ぞいに大分市へぬけるコースをたどった。大野川は天恵の交通路であった。たとえば江戸時代、肥後藩をはじめ西九州の諸大名は、参勤交替で江戸へむかうためにこのコースをたどり、大分市の東にある鶴崎の港や別府湾北部の日出《ひじ》の港から船で東へむかったものであった。大分熊本間をはしる国鉄豊肥線もほぼこのコースをたどっている。

もっとも鶴見岳、由布岳、飯田高原、九重連峰、そして阿蘇とたどる今日の横断道路のコースが、有史以来だれも通ったことのないものだというわけではない。今のコースと完全に同じではないが、わりに近い似たようなコースをたどって人々は九重をこしている。それもきわめて遠い原始時代からである。

たとえば国東半島姫島産の黒耀石でつくられた石器時代の石のやじりや縄文時代の土器（押型文）、弥生時代

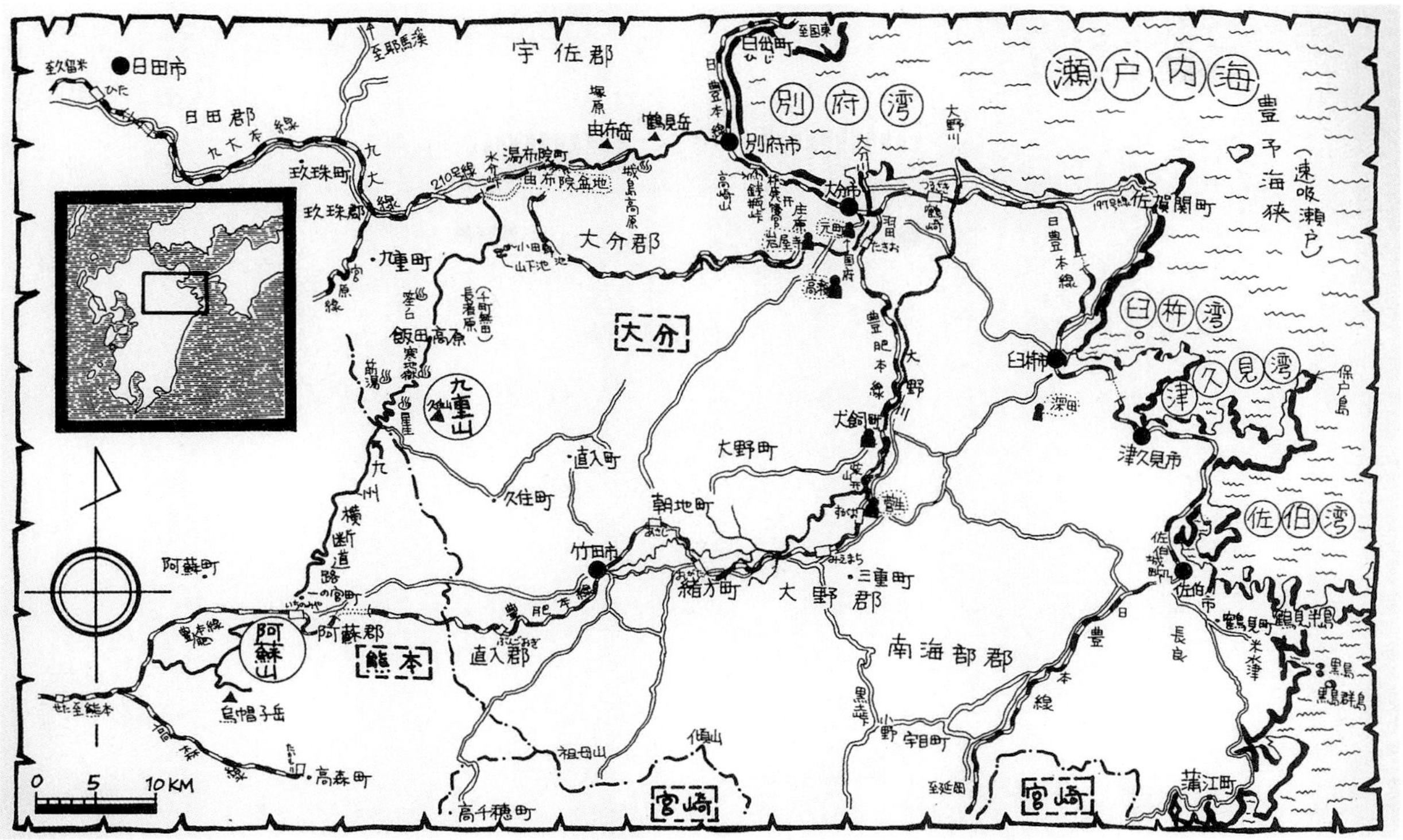

の土器（オヅ式）などがふるいこのルートに平行して分布し、そこに人の生活と往来があったことを示している。また国東半島方面の塩がこのルートを通して阿蘇方面へ運ばれていったともいわれている。仰々しい大名行列は通れなくても、切実な生活上の必要をかかえた庶民の足は、高く嶮しい九州の屋根をふみこえていったのである。

国東半島方面から阿蘇、熊本方面へは、このルートが最短コースであった。

今日の横断道路は、このふるい「石のやどりのルート」、「塩ルート」を現代的に完成させたものだといえるだろう。巨大な自然の障壁にもめげず、それにさまたげられた九州の東と西をつなぎつづけてきた古来の人の生活と夢がそこに秘められている。

桃源境・湯布院《ゆふいん》

湯の町別府を後に山に入ったバスは、なだらかな起伏のつづく城島高原をへて約五十分後、由布院盆地の西側の山を走る。

盆地の東にそびえる由布岳は、鶴見岳、九重連峰と同じように標式的なトロイデ（鐘状火山）である。富士山に似た美しいその姿は、古来数多くの歌にもうたわれ、熱烈な信仰の対象でもあった。

　をとめらが放《はなり》の髪を木棉《ゆふ》の山
　雲なたなびき家のあたり見む

遠い万葉歌人の歌である。

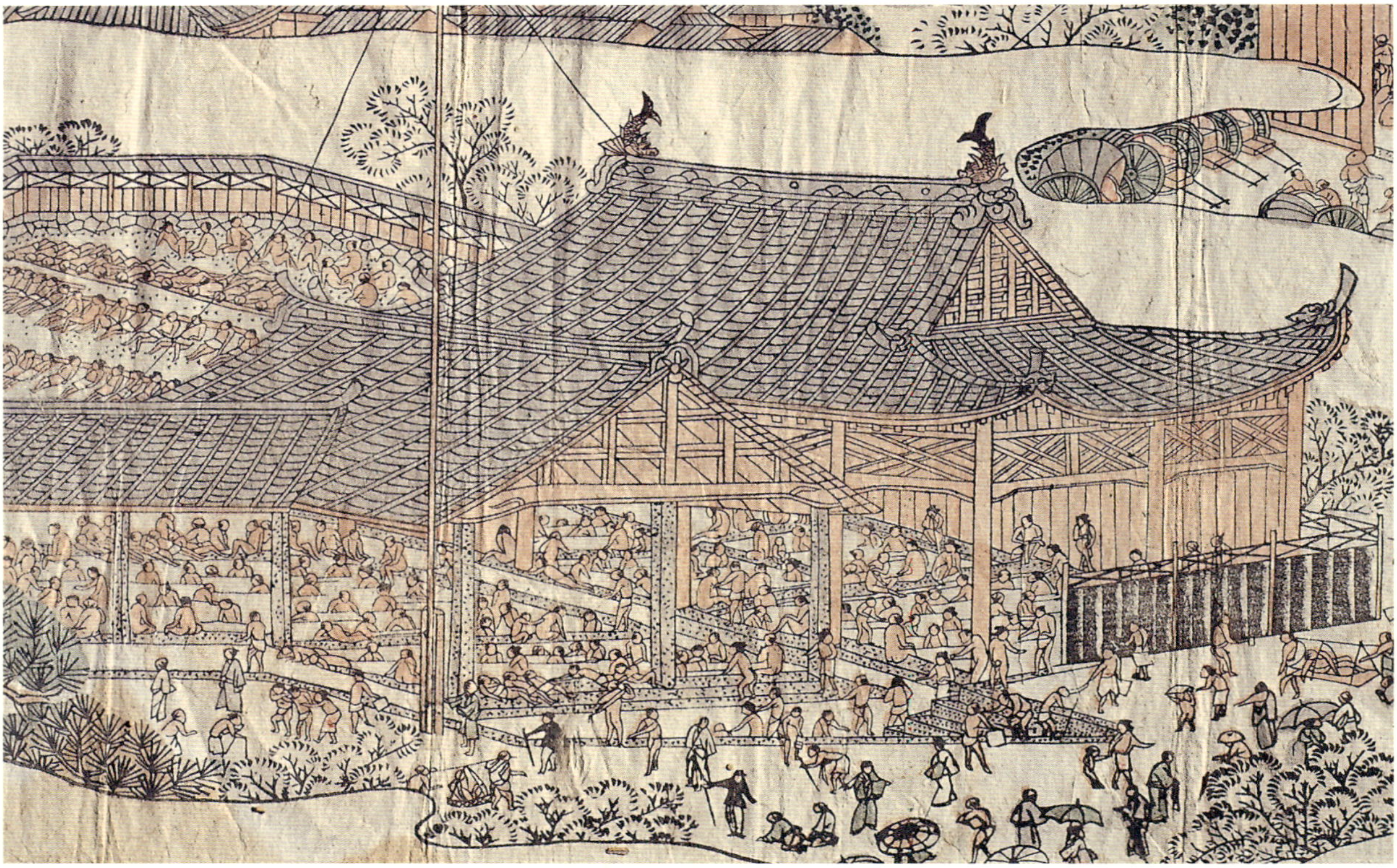

別府温泉の発祥地である浜脇温泉のにぎわいを描いた図（個人所有）

冬は樹氷の花が咲き、春は山頂附近をミヤマキリシマなど美しい高山植物の群落でかざられる由布岳のふもと、海抜五百メートルの由布院盆地は、豊かな湯に恵まれた温泉郷である。湯の量は別府に次ぎ、しかも別府にはない静かさとひなびたたたずまいがある。

わきでる湯は高温、無色無味の炭酸泉で、盆地を流れる小川のほとりや盆地中央部にのこる小さな湖のほとり、あるいは田畑のほとりやひなびた草屋根の民家の庭先などいたるところからコンコンとわきでている。清らかな小川のほとりで洗たくする女たちの姿を、かつての万葉歌人もあかず眺めただろうか。

太古この盆地は、満々と水をたたえた神秘的な山上湖であった。その湖底を干拓してひらいた美田が盆地中央部にひろがる。

ここに伝わる伝説によると、湖の壁を蹴やぶり、水をおとしてここに生活の場をひらいてくれたのは由布岳の神である宇奈岐日女《うなきひめ》とその協力者である蹴裂権現《けさきごんげん》であった。人々は二柱の神をそれぞれ宇奈岐日女神社と蹴裂権現社としてまつった。神の加護を祈願しながら人々は営々と湖底の沖積土をひらいてきたのである。

湖底に田をひらいた人々は、さらに山に木を植えていった。横断道路の沿道にも見られる見事な杉の林。

かつてこのあたりはうっそうとした原始林におおわれていた。由布岳の北尾根など幾箇所かにそのおもかげがのこっているが、人々はその原始林をきりひらき、平和

朝日長者の伝説がある千町無田。飯田高原（標高約1000メートル）の中心部あたりにある。大分県九重町

な生活の場をつくりあげてきた。江戸時代の滝沢馬琴が書いた『椿説弓張月《ちんせつゆみはりづき》』はここが舞台だが、その主人公である源為朝の活躍した時代は狼や大蛇などの横行する危険なところだったという。

由布岳の東北方の山間部落塚原にのこるおびただしい数の古墳群は、はるかな時代にこのあたりをきりひらいてすみついた人々の記念碑である。

横断道路から見える見事な杉の植林には、静かな桃源境のかげにある人々の努力の歴史がひめられている。

長者伝説の高原・飯田

湯布院から水分《みずわけ》峠へ。ここからは玖珠《くす》、日出《ひじ》、久留米方面へぬける国道二一〇号線がわかれる。いよいよ横断道路の単独行である。

峠の眼下に、よりそった二つの湖が見える。一つは自然の火口湖である小田野池。もう一つは九州電力がつくった新しい人造湖山下池。美しい杉の植林にかこまれた青い水が、広い空の下でしずまりかえっている。まわりを高い山でかこまれた由布院盆地のそれとは対照的な明るさである。

二つの湖から飯田高原へ。えんえんと起伏する広大な草原がつづく。その単調さ、はてしなさ、そして不毛さが、ここを行くものの心を何かやりきれない深みにひきこむ。

が、ここにも数奇な伝説をもつ人の生活と歴史があった。飯田高原の中心部ともいえる長者原《ちょじゃばる》（千町《せんちょう》無田《むた》）

がそれである。

むかしこの原に、強大な富と権力をもつ長者がいた。まえ千町、うしろ千町とよばれる広大な田をもっていた。ある年の田植えの時、まだ仕事がおわりきらないのに陽がくれはじめた。長者は二千町の田を一望する高台にのぼり、黄金の扇で太陽をまねきかえした。

この長者伝説がいつごろ生まれたものか確かなことはわかっていない。けれど一見不毛と見えるこの地帯にふるい人の生活のあったことは、この高原台地の西北にあたるところにある小さな「年の神」のほこらと、そのまつりのようすによって知ることができる。

奇妙なことに附近一帯が草原であるのにこのほこらのあるところだけは広葉樹がしげっている。丸太と竹とカヤでつくった素朴なほこらの中には丸い自然石が数個ならべられてある。毎年旧の九月十六日、北方部落十八戸の人たちが総出で古いほこらをこわし、年ごとの新しいほこらをつくる。

半月も前から斎戒沐浴していた祭主を中心に、各戸からもちよった団子と酒をそなえて一同が「年の神」をおがむ。そしてその後、そなえものを下げ、一同もちよりのさかなで宴をはる。

素朴なこの「年の神」のまつりからは、遠い時代の日本人の信仰と生活がうかがわれる。それは決してこの長者原独特のものではなく、稲作民族である日本人全体の信仰と生活であった。けれどそういうものが、この一見不毛の草原と見える高地にもあったということは今様にいうとおどろきであった。

飯田高原の南には、容易に人をよせつけない風情の九重連峰が巨大な壁となってたちふさがっている。別府方面からたどりついたものには、それはいわば地の果てとも感じられる。そういうところに何故人がすみついたのか、稲をつくる農耕生活がはじまる以前はどうだったのだろう。

飯田高原をはじめ大分県西部にひろくひろがっている丘陵地帯は、太古はひじょうに獣の多かったところで、人々はその獣を追ってわたりあるく狩猟生活をしていたといわれる。

千町無田の無田は牟田であり、山腹の湿地に猪が自ら凹所をつくって水をたたえたところをいうニタということばの変化したものであろう。ニタということばはひろく九州一帯にのこっており、関東地方ではヌタまたはノタ、東北地方ではニタである。千町無田の西北には猪牟田という地名の部落もある。

獣を追い、山をかけまわっていた太古の人たちには、ここは地の果てではなく、別天地の楽園だったかもしれない。

九重《くじゅう》をこえて阿蘇へ

飯田高原からいよいよ九重ごえにかかる。その附近に点在する温泉群。筌《うけ》ノ口温泉、寒ノ地獄、星生《ほっしょう》温泉、筋ノ湯。道路ぞいの高い山腹に数百年昔から硫黄をとっているという硫黄採取場が見える。そして九十九折れす

宮地から望む阿蘇山。熊本県一の宮町

る急坂をのぼりきった峠にたどりついたとき、人は一様に感嘆の声をあげる。九重から阿蘇へかけての雄大な景観が急に目のまえにひらけるからである。

日本中にたとえるところのないすばらしさ、不思議さをもった景観。九重からなだれおちた山が大海のうねりにも似た阿蘇外輪につながり、そのはるか彼方にかすかに白煙をあげる阿蘇山がよこたわる。それは、完全に日本ばなれした夢のようなひろがりの世界である。

峠を下り、阿蘇外輪山のかなたへ真一文字に消えていく白いハイウェー。その沿道に、ときには近く、ときには遠い黒点となって放牧牛が見える。

ある著名な北海道の牧場主が言った。阿蘇は日本一可能性のある放牧場だ、と。

周囲約一二八キロメートル、南北約二四キロメートル。東西約一七キロメートルにおよぶ広大な阿蘇外輪山は、その広さといい、地形といい、いわば無限の可能性をもった放牧適地といえる。けれどいい牛をそだてるには、いい草がなければならない。カヤなど雑草が一面におい しげった外輪山の土をひっくりかえし、いい牧草の種をまいて外輪山の体質改善をしなければならない。日本一の放牧地としての阿蘇外輪山開発は、まだその緒についたばかりである。

おもしろいことに、九重と阿蘇外輪山の間をはしる大分・熊本両県の県境をさかいにして、大分県側の牛は黒く、熊本県側の牛は赤い。いわゆる豊後の黒牛と肥後の赤牛だが、そこにあるともわからない県境をさかいにし

バスの窓から見る久住山（1788メートル）。大分県九重町赤川付近

古代の官道を

たこのあまりにも明らかなちがいは奇妙である。

阿蘇外輪山の開発は、ひいては九重連峰やその周辺高地の開発につながる。無心の牛の色にまであらわれた東と西、豊後と肥後の対立はもはや無用であろう。九州横断道路は、その無用さ、無意味さをおしえてくれる。

雄大な景色のなかにある牧ノ戸温泉。大分県九重町田野

無限の可能性を持った放牧地とされる阿蘇外輪山。熊本県一の宮町

湯布院の西・水分峠から九州横断道路とわかれた国道二一〇号線は、大分市から大分川ぞいに湯布院までさかのぼってきた国鉄九大線とともに古代の官道ぞいに玖珠、日田方面へはしる。古代の官道は、日田から太宰府へぬけていた。

大化改新によって国内統一を完成しようとした大和政権は、日本中を国、郡、里にわけ、九州にとくに太宰府をおいて西のまもりにした。それまで豊国とよばれていた大分県は、国東半島をさかいにして豊前、豊後二つの国に分けられた。また太宰府からの官道が整備され、日田から由布院をへて豊後の国府である大分市までの道と、日田、九重から直入《なおいり》、三重、小野をへて日向の国府にいたる道とが官道になった。日田は豊後の玄関口であった。

太宰府から日田を経由する古代の官道は、日田の東、九重連峰の北麓にあたる今の九重町から二つにわかれた。一つは東へのびて水分峠、湯布院をへて豊後国府へ。一つは南下して飯田高原をこえ、直入、三重、小野から黒土峠をこえて日向（宮崎県）の国府へぬけていった。

日向へぬける道には、国東半島方面から湯布院へ、湯布院からほぼ一直線に南下して竹田へ、そして竹田から大分・宮崎県境にそびえる祖母山の東をとおって日向の高千穂へぬけるふるい「塩の道」もあった。

水の都・日田

日田は、まわりを山にかこまれた美しい水郷の町である。

日田は美しい水の都。平成6年（1994）12月　撮影・須藤　功

東から南にかけては遠く九重、阿蘇の山々をのぞみ、北は耶馬渓から英彦山《ひこさん》へつらなる山々、西は筑紫平野にいたる女性的な山々をめぐらせている。

太古は湯布院とおなじように湖の底だったというこの盆地の町を二本の川や小さな運河がながれ、町にきよらかなうるおいをあたえている。その水に木々のみどりが映え、古いおもかげをのこす家なみや新しい温泉旅館の建物が映え、夏の夕べには風流な鵜飼船や遊船のかがり火やボンボリの灯が山の町ならではの夢のような世界をつくりだす。ひなびた由布院盆地とはちがった日田のみやびやかさである。

江戸時代、日田は幕府直轄の天領であり、その代官所の所在地としてさかえた。天領という背景とこのあたりの物資の集散地としての位置によって非常な富と文化をつくりあげた。

幕末の精神的指導者広瀬淡窓《ひろせたんそう》は、掛家とよばれる富裕な商家の一つに生いたったのである。

いうをやめよ他郷辛苦多しと
同袍《どうほう》友あり自ら相親しむ
柴扉《さいひ》暁に出れば霜雪のごとし
君は川流を汲め　われは薪《たきぎ》を拾わん
（広瀬淡窓『桂林荘雑詠』）

風雲急をつげ、不気味な鳴動が人々の心をゆさぶっていた幕末、淡窓の私塾「咸宜園《かんぎえん》」には、漢詩人淡窓の学徳をしたって各地からあつまった青年たちの若々しい熱気にみちていた。中にはわずか七、八歳の少年もいた。

淡窓が「咸宜園」をひらいたのは二十四歳。以後彼が死ぬまでの五十年間に教えをうけたもの三千八百余人。その中から高野長英、大村益次郎などすぐれた人材が輩出している。

日出に帆足万里《ほあしばんり》、日田に広瀬淡窓、この二人の名は、ひとり豊後国内だけでなく、ひろく幕末の日本中にしられていたのである。

日出は別府湾の北岸にあたる古来の海の門戸であり、日田は古来陸の門戸であった。その日出と日田に、幕末、期せずしてすぐれた指導者があらわれたのは、たんなる偶然の一致とはかんがえられない。二つの町には、一方が海をつうじて、一方が陸路をつうじてたえず豊後国外と接触してきたという共通点がある。

ここ一番という大事なときに、人々に大きな指針をあたえることのできるのは、あるいはそういう歴史と風土にめぐまれたものにだけできることかもしれない。

現在の「咸宜園」跡には、当時の建物の一部や井戸がのこり、市立図書館におさめられている六千冊の蔵書などとともに知的な日田の記念物になっている。

歴史のある町・大分

大分県の県庁所在地大分市は、古代の国府がおかれたところである。

おおいたの名のおこりは、日本書紀に「地形が広大でうるわしく、碩田《おおきた》と名づける」とあるのにもとづくという。阿蘇、九重火山系の山々におおわれた大分県西部から北部をあるいたものには、海に面してひらけたこの平野部はたしかに碩田とうつる。阿蘇、九重山系とは別系統の山におおわれた大分県南部からみてもそれは同じことである。

古代の国づくりの中心地である国府は、その土地の位置や地勢を無視してもうけられたものではなかった。

猿で有名な高崎山の東麓から東へのびてきた上野台地と、その南がわの大分川ぞいの平野が当時の碩田とよばれた平野部で、このあたりには古代以前、ことに弥生時代の遺跡が数おおくのこっている。

上野台地には古墳が密集し、ことに庄ノ原あたりはその中心地のようである。

大分駅から豊肥線滝尾駅（大分駅のつぎ）への沿線には、弥生式土器の工房跡が発見された羽田《はだ》があり、滝尾からは銅銭が出土したり、滝尾百穴とよばれる横穴古墳群がある。大分川の東にあるひくい台地の崖に大小七〇余の横穴古墳がのこっている滝尾百穴は、その前の平地が中学校の運動場になっていて、はるかな古墳時代と現代とを共存させた忘れがたい風景である。

政治と信仰が密接にむすびついていた古代には、政治の中心である国府と信仰の中心である国分寺がごく間近にたてられているのがふつうである。字五町にある印《いん》

蜂の巣のような横穴古墳の滝尾百穴。大分市滝尾

800年ほどつづくという柴山八幡社の「ひょうたん祭り」。重さ約10キログラムの大わらじを履いたひょうたん様が、神輿行列の先頭に立って、「五穀豊饒無病息災」といいながら練る。沿道の人々に腰にさげた大ひょうたんの御神酒を振る舞う。この御神酒をいただくと病気にならないという。祭日は旧暦11月3日（現在は12月第一日曜日）。千歳村柴山

柴山八幡社に奉納されたさまざまな作りのひょうたん

柴山八幡社の鳥居を出るひょうたん様。大わらじはひとりでは持ちあげられないので、両側に大わらじを引きあげる助っ人がいる。

鑰社《にゃくしゃ》（豊後の「国印」と院倉の「カギ」をまつる神社）が国府の位置をしめし、賀来《かく》に豊後国分寺の礎石がある。

高崎山の南、銭瓶峠《ぜにがめとうげ》の東のふもとに宇佐八幡宮から勧請された柞原《ゆすはら》八幡宮があり、その壮麗な社殿は、神仏混合を積極的にすすめた宇佐信仰の性質を本家である宇佐八幡宮よりももっとはっきりとうちだした独特のものである。

その他宝戒寺、円寿寺、祇園社など古代の社寺が上野台地にはおおい。そしてそれら社寺と密接な関係をもつ石仏もこのあたりにはおおい。日本一の石仏国である大分県でも指おりの美しさをもつ元町の石仏。剥落がはげしく、今はほとんど原形をうしなってはいるが、かえってそのことが見るものの心をうつ岩屋寺の石仏群。はるかに鶴見岳、由布岳の秀峰をのぞむ大分川畔の崖に洞窟をほり、その奥壁に五体の仏像をうきぼりにした高瀬の石仏。肉身の淡黄色や背光の赤、その他細部の赤や青の色彩がみごとにのこっているこの高瀬の石仏群は、小規模ながら唐の様式を伝え、洞窟周辺の美しい田園風景とあいまってはるかな時代のおもかげをもっともよくつたえている。

古代国府の地はやがて鎌倉時代にはいると関東からくだってきた守護大友氏の根拠地になった。上野台地には大友館跡があり、そのまわりの空堀の跡ものこっている。

猿で有名な高崎山はそのころの山城のあったところで、南北朝や戦国時代にたびたび大きなたたかいの決戦場になっている。

大友氏は、鎌倉時代以後関ヶ原の戦まで二十二代、三九八年間豊後の守護として勢力をふるい、筑前の少弐氏、薩摩の島津氏とともに九州三名家の一つにかぞえられた。その全盛期は二十一代義鎮（宗麟）の時代である。

大友宗麟の数々の業績のうちでもっとも大きいことはキリスト教を積極的にとりいれたことであろう。天文二〇年（一五五一年）フランシスコ・ザビエルが大分にやってきたのを契機に、ヤソ教宣教師を保護し、あわせて南蛮貿易を盛んにすることによって、鉄砲、大砲、火薬など先進的なヨーロッパの武器を手にいれようとした。

宗麟のキリスト教導入は、純粋に宗教的なものではなく、多分に政治的で打算的な動機をもっている。はげしい弱肉強食の時代に生きた戦国大名の宿命であった。けれどこの宗麟の政策によって府内（大分市）は、活発な南蛮貿易の基地になり、南蛮文化の花さく大商業都市になったのである。

宗麟が肥前の有馬、大村氏とともにおこなったローマ法皇への少年使節団派遣は、広大な未知の世界へおもいをはせる気宇壮大な壮挙であった。しかも八年という長い歳月をついやして使節団がかえってきたとき、すでに宗麟は、県南海岸の津久見で死んでしまっていた。全九州征覇をねらう薩摩の島津勢とたたかいながら、である。

はげしく、劇的な生涯をおくった宗麟の銅像と「南蛮貿易場址」の碑が、もとの神宮寺浦（今の春日浦）にたてられている。

関ヶ原の戦と同時に没落した大友氏の時代にかわって

江戸時代にはいると、豊後はおおくの小さな藩に分割され、大友時代のような大きなエネルギーを発揮できなくなってしまった。けれど政治的には大きな勢力たりえなかった江戸時代の豊後に、幕末、広瀬淡窓や帆足万里のようなすぐれた思想的指導者を生みだす素地のあったのを見のがすことはできない。明治時代にはいると中津に福沢諭吉もあらわれているのである。

大野川をさかのぼる

豊後の道をかんがえる場合、大分県南部の山地に源を発した大分県最大の川、大野川を見のがすことができない。

鎌倉時代のはじめに関東地方から豊後の守護職として大友氏がはいってくる以前、この大野川から豊後水道にかけての一帯には緒方氏という豪族が勢力をはっていた。緒方氏は宇佐八幡宮と関係のふかい大神氏の一族だといわれ、船をあやつることの上手な一種の海の民であった。

源平合戦の時、緒方一族の長であった緒方惟栄《おがたこれよし》は源氏方の九州武士団の先鋒として平家方の宇佐八幡宮焼打ちに参加し、また兵船八十二艘をひきいて壇ノ浦でたたかっている。当時頼朝は「九州の船だにあらば安事なり」と言ったというが、九州の船というのはこの緒方氏や、豊後水道ぞいにある臼杵の臼杵氏などの船のことであった。

大分と熊本をつなぐ国鉄豊肥線は、大野川ぞいにはしり、阿蘇へぬける。その豊肥線にそって大野川をさかのぼってみよう。

まず犬飼がある。

このあたりまでくると、川の両がわに黒々とした阿蘇熔岩の露出がせまり、深い谷の様相になってくる。江戸時代、大野川河口の鶴崎からここまで舟がさかのぼり、上流の竹田や阿蘇方面からくだってくる参勤交替の人数を鶴崎まではこんだという。犬飼の町は、そのための川の港町としてひらけたのだが、ここから上流の菅生《すがお》あたりまでは、古代の石仏などおおくの遺跡が密集してのこっている。

大野川を見おろす山の崖にきざまれた菅生の石仏は、大分県下で最もよくもとの姿をのこしているすぐれたものだが、大野川をへだてたその対岸には、ゆかいな「ひょうたん祭り」のある千歳村柴山の部落が見えている。

柴山の「ひょうたん祭り」は、旧霜月の三日、村の鎮守である柴山八幡宮にその年の収穫を感謝しておこなう収穫感謝祭である。

大きなひょうたんのかたちをしたかぶりものをかぶり、両方で三貫目もある大わらじをはいた「ひょうたん様」が、ユラリユラリ、ノタリノタリ、当屋（祭り当番の家）から柴山八幡宮まで何ほどもない道のりを何時間もかかって往復する。そして沿道にあつまった人たちに、腰につけたひょうたんから甘酒（その年の新穂でつくったどぶろく）をふるまってゆく。「ひょうたん様」御自身は朝からのみつづけの甘酒で真赤。かぶりものの飾りも古風な着物も真赤。赤いものづくめの「ひょうたん様」が、すでに身をさすように冷たい霜月の風の中をユラリ、ノタリ、重いわらじをもちあげながらあるく。のどかで、しかも何か豪快な気風をかんじさせる「ひょうたん様」とその後につづく村人たちの行列。「ひょうたん様」の

難攻不落の名城といわれた岡城址から見る竹田市街。遠く雪をいだくのは久住山（1788メートル）。昭和55年（1980）撮影・須藤　功

おでましにさきだち、神主が河原にある「地頭屋敷」と当屋にまもられた部落神をまつる。「地頭屋敷」の神はいくつかの自然石で、自然の神から部落の神、さらに部落のあつまりである村の鎮守柴山八幡へと発展した柴山の人の信仰の歴史が、神主の動きの順序をみていくとよくわかる。そういう古風なすがたは、今の日本では次第に見られなくなっていることである。

柴山の下車駅菅生から三重、緒方、朝地をへて竹田へ。竹田は滝廉太郎の「荒城の月」にうたわれた岡城のある盆地の町である。まわりをきりたった崖でかこまれたこの町は、守るに易く、攻めるに難い天然の要害で、緒方惟栄が頼朝に追われた義経をかくまうためにはじめてここに城をきづいたといわれる。江戸時代には竹田藩の城下町となり、その落着いたたたずまいが今も色濃くのこっ

作曲家・滝廉太郎の像。滝廉太郎は竹田市に3年ほど住み、親しんだ岡城址への思いが名曲「荒城の月」を生んだ。昭和55年（1980）撮影・須藤　功

ている。幕府の厳しい探索の目をのがれたキリシタンたちが、町の一隅の崖に洞窟をつくり、最後まで信仰を守りつづけたのも、ここが奥深い要害の地だったからであろう。町中には阿蘇と高千穂への道路標示が見られる。

優雅な鶴崎おどり

大野川を河口までもどってみよう。河口の三角洲に発達した鶴崎の町。

江戸時代、ここは肥後藩の飛領地であった。熊本から阿蘇をこえ、大野川ぞいに鶴崎へでて船が瀬戸内海をわたるのが肥後藩の参勤交替の道であったが、西にむいた肥後藩が東の江戸、大阪へつながるためにはどうしてもほしい港町であった。国東半島基部の豊後高田が島原藩の飛領地であったようなものである。

この鶴崎に夏の夜をかざるけんらん豪華な鶴崎おどりがある。

おのおの趣向をこらしたそろい衣装のおおくのおどり組が音頭やぐらを中心に七重八重の輪をつくり、古風な音頭にあわせて夜どおし優雅なおどりをおどりつづける。室町時代、京都を中心に流行した庶民的な芸能・風流おどりである。

一説には、このおどりが鶴崎につたわったのは大友宗麟治下の天正年間だったという。血気さかんな宗麟の心をしずめるために、重臣戸次鑑連《べつきあきつら》が京都から舞子をつれてきておどらせたのがはじまりだというのだ。この説の真偽はともかく、大友領から肥後領へと支配者はかわってもこのおどりはつづいてきた。厳しい封建社会の民衆統制下で、こういう庶民的なものがつづいてきた背景には、何か鶴崎らしい理由がなければならない。すぐとなりの府内（大分市）には、こういうものはのこっていないのだ。鶴崎が肥後藩の本拠から遠くはなれていてわりあい統制の目がゆきとどかなかったこと、それにもましてふつうの城下町にはない港町としての開放性をもっていたこと、などがその理由かもしれない。

大友氏の没落の後におこった大地震のために港町としての機能をもうしなった府内には、そういう港町の生命もきえてしまったのではないだろうか。

鶴崎の東にある坂の市には、優雅な鶴崎おどりとはちがってうんと土くさい、生活的な物々交換市がある。大分の三大市の一つにかぞえられる万弘寺市である。

毎年五月十八日から一週間、坂の市の万弘寺が御本尊を開帳するが、その初日の十八日あけがた鶴崎地区の農村部から運ばれてきた農産物と佐賀関《さがのせき》半島沿岸漁村から運ばれてきた海産物とが物々交換される。一方は切りぼしだいこん、豆、いもの粉、竹かご、おけ、七島藺《しちとうい》表《おもて》（豊後表）など。一方はワカメ、ヒジキ、アオサ、イリゴ、干魚など。

市がはじまるのは、十八日の午前零時。前夜から町の三叉路にあつまってきた数百人の男や女たちが、口々に「かえんかエー」、「かえようエー」とよびながら交換の相手をさがす。あるきまわっているのはたいてい男だ。女は品物を道におき、相手をよぶ。おたがいに相手の品物にけちをつけたり、おだてたり、ふざけながらかけあう。「豊後表一枚にワカメ一〇束……」、「干魚五枚に豆二升……」。

最近は品物の値うちを一般的な市場値でつけるようになった。けれど以前は、その場その場のでまかせ、口まかせ。別名「だまし市」といわれたようにおたがいの顔色をみながら値をつけあった。「ことしは換えがちした」、「換えまけした」などと後になって笑ったもので、取引を夜明け前の暗いうちにやるのもそのためだという。けれど江戸時代から明治末期までは、万弘寺の縁日三日間をつうじて昼も夜もやったというからこの話はあてにならない。

「かえんかエー」、「かえようエー」のさけびや値をかけあう声、それに見物人のざわめきなどもくわわって町は異様な興奮状態である。そして月が西にかたむき、東の空が白みはじめるころ、人々の姿は、潮のひくようにきえていく。まるでお伽の国の話のような素朴な一夜のおまつりである。

きびしさのある南部海岸

万弘寺市にあつまる海かたの人は、佐賀関半島沿岸の人たちであった。この佐賀関半島から南の海岸線は、出入りのはげしいリアス式海岸で、別府湾の風光とは対照的なきびしさをもっている。もちろんそこにすむ人は、古来海に生きてきた人たちである。

佐賀関半島の基部・臼杵《うすき》湾からはじまって三つの大きな湾入と、それぞれの湾入の奥にひらけた町がある。臼杵湾と臼杵、津久見湾と津久見、佐伯湾と佐伯。このうち臼杵と佐伯には、はるかな先史時代から人がすんでいたことがわかる。臼杵の小六洞窟、佐伯の白潟《しらかた》・下城《しもじょう》遺跡、長良の各縄文式遺跡などがそれを証明している。また臼杵には古墳時代の遺跡もあり、すでにこのころここに相当な豪族のいたことをしめしている。そして朝鮮の鉾《ほこ》が出土し、ここの豪族が海をつうじて朝鮮と交易し、冶金の技術をも導入していたことが想像される。

石仏王国の代表臼杵の石仏

古代の臼杵と朝鮮、あるいは中国大陸とのつながりをしめすものに、石仏王国大分でも最も有名な臼杵石仏がある。

臼杵の町から大野川ぞいの三重町へつうじる街道を約六キロメートル、左手のやや奥まったところに山にかこまれた静かな深田の里がある。この里にむかって右手、里を見おろす山の岩壁に、総数四十八体の磨崖仏がある。磨崖仏は、やわらかい凝灰岩にうきぼりされた石仏である。

臼杵石仏の特色は、一ヵ所にかたまっている数のおおさと、それぞれの石仏の造型的なりっぱさである。つくられた年代は平安時代はじめないしなかごろから鎌倉時代のはじめにかけてだろうといわれている。造型的な美しさからいえば、つくられた年代の早いものほどいいようである。

が、なんにしても、これだけの数と質の磨崖仏をのこすためには、それ相当の技術者と後援者がいなければならない。

伝説によれば、敏達、欽明天皇の御代に唐から渡来し

紫雲山満月寺跡の石造仁王像。並びにもう一体あって、二体とも膝から下が土に埋まっている。臼杵市深田

た般若峰の隠悦《いんえつ》や、玉泉寺の隠関《いんかん》、百済の日羅《にちら》などの諸僧が造仏に着手したといわれる。

後援者（願主）としては真名《まな》の長者という伝説的人物がいる。むかしこの地方に真名の長者という豪族がいた。熱烈な信仰心のもちぬしで、深田の里にインドの祇園精舎をなぞらえて五院六坊の伽藍をたて、一族郎党や近郷近在のものの信仰の中心地にしたという。真名の長者夫妻の像だといわれるものが、石仏群の見える深田の里の満月寺址にのこっている。

臼杵石仏をつくったといわれる諸僧や、真名の長者については、これ以上のことはなにもわかっていない。事実はこれらの仏像は平安時代以降につくられたものでこういうふるい時代に臼杵が朝鮮や中国とつながっていたこと、そして宇佐や国東半島など大分県北部の石仏文化地帯とは別個に自分の力でこれだけの仏教文化をつくりあげたこと、それはだれの目にもあきらかである。

海と臼杵とのむすびつきは、平安時代の末期、源平屋島の合戦に、臼杵二郎惟盛《これもり》が源氏のために兵船を仕立てたという記録によっていよいよはっきりする。もっともこの臼杵二郎惟盛の名は、この合戦以後プツンときえてしまっているため今では伝説的な人物になってしまっているが、源氏のために兵船を用意するほどの力が臼杵氏にあったことはまちがいない。

やがて大友宗麟の時代になり、宗麟がここに城を築き、府内の神宮寺浦とともにここを南蛮貿易の港にしたため、急速に現在の町の基礎ができあがった。現在の臼杵の町なかには、海に面した当時の城の石垣や櫓がのこり、南蛮貿易によってつたえられた石敢当《いしがんとう》（沖縄や南支那の魔よけの石碑）などがのこっている。

大分県最南部の都市である佐伯にも、佐伯氏を名のる豪族がいた。そして関ヶ原の戦いの前年、日田から移されてきた毛利高政が本格的な城を築き、現在の町の基礎をきずいた。現在はその城門と苔むした石垣がのこっている。

臼杵でもそうだが、この佐伯の城跡から見る海はすばらしい。青く、あかるく、ここはもう南国の海である。

そして町は、近在の人をあつめておちついたなかにもなかなか活気がある。ことに旧藩主毛利公が経営する学校をはじめ歴史的にも文化的にも文化のかおりのたかい町である。

豪壮な突棒

津久見の入口に保戸島という小さい島がある。約五百四十戸の家が、せまい島の斜面に密集している。はるか北方に佐賀関と四国の佐田岬、そしてその間の速吸《はやとの》瀬《せ》戸《と》（豊予海峡）が見える。速吸瀬戸は、神武天皇東征伝説にでてくる有名な急潮の瀬戸だ。東から南にかけては雄大な豊後水道がひろがる。

保戸島には臼杵や佐伯のような過去の栄光も現在のはなやかさもない。けれど海に生きる果敢な男たちの姿がある。

猛烈なスピードでにげるカジキマグロを、船の舳先からモリで突きさすカジキ突棒という漁法がある。カジキを追う船ははげしく波の上でおどる。その舳先にたち、体全体でバランスをとりながら長い柄のモリをかまえる。ちょっとでもバランスをうしなえばたちまち海へほうりだされる。この命がけのカジキ突棒を日本ではじめてやりだしたのがこの保戸島の漁民であった。明治三十年のことであった。

黒潮にのって回遊するカジキを追い、保戸島の男たちはほとんど一年中島にかえらない。六月から十月は三陸沖、十一月から一月は銚子沖、二月から四月は南シナ海とわたりあるき、ゆっくり島でおちつけるのはせいぜい五月一ヵ月ぐらいのものだ。文字どおり海に生きる男たちである。

保戸島ではじまったカジキ突棒は、今では臼杵湾沿岸の漁師や他の何ヵ所かの漁師たちにうけつがれている。臼杵湾沿岸は、他の漁業をふくめて大分県でも屈指の漁業地帯である。

かつてこのあたりの人たちは、源平屋島の合戦でわざわざ義経がたのみにくるほど船をのりまわすことになれていた。このあたりの地形が山のせまった、出入りのおおいリアス式海岸で、陸上の交通がひじょうに不便だったこと、船がほとんど唯一の交通機関であったことなどがそのもとになっているのだが、そういう船の大切さは今もかわりがない。最近道路の発達によって各町や村がバスでつながるようになったが、それでも臼杵や佐伯をターミナルにした定期船がまだまだ必要である。

ビロウ樹のしげるあたり

佐伯から南、宮崎県との県境にちかづくにつれて、海はいよいよひろく、海岸地帯はいよいよ南国的な色彩がこくなってくる。

壮大な断崖美をもつ鶴見半島には、断崖につづく砂浜に海亀があがり、ハマユウがさきみだれる。猪よけの石垣がいたるところに築かれ、高さ二メートル長さ二キロメートルもつづくものがある。

ビロウ樹のしげる米水津《よのうづ》。

全島原始林におおわれた黒島をはじめ黒島群島。

大分県南部最大の漁港である蒲江には、伊勢湾につぐ真珠養殖場がある。そしてこの蒲江を中心にした宮崎県との県境地帯は、豊後山師の名でしられた山林労働者のふるさとである。山をあるき伐木・造材にしたがう伐木山師、シイタケ栽培にかけては天下一品のナバ師、炭をやく炭山師などそれぞれ専門的な技術をもった人たちで、大分県南部から宮崎県日向にかけての深い山間部を中心に活躍している。

おもしろいことに、臼杵石仏をつくるもとになった真名の長者の前身は、炭をやく炭焼小五郎だったといわれる。炭焼小五郎という人物が活躍する伝説は大分県以外の地方でものこっているが、この豊後山師のふるさとでそれを聞くのはまた格別のおもむきである。

山に関係のある日本独特の創作的人物である炭焼小五郎がここでは臼杵石仏をつうじて海とも、海のむこうの異国ともつながり、わたしたちをひろい想像の世界にさそってくれるのである。

頭部が落下していることでも知られる臼杵の石仏を代表する堂ヶ迫の大日如来（頭部は平成6年に元の姿に復元された）。臼杵市深田

島原半島の西側、橘湾（千々石《ちぢわ》湾）に面した小浜町の金浜部落

島原

文　姫田忠義

写真　伊藤碩男

浜をやってくる老夫の背後に見える台地は原城址。原城には、島原の乱のとき、益田四郎時貞（天草四郎）のひきいる一揆勢（キリシタン）がこもった。南有馬町大江

旅は気まぐれである。何にぶつかり、どんな人に出会うかわからない。その気まぐれな時間のなかで、旅人は何かを感じる。何かを発見する。島原には美しい人が多かった。唄があった。祈りがあった。そしてその底に、言葉には言いつくせない哀しさ、優しさ、温かさがあった。

かつての島原は、おそろしく貧しいところであったという。そのために島原の乱が起り、「唐《から》行きさん」を送ることになった。そしてまたそのために、哀しさが、優しさが、温かさが旅人の心にもつたわってくるのであろう。

島原にいたる道は、陸からは長崎本線の諫早《いさはや》からわかれ、海路は九州横断道路と天草五橋をつなぐ熊本三角《みすみ》からが最も多く利用されている。

霧に包まれた70石以下の徒士《かち》が住んだ武家屋敷通り。中央の水路の水は、飲用水などの生活用水となった。島原市鉄砲町

雲仙に近づくにつれ　私たちの心に本能的な畏敬の念がよびさまされる

島原の名は知らなくても、雲仙の名はたいていの人が知っているのではないだろうか。阿蘇・霧島とともに九州の代表的な火山である雲仙の、長く美しい裾野をひろげた雄大な山容。豊富な温泉群。雲仙はこの半島のすべてではないにしても、その中心でありシンボルである。

島原への旅は、まずその山の姿を遠く望み見ることからはじまる。

諫早からの車窓に雲仙の姿がとびこんできたとき、たいていの人の胸には、一つの強い感慨がわき上がるにちがいない。優れた姿の火山に対する本能的な畏敬の念とでもいったらいいだろうか。

この山には、阿蘇や桜島のような噴煙はもうない。

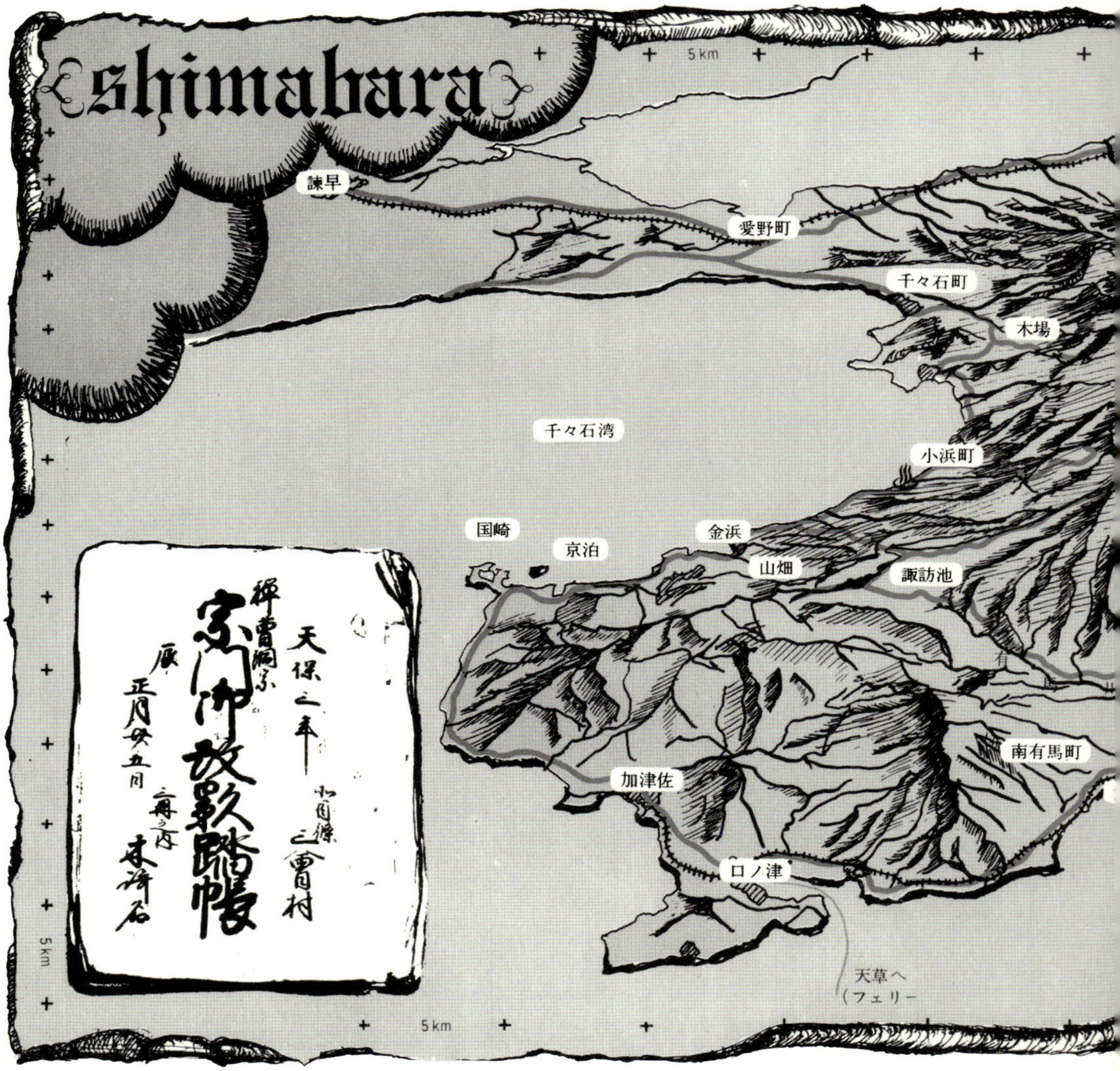

けれどその姿には一目でそれとわかる特徴がある。怪異と秀麗をあわせもつ山容とでもいえようか。上の方、いくつかの峰々がかさなりそびえる、なにか怪しいたたずまいと、山裾の秀麗ともいえる美しさの不思議な調和である。これはまた遠く海から見るものには、秀麗さが目立ち、空から見おろすものには、急峻で特異な峰々の群がりが、大地のなまのいとなみといった不気味さを感じさせることにもなる。

　だが山は下から、それも刻々とその懐《ふところ》へ近づいていく期待のうちに仰ぎみるのが最もいい。刻々に高まる期待で目は山から離れず、その全体が、その細部が刻々とうかびあがってくる。そしていつしかわたしたちの心に本能的な畏敬の念をよびさましてくれるのである。

手前に溜池、間に白木野部落をおいてなだらかな広がりを見せるのは雲仙岳。山は島原半島に住む人々の歴史を見つめてきた。南有馬町白木野

諫早からの道は、やがて雲仙の前山に近づき、峰々の姿はそのかげに一旦かくれる。そして道は二つに分れる。一つは北側の海岸をまわって東海岸の島原市へ、一つは西側の千々石《ちぢわ》湾ぞいに南下して古い湯治場である小浜《おばま》へ向う。

二つの道はきわだって対照的な風景のなかを走る。北側はなだらかでやさしい。雲仙の裾野であるなだらかな扇状地と沖積平野がひろがり、静かな有明海がひらける。おおらかで明るい天地と田園風景である。西側は険しくきびしい。海までおしだしてきた山。その山を大きく刻む断層や侵蝕谷。そして海へなだれおちる断崖。その谷のあいだを不揃いな大小の石をみごとに積みあげた棚田がはいあがり、わずかな平地をみつけては人家が肩をよせあっている。海だけが広く明るい。

きわだった対照をみせるこの二つの道の風景は、雲仙のもつ二つの側面として人々のくらしのなかにうむをいわせずふみこんできているといえよう。いいかえれば、人々がそういう雲仙へしゃにむにとりつき、生きつづけてきたのだ。それもはるかな先史時代からのことであった。

旧石器　それはまた雲仙がはげしく活動しながら自らの姿をつくりだした時だ

なだらかでやさしい北麓は、この半島でも最も古くから人が住みついたところだと考えられている。

島原市の北端に近い三会《みえ》洗切《あらいきり》のバス停留所から山へ約三十分歩くと長貫《ながぬき》という部落がある。扇状地上、標高

山村のたたずまいの木場部落。木場《こば》の地名は島原半島に多い。猿葉《さるは》神社の鳥居が手前に見える。千々石町木場

百四十メートルのありきたりの部落である。昭和三十二年七月のことであった。豪雨があがって川原のようになった部落の道路で、一人の中学生が二個のかわった石を拾った。遠くヨーロッパあたりでは十万年以上も前に使われはじめていたといわれるハンドアックス（石の握斧）であった。

　長貫のハンドアックスは日本でもっとも古い石器の一つだと見られているが、いつごろ使われていたものか正確にはわからない。一万年前から数万年前と推測されるのみである。それはまた雲仙がはげしく活動しながら、自らの姿を形づくっていた時代でもあったと考えられる。そのころの雲仙の姿を正確に知ることはできない。ただ現在の沖積平野をとりさり、扇状地をはぎとり谷を浅くし、山を高くして、想像してみるだけである。島原全体の地形は、はじめに古い火山活動と堆積によってつくられた半島南部の複雑にうねる丘陵地帯がひろがっていた。その地層をわってまず絹笠山を中心にした一群の火山がふきだし、ひきつづいて九千部岳《くせんぶだけ》を中心とする一群が姿をあらわした。まもなく力を使いはたして西側がカルデラ状に陥没し、縁に三日月形の山陵と数段の内壁をのこし、千々石湾をつくった。阿蘇外輪山にも似て、ゆったりと裾野をひく雄大な山容であった。そして最後にこの山の外壁にかぶさるように、普賢岳《ふげんだけ》を中心とする一群が爆発しながら鐘型のあらあらしい姿をもちあげ、やがておとろえた兄達の東面をおおった。

　そういうはるかな時代から人々はここを生活の舞台としはじめた。南部にも貝塚や諏訪池《すわのいけ》の支石墓などはあるが、長貫のハンドアックスを先頭に、学者の間でよく知られている礫石原《くれいしばる》遺跡・百花台《ひゃっかだい》遺跡など半島から発掘された考古学的な遺跡や遺物の多くは北麓一帯にある。

旧石器や縄文のころ、火山の裾野は格好の狩場であったろう。八ヶ岳や富士山がそうであった。しかし山麓ばかりではない。人々は山の高さや距離は問題にせず水さえあればどこにでもとどまり、また島原中を自分の庭のようにかけめぐった。大隅《おおすみ》半島のように繁った椎《しい》や樫《かし》が木の実もあたえた。

そうして長い時間がたった。その後人々はどうなっただろう。北部に多い海沿いの低湿な平野では田を作り稲を植え、住いも定まった。この時代（弥生）の遺跡は北部に集中して出ている。が、かつての舞台であった山中はどうか。人はもはや姿をあらわさなかったのだろうか。

木場《こば》という地名が気になる
それは焼畑をつくる山の民の生活を想わせた

西海岸を北から小浜へむかう道は、途中峠のようなところを通る。部落の名は木場。小さな山村のたたずまいであった。

そののち島原をあちこちするうちに、島原には木場という名のところが多いことに気がついた。しかもそれが雲仙をぐるっととりかこむように十幾つもあり、妙に気になった。行く先々で木場という名のある部落のようすを注意して聞いてまわった。

はじめ私は、木場という以上、木に関係するくらしが行なわれているにちがいない。木を伐り、木の細工物をするなどの山の民の生活が見られるのではないか、そう思っていたのである。ところが雲仙のまわりのどこへ行ってもそういう話が全然でてこない。

ふとわたしは、自分がとんでもない思いちがいをしているのに気がついた。そうだ、木場は木庭《こば》ではないかということであった。木庭は焼畑で、今日のように同じところで作物をつくりつづける定畑ができる以前の農法である。山を焼き、種をまき、そしてそこで作物ができなくなると別なところへ移動する。地域によってはごく最近まで日本にのこっていたが、縄文の後期以前にまでさかのぼりうるといわれる農法である。

今日島原ではすでに完全になくなっていた。記憶さえもなくなっていたが、わたしにはこのように思えてならない。雲仙北麓に人が住みつき水田をひらきはじめたころから、あるいはそれ以前から、人々は山の中で焼畑をひらいていたのだ。それが椎や樫や楠《くすのき》の林を雑木林にかえてしまったのではないか。そしてまた諏訪池の支石墓をつくったのではないか。もちろんその人たちが定着し木場とよばれる部落がかたちづくられるにはまたまた何百年、何千年かの時間がたっていることだろう。が、ともかくそういう雲仙に対する人々の努力は少しの休みもなくつづけられていたのであると。

昭和二十一、二年ごろであった。わたしははじめて島原へ旅をした。そして小浜のすぐ南にある山の上の村に泊った。部落の名は木場ではなく山畑であったが、部落の家々はうっそうとした木々に囲まれ、谷々に点在する小さな田や吹きさらしの山の尾根にもひらかれた畑が印象的であった。そこに三ヵ月余も足をとめたあいだ、言葉がさっぱりわからないで困ったことを今もありありとおぼえている。老人たちのしゃべる島原弁はそれこそ通訳なしでは理解できない外国語であった。九州の隅の小さな半島で人知れず生きつづけてきた人の歴史のひそやかさが、しみじみと感じられたことであった。

地獄
闇の底から大地のさまざまな声がきこえる

東は島原市の中心街から、西は小浜のバスターミナルから、連日おびただしい数の雲仙登山バスが上っていく。そしてそれぞれの車窓からは大きな海への景観がひらける。

島原市からの車窓には、有明海ごしに熊本県宇土《うど》半島そして天草島。小浜からの車窓には、千々石湾ごしに長崎市の背後の丘陵地帯。思わず頼山陽《らいさんよう》の詩がうかんだ。

雲か山か呉《ご》か越《えつ》か
水天髣髴青一髪《すいてんほうふつせいいっぱつ》
万里舟を泊《はく》す天草の灘《なだ》
煙は蓬窓《ほうそう》に横たわりて日漸《ようや》く没す
瞥見《べっけん》す大魚の波間に跳《おど》るを
太白船に当りて明《めい》 月に似たり

バスは絹笠山と高岩山にはさまれた、海抜七百二十七メートルのところにある大きな爆裂火口跡についた。そこには数十ヵ所の地表から猛烈な高温の白煙が噴きでている。有名な雲仙の「地獄」である。舗装した道路ぎわで怒り狂ったうなりをあげ、車中の乗客をおどろかせる清七地獄。

音のない立聞地獄。

ごうごうと音をたてる叫喚《きょうかん》地獄。

その他、お糸地獄・邪見地獄・八幡地獄……。

これら「地獄」の昼の主役は人間。おびただしい数の人間が、白煙のなかを右往左往する。白煙を背景に写真をとる。さらに白煙（つまり蒸気）で卵をゆで、風にあふられる白煙にむせびな

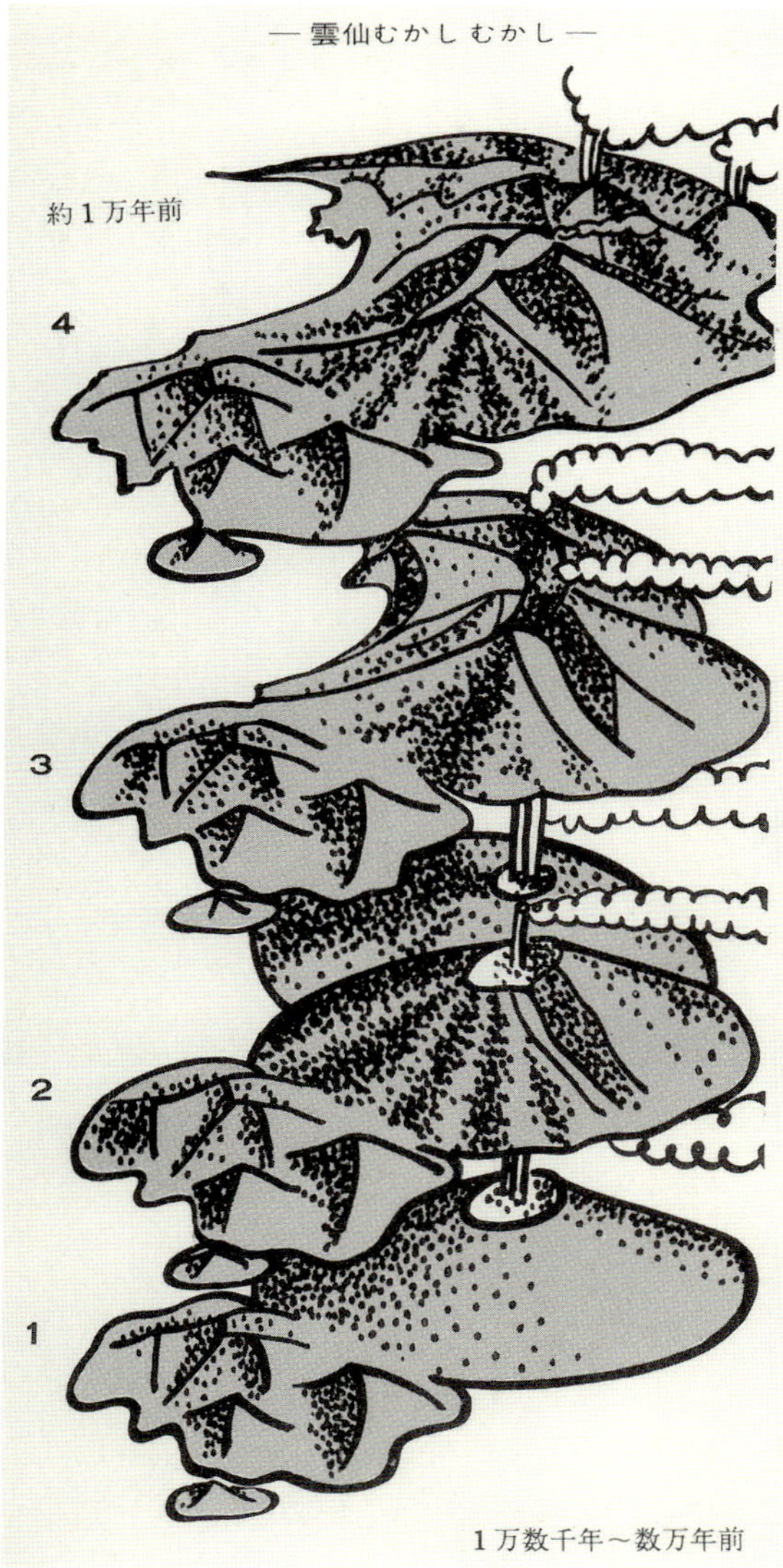

がらそれを食う。「地獄」は人間の背景であり、道具である。

夜。「地獄」が主役の座をとりもどす。昼間あれほど大胆だった人間はほとんど姿を見せない。たまにやってきてもうってかわった謙虚さ。こわごわ遠くから耳をすますだけである。

闇の底から、地の底から、叫ぶ、大地の声。

奈良時代に入る直前、七世紀の終りごろ雲仙に対する山岳信仰がおこり、半島内各地に参拝所ができ、その後で何ヶ所かに温泉神社ができた。さらに奈良時代に入ると勢力をもった信仰集団ができ、下って平安時代には僧行基の建てたという満明寺《まんみょうじ》に吸収される。山岳信仰と仏教が結びついたわけである。

信仰の拠点であった「地獄」周辺が、雲仙最大の温泉地になるのは明治十一年以降のことであり、古い湯治場である「古湯」に対して「新湯」が外人客の避暑用にひらかれてからであった。文明開化風な当時の木造ホテルが、「地獄」の近くの道路ぎわに残っている。

信仰の拠点からレジャーの拠点へ、「地獄」は大きくかわってしまった。温泉神社も満明寺も、もはや旅人の関心をひかなくなった。が、そういう変化のなかにあっ

寛永7年（1630）ころ、改宗しないキリシタンが投げこまれた雲仙地獄。105人が死んだ。小浜町

キリシタン墓碑。こうした横形（寝墓）のキリシタン墓は島原半島に150余ある。

て、今も人の目をひきつづけるものがある。地獄の奥の岩の上に立つ巨大な十字架がそれである。

江戸時代のはじめ、寛永四年（一六二七）陰暦正月三日から寛永八年暮までの五年間、正確に記録されているだけでも百五人のキリシタンがこの「地獄」で拷問され殺された。十字架は、その殉教記念のものである。殉教者たちは、首に縄をかけられ、焦熱の「地獄」に投げこまれ引きあげられ棄教を告げるか死ぬまではそれを繰返された。「地獄」は、文字通りこの世の地獄になったのである。

南蛮船は海のかなたから パードレたちをのせてやってきた

江戸時代に入るころの島原は、平戸附近や天草などとともに非常にキリスト教信仰の盛んなところであった。島原中に散在するキリシタン墓や、島原市街にそびえる島原城内の郷土館にある、数々の遺物がそれを物語っている。

江戸時代に入る約五十年前、フランシスコ・ザビエルが鹿児島に上陸してから四年ぐらい後には、もう島原に千五百人余の信者がいたといわれている。それだけの人がどういうふうに信者になっていったかはよくわからない。ただある意味でその浸透をたすけたのは、領主たちであったといえる。

弱肉強食の当時の戦国大名たちにとっては、すぐれた武器や有利な貿易品を積んでくるポルトガルやオランダの船は、大へんな魅力をもっていた。彼らはフィリッピン辺りから北上してくるそれら南蛮船をきそって迎えいれた。地理的に便利な九州や西国に、殊に熱心な大名が多く、中世以来の島原領主有馬氏はその一人であった。そして口之津《くちのつ》は、平戸や横瀬浦とともに絶好の寄港地であった。

大名たちにとって必要なのは武器や貿易品だけであったかもしれない。が当時ヨーロッパの列強は、宗教的な勢力拡張と貿易利益の拡大を一つにした世界進出政策をとっていたから、貿易をのぞむ大名たちは宣教師の布教活動をもみとめざるをえなかった。そしてあるものは、純粋に信仰をもうけいれたのである。有馬氏もその一人であった。

もちろん農民たちのうけいれ方は大名とはちがっていたであろう。農民にとって必要なのは高価な貿易品や武器ではなく、宣教師のもっている、奇蹟ともみえた医学的な知識や技術、そしてキリスト教の説く魂の救済であった。それは、人間の命の尊さをおしえ、神の前には大名も農民も平等だという教理であった。うちつづく戦乱に多くの人たちが、悲惨な死をとげ、生きているうちは階級的な下積み生活に苦しんでいた農民たちにとってそれがどんなに新鮮であったことか。いまだ庶民仏教の浸透していなかったこの地方の農民たちにとってどんなにつよい心のささえになったことか。こうして有馬氏の熱心な信仰とあいまって、島原は重要なキリシタン信仰の地になっていった。

日本におけるキリスト教信仰の歴史は、つまりはキリ

畑になっている原城址の台地。目の前に雲仙岳がそびえる。南有馬町大江。

シタン受難史でもある。秀吉がそのきっかけをつくり、家康がそれを受けた。神のみをあがめ、教会のみに心をよせる信徒たちの動きが、彼等の支配体制には大きな障害とうつったからである。しかしその根底には、当時の日本がパードレ（神父）たちの眼にもヨーロッパをしのぐと映った高い文化をすでにもっていたこと、他の宗教を許さず、仏教をつぶそうとし、時には寺も焼き払ってしまうその排他的な態度に対する仏教的文化の反発があった。それが最初は寛容に迎えられたキリシタンの分布を限らせることにもなったのである。

島原では有馬氏が日向の延岡に封地をかえられ、代って大和の五条から松倉重政がきた。彼はおそろしく苛酷な収奪を行なった。子供が生れたといっては税をかけ、新しい囲炉裏《いろり》をつくったといっては税をとった。そして税が収められないとなると、俵づめにしたり、ミノを着せて火をつけるなど残虐のかぎりをつくした。領民がキリシタンであったことがますます極端な態度にさせることになった。島原におけるキリシタン地獄がはじまったのである。

寛永十四年（一六三七年）、島原の乱発生。人々は、地獄の底から立ちあがったのである。

島原の乱　このぬけるような青空の下が無人地帯となってしまった

朝、原城址にのぼった。その上に立つと広い大きな空間が四方にひらける。この半島のなかでも最もすばらしいながめであり、雲仙の美しさが最も強く印象づけられる場所である。

　西から北へかけて南有馬の丘陵地が波うち、そのはるか北方に雲仙の峰々が群がり立つ。長い、非常にゆるやかなその裾。長い、大きな弧をえがく海岸線。海が、わたしたちの視線をさそいながら東から南へめぐる。それを縁どる宇土半島、天草の山なみと島影。

　が、何よりも印象的なのは、それらすべての上にひろがるかぎりなく高い空だ。晴れた日、それはまばゆい南国の色に輝く。

　突然、「天」という言葉が頭にひらめく。キリスト教徒のいう「天なる神」の「天」、「天国」の「天」。原城に立て籠った三万七千のキリシタン農民たちは、口々にそれを唱えながら戦い、死んでいった。この世では得られなかった「天国」のしあわせを信じながら、である。

　籠城《ろうじょう》の農民三万七千。そのなかには約四千人といわれる天草農民が加わり、徳川幕府にうらみをもつ小西行長の残党が、わずか十六歳の天草四郎時貞をおし立てながらその指揮をとっていた。それを包囲する幕府軍十万余。陸に海にヒシヒシと迫り、原城手強しとみると持久作戦をとった。城はおちず、オランダ船に沖から砲撃させさえしたのである。籠城すること八十日余、遂に兵糧がつきた。怒濤のように殺到した幕府軍とむかえうつ農民たちの死体が塀をうめつくした。生きのこった老人や女子供も棄教をこばみ全員殺されたという。乱が起ってから四ヵ月目のことであり、幕府も多大の損害をうけた。キリシタンおそるべし。家光は鎖国にふみきっていく。

　島原の乱に参加した農民にはキリシタンでないものも多かった。最初は普通の百姓一揆だったのである。それがたてこもる原城があり、追いつめられて、熱烈な信徒となっていった。そしてそれがかれらをかくも強いものにしたのである。またそのため女子供まで皆殺しになるのだが、一揆参加の男達を皆殺しにするのはここにかぎったことでなく、この時代の百姓一揆に共通する悲惨な結末なのであった。ここではその口実が異教徒の弾圧であった。この乱には島原中から農民が加わり、殊に雲仙から南の村々では百パーセントに近い。それが老若男女をとわず皆殺しにされてしまった。乱ののち島原南部はほとんど完全な無人地帯になってしまったのである。

　わたしは空をみつめた。その色が青ければ青いほどむなしさがこみあげてくる。

　今、城址の台地上はすべて畑にならされていて、城址

半島で出会うどの人にも島原の歴史が感じられる。

隠れキリシタンの納戸神。仏像の光背《こうはい》を抜くと十字架がある。
島原史料館

セミナリヨ（神学校）で使われていた燭台。島原史料館

共同墓地のなかにある「まだれいなの墓」。島原市山寺

キリシタンに刻まれた花模様にも見える十字架。有家町

島原の乱は寛永15年（1638）に終わった。明和3年（1766）、北有馬村の願心寺の僧註誉は、乱で散った骨を集めて葬り、この“ホネカミ地蔵”を建立して供養した。南有馬町大江

右頁の下左、「まだれいな」はポルトガル語の女の洗礼名。英語では「マグレイナ」となる。龍源山西方寺の共同墓地にあるこのキリシタン墓碑は、キリスト教が迫害される前、慶長年間（一五九六～一六一五）に建てられたと推定される。

らしいものといえば本丸とよばれるあたり、わずかに石垣がのこっているだけである。

もともとこの城は、有馬氏の居城であった。城壁を高くめぐらし、沖を通る船の絶好の目標であり、日暮城《ひぐらし》とよばれていた。新しい領主となった松倉重政は、その日暮城をこわし、石材を今日の島原市街に運んで壮麗な島原城をつくった。廃墟となった原城址へ農民たちは立て籠ったのである。台地の横腹に、城へ突入するために幕府軍が掘ったトンネル（甬道《ようどう》）の入口があった。

台地の凹みに、女子供や老人が木や萱で上をおおって籠ったという空壕があった。

そのすぐ近くに、戦いの跡に散乱した敵味方の白骨を集めて弔らったという「ホネカミ地蔵」があった。そして海に向った本丸の断崖の上にその骨の白さを思わせる巨大な十字架が、そびえていた。

骨は、三百数十年経った今でも、この台地の上や周辺から掘りだされるという。

原城の台地の上で一人の農婦に会った

原城の二の丸の台地上の畑で、一人の中年の農婦に会い、声をかけた。そして島原の人の心に、今も生き生きと原城が生きていることを知らされた。

その農婦の家は、原城の西にひろがる田んぼごしに二の丸に面している山すそにあった。家と山の間を鉄道が走り、その山の上に、原城包囲の幕府軍が使った鐘をかけたという鐘かけの松がある。

十代で北九州へ稼ぎに出た彼女は、寂しさを訴える祖母によびもどされ、やがて船員である夫をもち、子どもを生んだ。ところが、三人とも熱が出たりして不幸がつづいたという。昭和二十五年ごろのことであった。

　そのうち彼女は度々夜中に「お告げ」をうけるようになった。はじめはそれが何であるかわからなかった。枕元に白い裃《かみしも》姿の神主らしいものが立ち、島原の乱当時を物語るかのように啾々《しゅうしゅう》と声をはなち、やがて消えるのであった。彼女だけではなく夫にもそれがあらわれるようになった。

　二人はそれが原城の死者だと信じた。そして「城山先祖代々之霊」と刻んだ碑を立て、供養のまつりをはじめた。一時は馬鹿くさくなって止めたことがあったが、その途端に「さわり」があり、「お告げ」があった。以来彼女は、毎朝晩のお祈りと年一回のまつりを欠かしたことがない。

　夫は外国航路の船員である。ほとんど家にいない。だが彼女はいう。供養をはじめるようになってから寂しくなくなった。夜でも力強いと。

　考えてみると理窟にあわない話ではある。原城の死者は農民である。それがなぜ裃姿なのだろう。なぜあれから三百数十年も経った今日、よりによって彼女たちの枕にたったのだろうか。血のつながりのない彼女たちがなぜ自分たちの御先祖だと信じたのか。今日の南部住民は原城落城後、ほとんど無人地帯になったところへ、徳川幕府が九州や全国各地から強制的に移住させた人たちの子孫である。理窟では到底割りきれない島原の人のいとなみであった。

　しかし人間の心は非合理さにみちている。誰もそれをウソだ虚妄だとわらうことはできない。もしわらう人があったら、その人は自分自身をふくめた人間の心を理解することができない人だ。非合理すなわち人間らしさだ。人の心が理解できないでする旅はどんなにつまらないものであろう。「歴史とは、非合理な人間の心と記憶のなかにある」。そんな言葉が頭に浮んだ。

見下すと　這上る棚田の間いたるところに溜池が光っている

　農婦と別れて原城を見下す丘陵地を上った。うねうねと細かい起状がつづく。そしていたるところに溜池がある。この辺りは、雲仙ができる前の古い地形である。小さな溜池が目につく。このあたりいわゆる南部は、北部のような平坦地がほとんどない。小浜以北の西海岸のように嶮しくはないがほとんどが山である。そしてその山に田や畑がはいあがり、おびただしい数の溜池や堤の水が光っている。その一つ一つは、わずか何枚かの田しかうるおすことのできない小ささである。

　溜池を追って南部の村々を歩いた。南有馬、口之津、加津佐《かずさ》、そして小浜。

　村々でこういうことを聞いた。去年（昭和四十二年）はひどい旱ばつだった。溜池がカラカラになり、稲が立枯れた。北部の村には山からの湧き水があるので、こういうことはほとんどないのだが、南部は去年だけでなくしょっちゅう旱ばつの危険にさらされている。とにかく水には悩まされますバイ。

そうだ。北部は水があった。だからこそ早くから人がすみつき多くの遺跡をのこしたのだ。島原の研究者の話によると、雲仙をめぐる高度二百メートルから三百メートルの辺りには自然の湧水があるという。急な雲仙の山腹がなだらかな裾野にうつるあたりである。それに反して、南部全般についていえば水はきわめて乏しかった。

南部に溜池が多いことを教えてくれたのは、島原市に住む学校の先生であった。その人は根っからの島原人だが、ある時五万分の一の地図をながめながらハッと気がついたという。そしてせっせと溜池の数をかぞえはじめた。南有馬五九九（他に堤とよぶ小さな水ため五一）、加津佐六三二（他に堤一四）、口之津三四〇（堤ゼロ）……。島原中の合計一九三九（堤一〇三六）。南有馬をはじめいわゆる南部といわれる地域にあるものは何とその九十パーセント以上であった。

そしてこの溜池の分布と、島原の乱の参加者の分布とは非常によく似た傾向を示していた。つまり溜池の多いところほど参加者が多く、圧倒的に溜池が多い南部はほとんど村人の百パーセントが参加しているのである。

江戸時代の文書によると、島原の乱後、移住者たちによって猛烈に溜池がつくられたとある。

無人の南部に入植した人たちは、一般に当時の島原よりも進んだ土地から送り出されたのである。したがって技術ももち、生活水準も高く、活力もあった。やがて人口は増え新しい耕地がひらかれ、その後の島原をちがったものにしていく。しかし現在でも島原の北部と南部はさまざまな面でちがいを見せている。

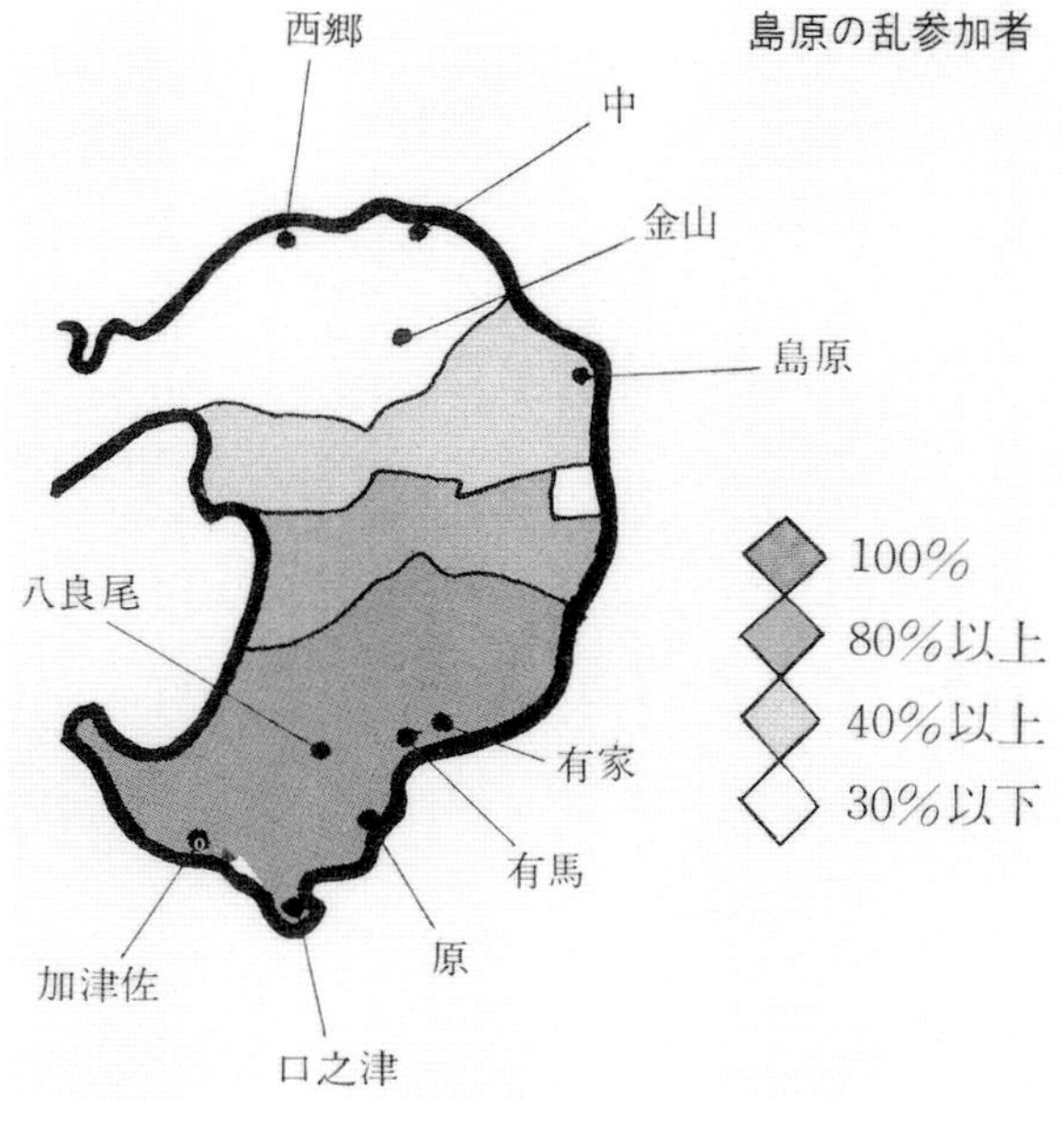

島原の乱以前は溜池はなかった。溜池の内壁の水もれをふせぐ技術をしらず、溜池の有用さに気づかなかったのである。この蓑にもかくれそうな溜池の群が南部の山あいに、斜面に、棚田や段畑をはいあがらせていった。溜池、つまり水がなければ水田はつくれない。日やけしやすいやせた畑が主力だ。しかもその畑には、江戸時代後半日本の人口を二倍にしたといわれるさつまいもはまだない。さつまいもが植えられるのは江戸時代も中ごろになってのことであった。さつまいもがないとすれば何があるか。ムギ・アワ・ヒエ・ソバ・大根、つまりかつての貧しい日本の農作物や農村の姿がうかびあがってくる。それも水の乏しい山村を思わせる姿である。水のな

島原の人々の生きるための執念を思わせる棚田。小浜町金浜

湧水のない島原半島南部では、棚田に溜池を欠くことができない。南有馬町白木野

い山の村の生活はみじめであった。徹底的に貧しかった。それが人々を熱烈な信仰にむかわせ、おそろしい破滅の戦いへ追いやっていったのである。

「唐《から》行きさん」は消えた かわって男たちが海の外へ出ていくのだ

〽姉しゃんな何処《どけい》行たろうかい
　姉しゃんな何処行たろうかい
　　青煙突のバッタンフール
　唐は何処《どこ》ん在所《ねけ》
　　唐は何処ん在所
　海の涯ばよ　ショオカイナ
　　泣くもんながねかむ　オロロンバイ
　　あめ型買うて引張らしょ

島原の、行く先々の宿でだされた箸紙の裏にこんな唄が印刷してあった。家をはなれ、上海やジャワやボルネオなど遠い異国へ売られていった「唐行きさん」をしのぶ子守唄である。

「唐行きさん」といえば天草が思いだされる。が、それはひとり天草のみではなかった。島原の農家の娘たちも同じ運命をたどっていったのである。

最南端の口之津が彼女たちの船出の港であった。ここは、東に口をひらいた大きな天然の入江である。まわりを低い丘陵がとりかこみ、その上に突こつとした山がそびえている。

港を見下す丘の上に、有馬氏の下でキリシタンの活動が盛んだったころ、全国宣教師会議がひらかれたという場所がある。今は玉峰寺というお寺が建っていて当時をしのぶよすがもないが、今も土地の人に懐かしがられているところである。

港からやや奥まった平地の田んぼのなかに南蛮船来船記念碑の立つ低い石垣がある。石垣そのものは新しいものだが、当時はこんなところまで海が入りこみ、南蛮船を迎えていたのかと新たな感慨がわいてくる。

東にむかって口をひらき、貪欲に異国の風をすいこんだ口之津の港も、島原の乱をきっかけにした長い鎖国時代は、天草や宇土へ通う小さな帆船を迎え細々と息をしている有様であったが、明治から大正、そして昭和のはじめになるとまたまた非常な活気をおびてくる。三池炭坑の石炭を海外へ積出す港になり、「唐行きさん」を密航させる港になったからである。

入江の南側にそこで船からの荷物を積み下ろししたであろう頑丈な石組みがのこっている。そして海ぞいの道路に面して古びた大きな旅屋がある。その正面中央の玄関に大きな唐風の庇があり、そのころの港の華やかさをとどめている。

「唐行きさん」は、必死になって溜池をつくり、しかもなお貧しさに苦しんだ人たちが、仕合せを求めての海外出稼ぎであった。女達は「長崎奉公」に行き、ジャワ・ボルネオ・「唐」に出かけた。しかしあわれさをそそるその名とはうらはらに、唐行きさんの多くは深く心も悩

島原半島の「唐行さん」を送りだした口之津港。明治以降は石炭を海外へ積出した。口之津町

ませず気軽にとびだし、帰り、また彼の地が忘れられず出かけたのである。とはいえ、なかには海の涯の地に悲惨な命をとじるものも少なくはなかった。

女たちを海外に送り出したのは貧しさばかりではない。より貧しかったともいえる島原北部や天草南部からは出かけていないのだ。島原南部や天草北部にやってきた人たちがその故郷からもってきた、楽天的な進取の気風、溜池をつくらせ、田畑をひろげたあの活力なのだ。呼び名やかたちこそさまざまであれ、明治から戦前にかけての西日本一帯にみられた、いやその昔の八幡船にもつながるあの海外への波の一つでもあった。島原南部の家々のあのりっぱなたたずまいはこうしてつくられていくのである。

今「唐行さん」は消えた。男たちが代って海へ出ていくのである。口之津を中心に殊に南部の村々からは船員になるものが多い。原城の畑で会ったあの農婦の夫もそうであった。外国へでる船員の家庭はさびしい。が、「唐行きさん」の悲しさにくらべれば、その方がどんなにましなことか。島原は一歩一歩、その苦しみからぬけでてきたのである。

ようこらしたな みんなあんたの噂ばしとったとです

口之津からは、天草へわたるフェリーボートがでている。天草は、島原とともに凄惨な信仰のたたかいをしたところである。そして島原にキリシタンが絶滅した後も「隠れキリシタン」として生きのこっていった。いつかはそこをたずねてみたい、そう思いながらわたしは、口之津から加津佐・小浜を通って諫早へ走る西海岸ぞいのバスにのった。

小浜の手前にある飛子というバス停留所で降りた。すぐ近くにキリシタン墓がある。が、わたしは、二十年前に来たことのある山畑という部落をどうしてももう一度たずねてみたかったのである。道はバス道路からすぐ山に上る。狭い谷間を上る道であり、その狭さが記憶をゆさぶる。道が尾根に上り、バス道路からはちょっと想像のつかないほど、ひろい畑がその上にひらけた。そこには一面にジャガイモが植えてあった。はてな、二十年前もジャガイモだったかな、そう考えはじめたら記憶が急速にはっきりしてきた。そうだ。二十年前はサツマイモだった。一面のサツマイモ畑だったはずだ。そういえばサツマイモの切ったやつを干す大きなスノコの干し台の数もうんと少なくなったような気がする。畑のあちこちに点々とあるだけだ。

いやそれだけではない。あたりが馬鹿に明るく、海もひろくなったようだ。そうだ、木だ、木がなくなっている。あのうっそうと木が茂っていた山の村のたたずまいが、一変しているのだ。

家も瓦屋根の新築になり、わずかに牛一頭、豚一頭いる納屋だけが変っていない。こりゃ大変だ、ひょっとしたら家の人もみんな変って、誰もわたしを覚えていないかもしれないぞ。わたしは大いに気おくれがした。

男がでてきた。知らない顔だ。「あのお、わたし、二十年ほど前に……」、とたんに大きな太い声がはねかえってきた。「おー。ひめださん。ひめださんでっしょうが。ようこらしたなあ。」わたしはびっくりしてしまった。そして胸が熱くなった。

「わたしが復員してきたころは、家のもんはみんな、ようあんたの噂ばしとったとですよ。それでわたしは覚えとったとです。あん時はえらいお世話ばなりました。」とんでもない、お世話になったのはこっちですよ、わたしこそ……。いや、あんたはようなれん田植えをよう手伝ってくれた、よう働らいてくれたと死んだじいさんやばあさん、叔父さんがしょっちゅう話していたと彼はくりかえした。

そうだ。あの時わたしはあちこちに点在するおそろしく小さな棚田で、女たちにまじって不器用に苗を植え、牛の手綱をとった。牛はそっぽをむき、あぜの上に上って動かなかった。

サツマイモのアンをのせたハチン飯の味も覚えた。床下の濁酒《どぶろく》や強烈ないも焼酎もしたたか飲まされた。

田植え後は、煙草の共同乾燥室の火の番もした。夜通し火をたき、集まってきた部落の青年たちの世間話に加わりながら、サツマイモを焼いた。

隣村との相撲の対抗試合にもひっぱりだされた。相撲気狂いのおじさんに押しの秘けつを教わり、何と個人優勝までしてしまった。誰だかしらない人たちが次々に金一封の花をくれ、それで神戸まで帰る汽車賃ができた。

アッという間のことだとおもっていた。ところが二十年ぶりの訪問でそれが四ヵ月か少くとも三ヵ月はたっぷりだと当時を覚えていた女たちに教えられた。そんな長い間、わたしは学校の勉強をほうりだして、通訳なしでは皆目見当のつかない言葉をしゃべる人たちに囲まれていたのである。毎日ピストルの音のきこえる当時の神戸からきた私には、それはまるでお伽ぎの国の音楽のようなものであった。

　二十年経った今はすべて大きくかわっていた。サツマイモがジャガイモにかわり、ハチン飯がなくなり、床下の濁酒ガメがなくなり、煙草の乾燥室がなくなり、大きな木がなくなって、みかん畑にかわった。そしてそれらのかわり方は、暗いイメージの山村から明るい生活の農村への歩みを感じさせるものであった。変っていくのは村ばかりではない。ここ数年前までは雲仙の山と小浜にしかなかった温泉が、今は原城のそばにも島原市中にも新しく湧き出している。そして島原市中では肢体不自由児の毎日の生活と訓練に大いに役立てられている。

大漁を願う恵比寿への民間信仰は今も生きている。小浜町

　島原がそういう明るさへの道をたどる姿は嬉しいことである。が、それ以上にわたしの胸をうつのは、二十年もの月日の後になおこの家の人たちがわたしを覚えていてくれたことだ。それも、一度も顔を合わせたことのない主人までが、とっさにわたしの名を呼び、礼を言ってくれる。殺伐とした都会に生活するわたしには、それがすばらしくあたたかい、まるで信じられない国のできごとのように思われるのであった。

　ふりかえりふりかえり山を下りた。そして再び諫早へのバスにのった。小浜をすぎ、西海岸の険しさを見た時わたしは思わずこうつぶやいた。「たのむよ、雲仙。南の方にも、何とか水をやっておくれ。水さえあればみんな元気なんだからな。」

　やがてバスは海に面してきりたった愛野地峡の断層崖をのぼり島原にわかれた。

　島原は、はるかな古代以前の一時期、諫早方面とのつながりが切れて島になったことがある。その記憶のせいだろうか、島原のことを五十《いそ》猛《たける》島と呼んだ。猛々しい火山の群れを背負った島国とでもいう意味だろうか。それは、何か日本を象徴しているように思えた。

長崎

—坂は生きている

文　中島竜美
写真　伊藤碩男

長崎くんちの呼びもの「龍《じゃ》踊り」

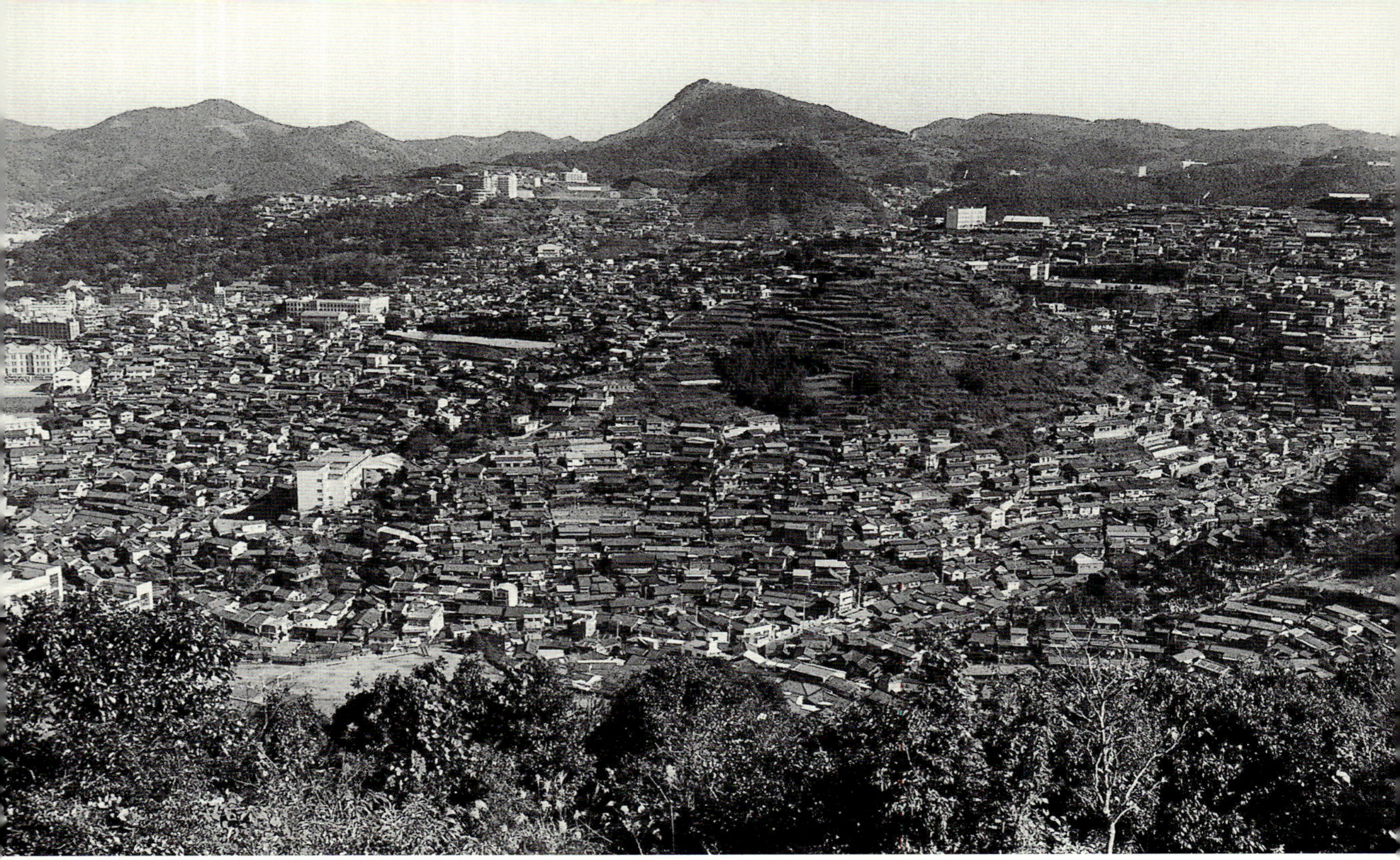

山の斜面に家が建ち並ぶ長崎の町。坂道はいたるところにある。稲佐山から。昭和48年（1973）11月　撮影・須藤　功

坂の街

夕刻、東京を特急「さくら」でたてば、次の日の正午には西端の都、長崎に着く。

プラットホームに降り立つと、十月初旬（七〜九日）に行われる長崎名物「くんち」の極彩色の看板が人目を引く。いわく「伝統を誇る祝・長崎くんち」と。

駅前に出る。市内を走る電車は、ここで三方向に分れる。

その一つは駅の北側にあたる浦上方面。その反対側の出島から更に大浦方面へ。もう一つの線路は東へのびて平坦地の少ないこの市街のもっとも奥深く蛍《ほたる》茶屋まで通じ、その途中に「くんち」で有名な諏訪神社がある。

長崎は三方から山が迫り、その間を細長い港が奥深く入りこんだかっこうになっている。

ちょうど入江の先端にあたる駅付近も以前は海であった所。リアス式の沈降海岸であれば港内の出入りも荒くもっと凸凹が激しかった筈である。

今は市のセンターにあたる市役所から南の県庁のあるあたりは、昔海に突き出た岬であり、土地の人々はこれを「長《な》んヶ崎《さき》」と呼んでいたのが、そもそも「長崎」の名のおこりという。

こうした独特の地形をもつこの街を俯瞰《ふかん》しようとすれば、駅の西側にある稲佐のロープウェイに乗って山に登るか、さもなければ天主堂やグラバー邸で有名な大浦の山から見下ろすのがよいだろう。

大浦へは、市内電車の終点、石橋の一つ手前の弁天橋

諏訪神社。10月7日から3日間にわたって行なわれる「長崎くんち」は、この神社の祭りである。上西山町　昭和48年（1973）11月　撮影・須藤　功

で降りて右手の橋を渡る。

このあたりは観光コースになっているからめったに道に迷う心配はない。

ただ単に風景を楽しむのなら、坂の途中から明治のなごりをとどめる木造洋館の屋根ごしに、港と市内を眺める場所は方々にある。しかし、このあたりでは幕末開港時代の居留地の雰囲気が強く、それでなくても造形美にあふれた大浦天主堂やグラバー邸、十六番館等の背景としてのそれになってしまい、冷静に長崎をみつめることはむずかしい。

砂岩を切りそろえ、その下に砂と漆喰でクッションをつけたという石畳の美しい坂道をさらに上へと登ると、旧農道の狭くしかも荒々しい石積みの坂が続いている。付近の家々もそれまでの瀟洒《しょうしゃ》な屋根と緑に包まれた旧居留地とは異なり、生活の匂いをただよわす民家である。

ちょっと方向を間違えて小道に入ると、そこは他人の家の庭先であったりするが、人がいたら挨拶を交してその前を通り更に上へ行く道を探せばよい。少くとも階段状の地帯に住む長崎の人々は、門をかまえたお大尽でもなければ、庭先を他人が通っても眉をひそめる者などはいない。第一いちいちそれを気にしていたら、坂の長崎では暮せないからである。

それはともかく、上に登れば登るほど視界はしだいに開けてくる。

標高はたかだか二〇〇メートルどまり。少し足をのばせば、港口から三菱造船所、そしてその背後に稲佐の山々が望まれ、長崎駅、二十六聖人の跡をしのぶ西坂の丘から西山へと続く山脈と、そのすり鉢状の底から這い上がるように上昇運動を続ける甍《いらか》の波を一望のもとに見ることができる。

とはいえ、これが市街地のすべてではない。

この地の名前を冒して長崎氏を名のった小太郎重綱が貞応二年（一二二三）にこの地にとどまり（長崎氏系譜より）、氏によって開かれたという片淵、中川、夫婦《ふうふ》川等の集落は山襞《やまひだ》にかくれて見ることができない。

後に元亀《げんき》元年（一五七〇）に平戸、横瀬、福田に続いて長崎が開港されここが貿易港になることが決まると、福田にいた商人をはじめ、近在の各地から多くの商人た

ちが集まるようになり、港に突き出た細長い岬には、島原町、分知《ぶんち》町、大村町、外浦町、平戸町、横瀬浦町の六町が誕生し、ここに貿易港長崎の基が開かれたとされている。

だが一方、すでに山裾の一帯に集落を作っていたのは、さきの片淵、中川、夫婦川だけでなく、現在市街地の周辺部を形成している船津、十善《じゅうぜん》寺、小島《こしま》、高野平《たかのひら》等十二郷がすでに開かれていたといわれる。

三十六湾二十四橋といわれた長崎は、その後次々に海が埋められ、谷がならされて都市はふくれあがっていった。

今は市街地の一部となっている出島がその一つの証《あかし》であり、アーケードのある繁華街浜町、鍛冶屋《かじや》町界隈も、もとおぼれ谷であったところ。

開港当時一五〇〇〇人だったといわれる人口が、いまや五〇万になんなんとしているのだ。こう考えてくれれば、住宅地の上昇運動も土地が限られた長崎の宿命というべきであろうか。

しかし最近急速に発展している市の北西部の高地のありさまは、港に隣接して早くから階段状に開けた小島、十人町付近とはその趣を異にしているのが解る。

というのも第二次開発地帯の北西部は、近年の都市集中化による上昇運動であり、同じ棚田を改造して住宅が作られていても、高い石垣を積んだ文化住宅が並び、黒瓦に漆喰でふちどりされた旧民家とは対照的に、青や赤の華やかな屋根瓦が目につく。

ここにも新旧の長崎の顔がうかがわれるのである。

観光案内地図を開けば、いわゆる長崎の名所旧跡といわれる所は一部をのぞいて山麓の景勝地にほぼ集中している。

しかし私は、そうした点と点の間に沈んだ、「面」の長崎を歩いてみようと思う。

こうした旅は、すり鉢状の長崎ではまさに蟻が斜面を這いまわるように、つかみどころのないはかないものに終るかも知れない。

また、もしかすると蟻地獄へ落ちるように、「伝統の町」にのみ込まれてしまわないとも限らないのだが……。

素顔の斜面

南山手、相生《あいおい》町から北東に道をとって、第一次開発地帯を歩く。

以前は農民が鍬を肩に登り降りしたであろう道は、今はほとんどコンクリートがうたれている。くねくねと曲った小路を日に何度となく登り降りするのは楽ではあるまい。

坂になれぬよそ者であればなおさらのこと…と自分にいいきかせながら山をめぐる。

めぐるたびごとに変るあたりの景色に慰められ歩を進めるうちに、いつの間にか人家の海に埋没してしまっている自分を発見する。

地図を広げて現在地を確かめようにも手がかりらしいものが見当らない。下から上がってくるおばさんに道を聞く。おっとりと親切に教えてくれる。おばさんの顔の汗を見て、思わず、

石段は曲がりくねりながら上に伸びている。小島町

急な坂道ではないが、もどりはちょっときつい。館内町

「暑いですねえ」と言えば、
「ほんに、ぬつかですねえ」というはずむような返事が返ってくる。南国の空の下で、初めてこの町の人情にふれた思いがした。

教えられた道をたどりたどり行って諏訪神社に出る。諏訪神社といってもここは大浦のお諏訪さんである。地図で見れば大浦天主堂のすぐそばの筈だが、山を大廻りしたので大分かかってしまった。

普通「長崎くんち」といえば諏訪町のお諏訪さんのお祭りということになっているが、その他の地区にも、大浦には「大浦くんち」というふうにお諏訪さんの祭りがある。

これらの祭りは日をずらせて行われるが、諏訪町の諏訪くんちにくわれて、他の地区のくんちは年々さびれてきているということだ。

諏訪町の長坂を小振りにしたような市街地をはるか見下ろす景勝の地に神社はあった。

いったん電車通りに降り、東山手から再び山へ登る。

ある劇作家が「下町が山に登ったような……」と形容したという小島あたりは、なるほど屋根と軒が重なるほどで、急斜面を登りつめた所が高台に開けた校庭の崖っぷちであったりする。

その間に、パン屋、八百屋、雑貨屋が点在し、所によっては小路の上によしずを片流れに張って涼をとる風景もみられる。

どの小路もそのまま家の前であり、また裏口でもある。そこここの石段では、子供たちがメンコに打興じている

天秤棒で担いで行商をするおばさん。寺町

姿が目につく。

その横を買物帰りの奥さんたちが、ゆったりとした足どりで登ってくる。

前を歩いていた顔見知りにすぐ追いついてしまう。ときには道端にたたずんでお喋りが始まることもある。その話しぶりはいたって開放的だ。下の街で聞かれるような標準語なまりの長崎弁などではない。

坂はそこに住む人々に忍耐を強いてきた代りに、人と人との心をつないでくれているように思われた。

私の先を行くおばあさんの二人連れが、最近被爆者におりるようになった医療費の申請について歩きながら話している。

街中であったら原爆が落ちたのは浦上でありこちらの方は被害がなかったからとよそ者の追求をかわすのが普通だが、ここでははたを気にする必要がないせいか、内輪の話もあけっぴろげである。

別の日、人に連れられて再びこの付近をおとずれた時、この前私が通った小路にはどうしても行き当らなかった。

狐につままれたようなおかしな気分になったが、石段をはしる下駄の音、天秤をかついで行く物売りの声、赤ん坊の泣き声、石段のメンコ、奥さんたちの立話等々、前の小路と変らぬ風景がそこにもあった。

このあたりは古くから三菱の関連会社に働きに出る労働者の街であったこと、それに諫早《いさはや》長屋、××長屋の別名が示すように近在から人々が集ってきて集落を作っていること等を知った。

恐らくは明治以前も、形は変っても働く人たちの集落であったことは間違いなかろう。

ここには、出島に代表される外来文化とは無縁の「長崎」の素顔があり、同時に世界のトップをいく造船企業の底辺をささえている民衆の素顔があった。

やがて夕暮がせまり、九月の末とはいえまだ夏を思わせる太陽が西の山に傾きかける頃、家々の煙突からは夕《ゆう》餉《げ》を告げる白い煙があちこちに立ちのぼり始めた。と、急に背後に爆音を響かせてスクーターが小路に入ってきた。

●長崎は独特の町です。そしていろんな顔をもつています。少くとも次のような側面はごらん下さい。この町にいっそう深く触れるでしょう。

旅のアドバイス

●そんなに大きな町ではありません。できるだけ歩いてあなた自身の長崎を見つけて下さい。ここには代表的なものしか紹介してありませんから。

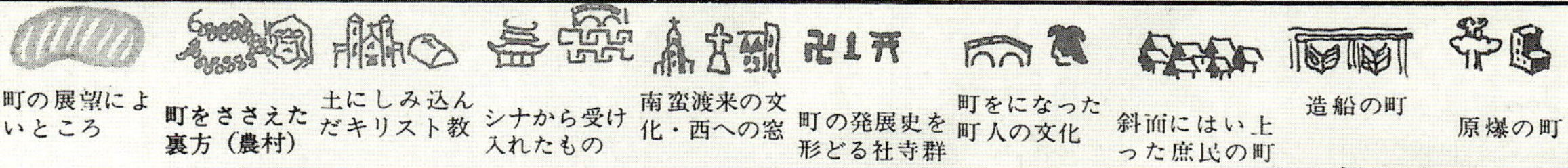

町の展望によいところ
町をささえた裏方（農村）
土にしみ込んだキリスト教
シナから受け入れたもの
南蛮渡来の文化・西への窓
町の発展史を形どる社寺群
町をになった町人の文化
斜面にはい上った庶民の町
造船の町
原爆の町

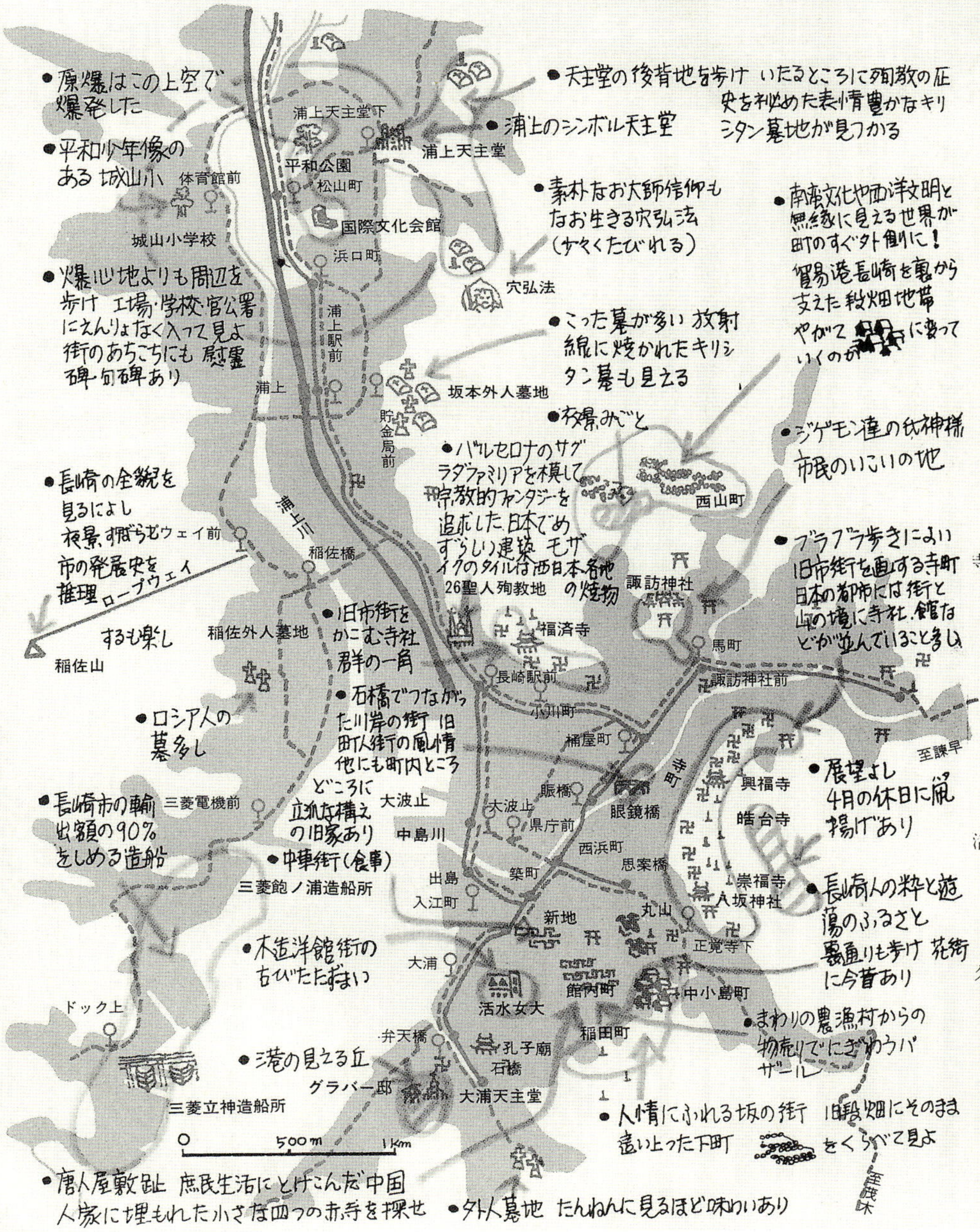

●原爆はこの上空で爆発した
●平和少年像のある城山小
体育館前
城山小学校
●爆心地よりも周辺を歩け 工場・学校・官公署にえんりょなく入って見よ 街のあちこちにも慰霊碑・句碑あり
●長崎の全貌を見るによし 夜景すばらし
ロープウェイ前
市の発展史を推理するも楽し
ロープウェイ
稲佐山
稲佐外人墓地
●ロシア人の墓多し
●長崎市の輸出額の90%をしめる造船
三菱電機前
三菱飽ノ浦造船所
●木造洋館街の古びたたたずまい
ドック上
●港の見える丘
グラバー邸
三菱立神造船所
500m
1km
●唐人屋敷趾 庶民生活にとけこんだ中国人家に埋もれた小さな四つの赤寺を探せ
●天主堂の後背地を歩け いたるところに殉教の歴史を秘めた表情豊かなキリシタン墓地が見つかる
●浦上のシンボル天主堂
浦上天主堂下
浦上天主堂
平和公園
松山町
国際文化会館
浜口町
浦上駅前
浦上
浦上川
稲佐橋
●素朴なお大師信仰もなお生きる穴弘法（少々くたびれる）
穴弘法
●南蛮文化や西洋文明と無縁に見える世界が町のすぐ外側に！ 貿易港長崎を裏から支えた段畑地帯 やがてに変っていくのか
●こった墓が多い 放射線に焼かれたキリシタン墓も見える
坂本外人墓地
貯金局前
●夜景みごと
●ジゲモン連の氏神様 市民のいこいの地
西山町
●バルセロナのサグラダファミリアを模して宗教的ファンタジーを追求した日本でめずらしい建築 モザイクのタイルは西日本各地の焼物
26聖人殉教地
●ブラブラ歩きによい 旧市街を画する寺町 日本の都市には街と山の境に寺社、館などが並んでいることが多し
諏訪神社
馬町
諏訪神社前
●旧市街をかこむ寺社群の一角
福済寺
長崎駅前
小川町
桶屋町
●石橋でつながった川岸の街 旧町人街の風情 他にも町内ところどころに立派な構えの旧家あり
大波止
中島川
賑橋
眼鏡橋
県庁前
西浜町
思案橋
築町
出島
入江町
寺町
興福寺
皓台寺
崇福寺
八坂神社
至諫早
●展望よし 4月の休日に凧揚げあり
●中華街（食事）
新地
丸山
正覚寺下
●長崎人の粋と遊蕩のふるさと 裏通りも歩け 花街に今昔あり
大浦
活水女大
館内町
中小島町
弁天橋
孔子廟
石橋
稲田町
大浦天主堂
●まわりの農漁村からの物売りでにぎわうバザール
●人情にふれる坂の街 這い上った下町
旧段畑にそのまま をくらべて見よ
至茂木
●外人墓地 たんねんに見るほど味わいあり

急ぐ人のためのすいせんコース

長崎駅前
8分
平和公園
（30分・時間があれば周辺の街を）
2分
浦上天主堂及びキリシタン墓地
（60分）
13分
諏訪神社・境内
（30分）
3分
眼鏡橋上手の川沿いの町並と橋
（10分）
5 ～10分
寺町・興福寺・崇福寺
（40分）
10～15分
中小島町（坂の町）
（30分）
5分
丸山をへて新地
（40分・時間があれば館内町の市）
5分
活水女子大附近の洋館
（20分）
3分
大浦天主堂
（30分・時間があればグラバー邸・外人墓地）
6分
長崎駅前
（約6時間）

国鉄
電車
バス
徒歩

「南京寺《なんきんでら》」、「唐寺」とも呼ばれる興福寺。本堂は純中国風。寺町

興福寺に移築された唐人屋敷の門。長崎と唐人のつながりは強い。寺町

器用に片足を地面につきながら走り去っていく。不思議なことがあるな、と思いながら帰りがけに山の裏手に廻ってみると、そこからは平坦地に抜けるダラダラ坂が開けていた。

帰りは半分も時間がかからなかった。

庶民に溶け込んだ中国

すり鉢地帯からくだって下の町を歩く。館内《かんない》町はその字が示す通り、大浦の居留地跡（西洋）に対して唐人屋敷（東洋）のなごりをとどめているところ。

大浦が観光地として港に臨む景勝の地を今なおきれいに保存しているのに比べると、現在の館内町は町全体がすでに庶民の生活圏になっており、その海の中にわずかに由来を書きとめた石碑が顔を出しているといったかっこうである。

保存という観点からみれば、西洋優先のそしりをまぬがれまい。

しかし、私の旅の目的はさきにも記したように史跡それ自体ではなく、それをとりまく町の側にあり、そうした意味からは館内町もまた私にとって関心の深い地域であった。

「唐人屋敷跡」という文字が見られるのは、夕方近くともなれば人々の雑踏でにぎわう市場のすぐ横にある門の

地ベタにじかに品物をおいて売る。中国の習慣という。寺町

脇のところ。

よく気をつけて見ないと、八百屋やら何やらの品物がうず高く積まれていて見おとすところであった。

その門を中心にめぐらされた土塀の内が唐人屋敷跡だというのだが、中をのぞけば荒れはてて空地同然である。

「何もないでしょう?」と案内にたった土地の人が微笑んだ。

「これでも門をしめてるからまだ中が助かっているんですがね。開けたらどうしてどうしてすっかり荷物で占領されてしまいますよ」という。

乱暴なことを言うと思いながら、土塀のふちにずらりと並んだ、花屋、たこ焼といった屋台の前を何気なく通り過ぎようとすると、

「あそこに地ベタに座ってじかに物をおいて売っているでしょう。あれは中国の習慣ですよ」と、こともなげに話してくれた。

見れば新聞紙一枚敷いた上で雑貨類が、また漢方薬のたぐいが売られていた。

「唐人屋敷といっても本当にもうなんにもありませんよ」。申し訳なさそうに案内に立った人はそうつけ加えた。

私はもの売りをもう一度ふり返ってみた。ポルトガル人にしろオランダ人にしろ、西洋人はキャピタンから船員にいたるまで、遊女をのぞいた長崎の庶民とは対等なつき合いをしなかった。が、阿茶《あちゃ》さんの愛称をもって呼ばれる中国人の場合は違う。

長い中国との交渉史のうちには、龍踊《じゃおど》りの手引きや花火売り、そしてどっかりとこの地に根をおろした多くの気さくな人々を残している。

地ベタで物を売ることがはたして本当に中国の影響かどうかは残念ながらまだ調べがついていないけれども、高い土塀に背をもたせかけて悠然とかまえていたあねさんかぶりの姿は、確かに大陸的な感じがただよっていた。

赤寺をまわる。この町だけで四つあるといわれる赤寺

中国風の直し屋とでもいおうか。寺町

（支那寺）は、興福寺や崇福寺などの名高い寺のほかは管理も市か町かはっきりしないところから、どの堂内も荒れるにまかせているようであった。

境内は子供たちのかっこうの遊び場となり、塀のくずれが目立つものも多い。

一つの赤寺の薄暗い堂内に入ってみると、母親と娘と思われる中国人が掃除に来ていた。

案内にたったおばさんは愛想よく、子供たちの乱暴をわびたが、ビヤ樽のように太った中国婦人は表情一つかえずにゆっくりとした手つきで、燈明をあげる古色蒼然とした台のほこりを払っているばかり。

ふと見れば、婦人の履いたサンダルの前につま先が見えない。私は初めて纏足《てんそく》を見た。

「唐人屋敷」を当時出島にならって行われた中国封じ込め政策のあらわれとみるならば、戦後二十三年たっても大陸と交流を持とうとしないわが国の現状はどうなのか。

荒廃した赤寺の中に、一瞬冷たい風が吹きぬけていくような気がした。

もう一つの赤寺は鉄の鍵がかかっており、町内の婦人会の人が来てわざわざ開けてくれた。ここは婦人会で自主的に管理しているとのこと。

堂内は同じようにがらん洞だが、四、五脚の椅子とコンロが用意されていた。

「時々ここで踊りのケイコをしますんですよ」という話。

見れば「くんち」に飾るということで街につるす提灯の木枠がキレイに洗われ保管されていた。

その赤寺の横の、昔唐人屋敷があったというお宅に案内される。

右手に格子づくりの窓がある町中でよく見かける普通の民家である。

玄関を入れば薄暗い土間が長々と続き、奥に庭が見える。

部屋に通していただいて、石燈籠や今は踏台にしている四人引きという大きな石臼を拝見する。

奥さんの話――亡くなった舅《しゅうと》が生きていた時には、行《こう》李《り》に沢山中国の古文書や絵図をもっており、戦争中も雨もりがするといえばそのつど移しかえて大切にしていたと。

戦争のさなかで敵国の古文書を愛蔵していた一人の庶民の姿がそこにあった。

確かに他でも、戦争中も力が入らなかった、中国に対して敵愾心がもてずに困ったという話を聞いたことがある。

門だけでも残しておこうと思ったが粗末にするといけないというので、支那寺にあずけてあるということである。

そこは拝観料をとる寺だけに保管は確かであろうが、それにしても唐人が住んでいた屋敷跡にそのままの形で保管するのはやはり無理だったのだろうか……。

館内町から新地《しんち》にかけては、長崎でももっとも庶民的な町である。

高級中国料理店もあるが、六十円で定食を食べさせる

路上で商う。安くて品もよく、常連客がついている。館内町

めし屋もある。

しかも市場から続く道端では、四ツ角でも露天のあきないがみられ、天秤をかついだ花売りが通る。彼らは近在から市内にやってくる。

薬草を大きなビニール袋につめて背にしょっている白髪の老人に会う。聞けば深堀からどくだみを干したのを持って来たという。

しばらく行き過ぎて振りむくと、顔なじみであろうか、ハイヒールの奥様風の婦人が路上でどくだみを計りにかけてもらっていた。その飾らぬ様子を見ているうちに、何となく心がなごむ思いがした。

長崎人のふるさと

開港以前長崎氏が城を構えていたというが、その後貿易港として栄え天領として盛んになったこの街は、城下町ではなくまったく町人の町であった。

はじめの六町から続いて岬の上や縁辺に新しい町ができ、文禄ごろまでには十八町に達した。こうしてできたのが内町であり、その後に開かれた町を外町といった。くだって、内町・外町とも頭《かしら》には代官を頂くが、直接の政治は内町が町年寄、外町が年行事、その下に内町外町とも各町二名が立ち、それが五人組頭に続くという町人自治の体制が敷かれていった。

町名にも職業にちなむものの他に五島町、樺島町等、周辺の島から、村から多くの人々が移ってきたことを物語る名前が今も残っている。

そこで私は、長崎の周辺地区をたずねてみることを思

生きた小魚を入れておく生簀籠《いけすかご》。小魚は漁場に撒いて魚をおびき寄せる。茂木町

いたった。

行政的にはすでに市に編入されている地域ではあるが、天正八年（一五八〇）、長崎六町とともにイエズス会の知行所となった茂木《もぎ》をめざすことにした。

市内からバスで田上《たがみ》峠を越えて三十分。橘《たちばな》湾（千々《ちぢ》石湾《わ》）に臨む漁港である。今はフェリーボートでここと天草下島とは結ばれているが、古くから天草―長崎間の中継地でもあったところ。

背後には山をひかえ、天保十一年（一八四〇）頃長崎代官に仕えた一女性が、中国産のビワの種子を、郷里であるこの地に持ち帰り育てたのが始まりといわれる、「茂木ビワ」の発祥地としても有名である。

現在はビワの他にミカン畠も多い。

一方、タイの一本釣りや延縄《はえなわ》（タイ、フグ）を主とした漁業集落がある。

海岸でのんびり網の修理をしている老人をつかまえて話を聞く。

老人にとって、「長崎」とは青春の代名詞でもあるかのように、馬車に乗る銭も惜しんで歩いて長崎まで遊びに行った頃の話に顔をほころばせていた。

にぎやかな通りに入れば、そこここに「祝・くんち」「くんち大売出し」の立看板がとび込んでくる。

三方から山が迫って平坦部をまったく包み込んでいるように見える長崎も、街道が四方に開け、それぞれ性格の違った後背地と結ばれている。その一つである網場《あば》は茂木の北にある漁村で、小浜《おばま》に渡る起点となっており、また中国の温州《うんしゅう》から長崎を経て苗木を移植したという、「伊木力《いきり》ミカン」の発祥地伊木力は、大村湾に臨んでいる。

老人と女と子供たちだけの漁業部落を歩く。

日中、風通しのためにあけ放たれた家々は、ほとんどよそ者を意識する様子もない。

ふとなにげなくのぞき込んだ家で、珍しく孟宗竹を割ってすだれ状にした敷きものを見つける。

入って説明を乞うと、これは「はぜ」といい、まだ暑いのでこのままにしてあるが、床下から風が吹き抜けてそれは涼しいということであった。

飴色に染まった竹の肌は見るからに美しい。同行のカメラマンがこれと同じものを南の方で見たという。沖縄、奄美を経て伝えられてきた南の文化が「長崎」の先端のこの地で見られたことは大変に興味深く思われた。

夕闇が迫る頃、とある寺の境内に足を踏み入れた私たちは、墓地のあたりからぼんやりともれる光を見つけた。

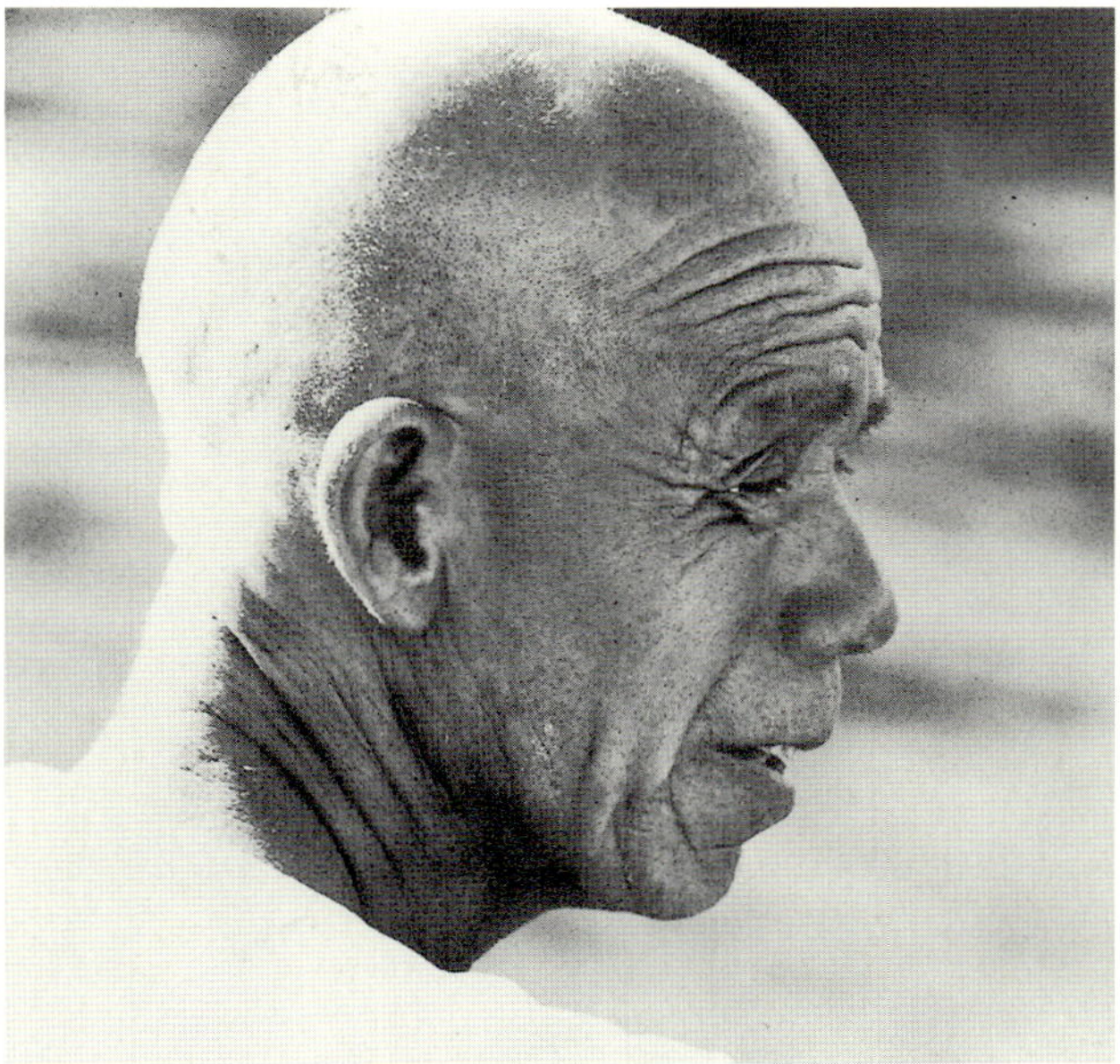

海で魚を獲りつづけてきた老漁夫。茂木町

近づくとそれは墓にそなえたカンテラである。近所の人の話では、新仏は四十九日の間こうしてお守りするのだということであった。

なかには電燈線から電線を引いて灯している墓もあり、すっかり闇に包まれたうちに丸い光の輪を墓石に投げかけているのが印象的であった。

そういえば長崎でもお盆になると、弁当を持って家族一同墓地に集い、酒盛りをしてにぎやかすという。

私が歩いた階段状の地帯でも、高台の見晴しのいい場所に墓地があった。

所によってはその上にも人家が並び、下から見上げると瓦の海の中に墓石が点在する不思議な光景がみられた。

しかも、そこは単なる死者の憩いの場所ではなく、遊び場の少ないせいもあって子供たちが縦横無尽に遊び廻っている姿をよく見かけた。

私はそこにこれまでの長い歴史の中で幾度も繰り返されたであろう悲惨と、それを乗り越えて生きてきた長崎の人たちの明るさを見るのである。

土にしみこんだキリシタン

市内に戻り、駅前の市内電車の線路を北へとって、今日は浦上をおとずれる。

駅からほんの数キロメートルの間に、日本二十六聖人殉教の地、爆心地、原爆資料館を含む国際文化会館、そして浦上天主堂と続く。

普通長崎の中心部の人が原爆は浦上に落ちた、という場合、ここには二つの意味が含まれている。

その一つは、南北に長い長崎の町の北の半分がやられたという地理上の距離の問題（ただし所によっては爆心地から七キロ・十キロと離れた所でも被害が出ている場合がある）。

もう一つには、市域からみても浦上一帯が長崎市に合併されたのがようやく大正九年のこと。しかも明治までは全村あげてキリシタンの村であったところから、内町外町の伝統をもつ中心部の人たちが抱く心理的な距離。この二つがあるように私には思えてならない。

今では天主堂も改修され、急速に都市化をたどるこの地域は昔をしのぶよすがも残されていないが、それでも少し高地に出ればまだ畠を耕す農民の姿を見ること

浦上地区は長崎に投下された原爆の爆心地。そこに残る浦上天主堂跡の像。本尾町

ができる。

私はようやく連絡がついたある老婦人をたずねて、天主堂の見える彼女の家へ行った。

こじんまりとした文化住宅風のその家は、山の中腹にあった。

ワンピースにソックスをはいた老婦人は、首に少々太めの鎖をかけており、それがクルスであることが一見して解る。彼女は明治二十一年生れ、今は一人身で遠縁の家にやっかいになっているとのこと。

おばあさんは根っからの百姓育ちらしく、昔の話を始めると小さな眼がますます細くなる。

彼女の話というのはこうだ。

このあたりは今でこそ花等を作る農家がでてきたが、以前はじゃがいも、さといも、麦、それに陸稲《おかぼ》等を作っていた。野菜が一荷でよく売れて四、五〇銭の頃のこと。よかもんはすべて売りに行き、おかしかもんば食べてきたという。

元気もんだった彼女は小さい時から外で働かされることが多く、田植があるといえば長与までも手伝いに行った。

百姓仕事がない時は土方仕事にも出た。西山の水源池作りにもわらじ一足ひっかついで、朝暗いうちから出かけていった。その他浜町の岡政デパートが建った時、当時としては最もハイカラな二階建の洋館だったそうだが、左官仕事もできるということでやとわれた。

こうして男衆なみの技術を身につけていった彼女は、信仰の中心である浦上天主堂建設工事には、進んでレンガを積みに参加したという。

浦上天主堂は、明治十二年（一八七九）浦上の信者た

浦上天主堂跡の近くにあるキリシタン墓地。本尾町

ちが、もと絵踏みをやらされていた庄屋屋敷を買いとって仮聖堂を建てていたところ。

　明治二十八年（一八九五）、フランス人宣教師フレノ神父がみずから設計監督して工事を開始、その後いくたの曲折を経て正面の双塔が完成したのが大正十四年（一九二五）のことであった。なんとその間四十五年の歳月が流れているのである。

　おばあさんに教えられて、あらためて私は爆心地に置かれている天主堂の残骸を見にいった。

　裏に廻ってよく見ると、縦に規則正しく点々と黒レンガが十字の模様にはめこまれていた。

　信仰を語らず、労働の思い出だけをたんたんと語るおばあさんの姿に、私は浦上のキリシタンの心にふれたような思いがした。

　おばあさんの顔に心もち赤味がさし語気強く語り出したのは、おばあさんの母や身内が受けた迫害の話である。

　私は始めのうちそれを遠く鎖国時代のことのように聞いていたが、寛政二年（一七九〇）第一回の迫害から、天保十三年（一八四二）、安政六年（一八五九）、そして最後は慶応三年（一八六七）に及んでいる。浦上ではこれを一番崩れ二番崩れと呼び、おばあさんの話はいわゆる四番崩れ時のこと。反抗を恐れた当時の為政者は、やがて浦上全村民の移送を命じるのである。

　時に明治二年十一月、この時信仰を捨てず諸国に配流された村民は実に三千四百十四名にのぼったという。浦上の村民たちはこれを「旅」と呼んだ。

　彼女の母親は迫害の時二人の子供を連れて行ったが、赤子だった下の兄は牢屋の中で死に、まだ二つか三つだった上の兄はようよう生命だけは永らえて村へ帰って来たものの、十代のなかばで赤痢にかかって死亡している。

　母親たちが村へ帰った時には屋敷は影も形もなく、ただわら打ちに使っていた川石が一つ残されているばかりだったという。

　その後村を立て直し、天主堂を建設していった浦上の信者たちの上には戦争の暗雲がただよい、昭和二十年八月九日には、地上で二発目の原爆を浴びた（当時の死傷者約二〇万人）。

　このおばあさんも犠牲者の一人である。白内障《そこひ》におかされた眼をしばたいて被曝当時の模様を語ってくれたこのおばあさんは、話し終ってゆっくりと首を左右に振った。

　帰りがけ「足と眼が不自由でなかなかお守りもできんで」とくやんでいたおばあさんが身代をかけて建てたという墓に参る。

　それは山の中腹にある共同墓地にあって、日本式の墓の上に十字を飾った質素なものであった。「生きている間にはどうしても墓を建てなければと思い苦労しました。仁義は生きている間にはたさなければですねぇ」

　キリシタンのおばあさんから「仁義」という言葉を聞いて、私ははじめ自分の耳を疑った。

　しかし、浦上の信者たちは一族の者のなかで信仰を異にする者があっても、皆がよいということになれば同じ一家の墓に葬る、というおばあさんの話を聞いて、おばあさんのいう「仁義」の意味が私にも少しずつ解るような気がしてきた。

浦上を去る前に、天主堂に寄り「旅」の記念碑を見つける。

恐らく浦上の人々は「旅」に復路を予想しなかったであろう。こういう言葉で迫害を受けとめてきた心情を思う（明治六年までの殉教者六六四名）。

「どうして浦上に原爆が落ちたのでしょうか……」という私の無躾な質問に、恥しそうに笑ったまま答えなかったおばあさんの顔が、今も鮮やかに残っている。

長崎を作り受けついだ町人たち

浦上のおばあさんが若い時天秤をかついで市内で野菜を売り歩き、帰りには「こえ」を貰って（といっても礼として大根その他、正月には餅を置いてきた）帰ったというが、西山の農村地帯からは朝早く町の朝市に農民たちがおりてくる。

私は一日、眼鏡橋《めがねばし》の近くの朝市の様子を見に行った。

夜あけ前の薄暗がりの中を、茂木から、深堀から、長与から、そして西山からオートバイやリヤカーに積んだ野菜や魚が集ってくる。

裸電球に照らし出された顔はどの顔も血色がよく明るい。

早起きのお寺さんが一番に門前の掃除を始める。付近の商店もぼつぼつと店を開けるところがある。

ふと市場の近くの四つ角で、将棋の駒の形をした「水神様」を祭っているのを見つける。

この前茂木へ行った時、小川の淵にもちょうど同じ形の水神様を見たことがある。そういえば市内では孔子廟の先の道端にも一つあった。店主に聞けば、井戸を埋めた跡なので、という。水道が完備した現在は確かに古井戸は不要になったのかもしれない。

しかし昨年の夏は二ヵ月にわたって水源地が枯れ、長崎市民は大弱りしたのである。

この町ではまた逆の場合もある。大雨が降れば「坂の長崎」は、雨を漏斗から流し込まれるかっこうになる。

眼鏡橋のたもとの由来記にも、寛永十一年（一六三四）以来の数度にわたる大洪水にも一度もこわれずに云々と記されているほどだ。

興福寺二代住持唐僧黙子《もくす》如定《にじょう》が架けたこの石橋は長崎の石橋の始まりで、これより石橋の技術は広く九州に広まったといわれるが、眼鏡橋から川上を見れば、町と町の横丁をつなぐ程にいくつもの石橋が架っている。

私は眼鏡橋の付近を離れて繁華街に向った。

戦後の都市計画とたびたびの町名改正によって、内町外町以来の町人町も今の街並からは昔の面影をしのぶことはできない。

それでもなお町名の中には、移り住んで来た人々の出身地をあらわすものの他、魚の町、油屋町、金屋町等の町人町らしい名称が残っている。

その昔、岬にとりついた六町とそれまで山麓地帯に開かれていた村との間を人工的に開発し平坦部を埋めていった人たちは、すべて九州各地から集って来た移住者であった。

唐人がもたらした石工の技術から生まれた眼鏡橋。古川町

そうした先駆者たちの後裔を長崎では「土地者《じげもん》」と呼んでいる。

今は繁華街にアーケードができ、二つの町がつながってそれぞれの町の性格も年々薄れていくなかで、都市計画によって古い店舗もとりこわされてしまった。

日本最古の時計屋さんを仮住いのアパートにたずねた。

その昔科学技術の粋を極めた時計製造の技術を、通詞と遊女以外にはめったに立入ることができなかった出島に通って、いかにして先祖たちが技術を盗み取ってきたか、御主人は京都弁を思わせるさわやかな長崎弁で話してくれた。

櫓《やぐら》時計をはじめ数々の珍しい和時計を拝見した。また持ち出してこられた古文書には、南蛮鉄製造法から、各種機械の内部設計図、外装のデザインにいたるまでが丹念に写しとられていた。どれ一つとっても、記憶を頼りにする以外にすべの無かった状況のなかで行われた作業だという。

当時の時計師の胸のときめきが、こちらにも伝わって来るようであった。

折しも明日の「くんち」を告げるシャギリの笛、太鼓の音が街を行くのが聞える。

都市計画でとり払われた前の店舗は、「庭見せ」の時には、その代表的な家となっていたということだ。

また、その年の踊町《おどりまち》をあらわす傘鉾《かさほこ》の頭の飾《だし》にからくり人形があしらわれているが、何かの形で自分の先祖がそこに参加しているのではなかろうか……御主人の「く

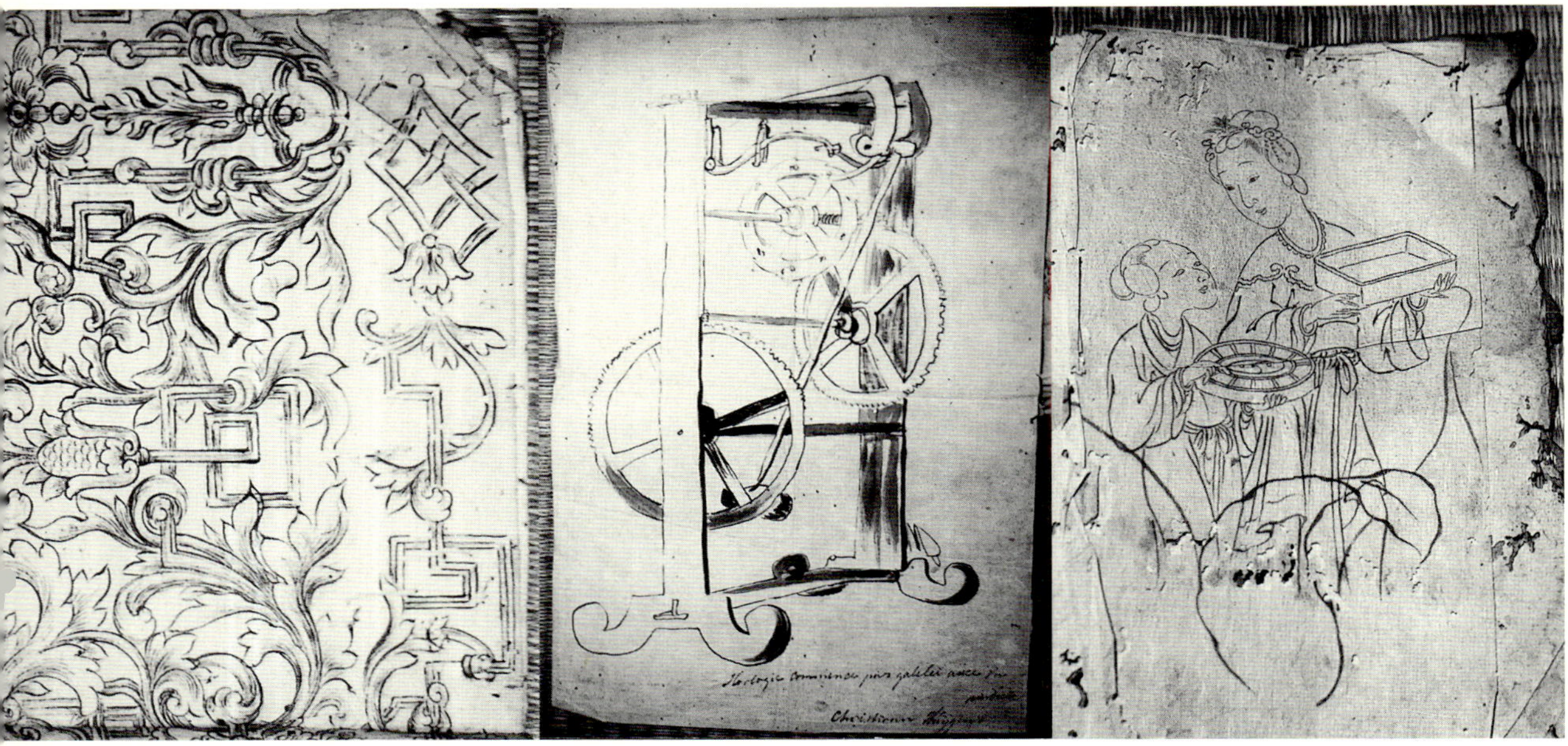

時計などの内部構造を記した図と文書

んち」にまつわる話はつきない。

とうとう引きとめられて夕食を御馳走になるはめになったが、やおら立っていって御主人は仏壇と神棚にうやうやしく燈明をあげてぬかづいた。

私はそれを見てふと、祭りをささえてきた庶民の姿をそこにかいま見る思いがしたのである。

くんちにあふれる民衆の熱気

夜の街へ出る。明日から始まる「くんち」の前景気をあおるかのように、町々を打込みに廻るシャギリの音が遠く近く聞えてくる。

商店街には「くんち」を祝う幕が張られ、お祭り気分をいっそう盛り上げていた。

諏訪神社に行く。

長坂で有名な石段には早くも夜店がたち、明日を待ちわびる市民の姿も思いの他多い。

長坂を登った途中踊り場の開かれたあたり、ここが明日（七日）と九日の二日にわたって踊りが奉納されるところ。

左右に傾斜を作ってしつらえた桟敷《さじき》もすっかりできあがり、明日の本番を待つばかりだ。

神殿は常と変らぬ静寂な空気に包まれ、三々五々ぬかづく人々の数がふえてくる。

私は片隅のベンチに腰をおろして、参拝におとずれる市民の姿を眺めながら、「くんち」に寄せる町の人々の思いをいろいろと頭に描いてみた。

戦争中、敗戦の色が濃くなった頃、「くんち」名物「龍

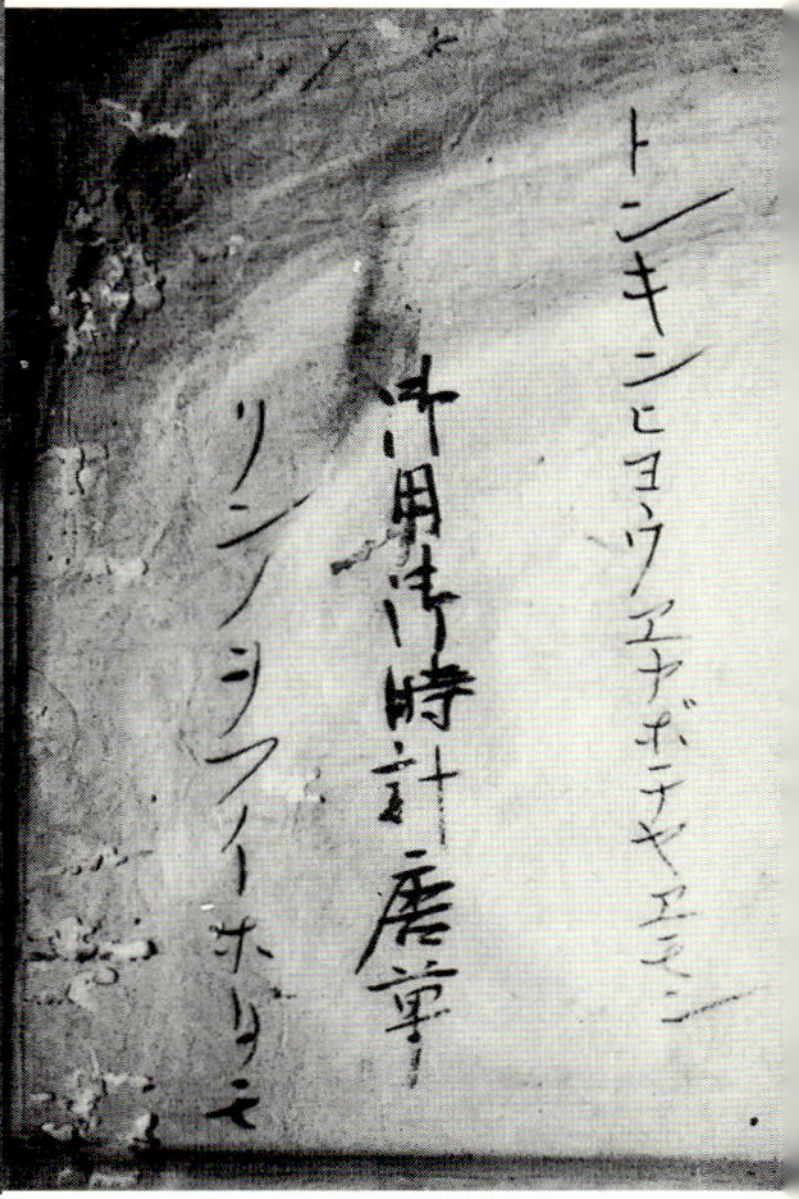

昔からの時計技術を受け継ぐ御斗計師《おとけいし》。「土地者」と呼ばれたひとり

踊り」を奉納してきたある町では、その龍をお諏訪さんにあずけに行ったという。

その時、しばらくしたらきっとまた受け取りに来ますからと言ったそうだが、言葉通り一年半程して戦後初の「龍踊り」を見たという。

館内町で私を案内してくれたおばさんに、茶のみ話の時、「くんちをどう思いますか?」と聞いてみた。

「さあねえ、前はともかくとして、戦後はすっかりですねえ。戦争に負けてからこっち、神様を信じられなくなりましたもんね」という答が返って来た。

「じゃ、今年はいらっしゃいませんか?」と再度聞くと、

「今年は遠慮させて頂きましょう。なにしろお父さんがなくなってから百日もたちませんから……」

おばさんの御主人は原爆症で亡くなられていたのだった。

戦後は神様を信じられなくなった、というのもいつわらざる庶民の気持であれば、まだ喪があけていないから遠慮したいというのもやはり真実であろうと思われた。

また、時計屋の御主人のように、七年おきに当番町がやってくるごとに祭りに参加して年をとってこられた人々には、それはそのまま人生の節になっているといえるのではなかろうか。

それだけに昔を知っている長崎の「じげもん」と呼ばれる土地っ子のなかには、年々淋しくなってくる「くんち」を嘆く声がふえているそうだ。そもそも「くんち」はキリシタン対策として始まったとはいえ、各地から移り住んで来た人々が一つにとけ合うために果して来た効

子どもの動きに注目が集まる樺島町のコッコデショ。「太鼓山」ともいう。

用は決して少なくなかったと思われる。

帰りがけ、長坂に陣どっている、いわゆる白トッポ組のおやじさんに座席のことをたずねてみた。桟敷の指定席はとっくにない。なんだったら席をとってあげるからこの長坂で夜明かししなさい、という。

その威勢のいいこと。「銭は一銭もいらない」というお人好の勧めにも、明日の朝への期待の程がうかがわれるようであった。

見れば中央の石段には、すでに夜を徹する覚悟の若い人たちの姿が二十人あまり数えられた。

朝七時から始まる渡御《とぎょ》（お下り）を見るために、一時間早くお諏訪さんにかけつける。

ようやく手に入れた桟敷の自由席に上ると、すでに席はほとんど埋まっていた。

昨夜から頑張り通した人々を含めて、すでに石段は満員である。この石段の上段には祭りの関係者が陣取っているが、お下り、お上《のぼ》りのさきぶれを承わる輿《こし》かつぎの人々は、力のある周辺部の農民が当たるということであった。

西山の農家である若い未亡人が、祭り気狂いだったという御主人のことをいとも楽しげに話していたが、輿はともかく、槍持ちその他には人出不足が目立ち、今年はアルバイトの学生をやとったとか…。

踊町の到着でいよいよ本番である。十三年振りに参加するという樺島町のコッコデショ、出島町のオランダ万才、大黒町の唐人船、それに特別参加の地元諏訪町の龍

くんちの主役というべき土地者。長崎は天領だったので、くんにちには幕府からカマド金などが出た。

踊り等が次々に奉納される。

そのなかでも、太鼓山といわれる輿風のものに乗った子供達をそのまま宙に投げ上げ片手で受けとめるコッコデショに、人々の注目が集る。上衣をとれば白の肌着に赤だすき、それに五色に色どられた太鼓山の配色は、みるからにあでやかである。

演技を行う者と見る者とが、「もってこーい」（アンコール）のかけ声とともに一つにとけ合う有様は、演出もさることながらやはり長い伝統につちかわれた祭りならではの見事さである。

出しものが終って石段を下り始めると、見物の者たちも争って街へ出る。

六月一日の小屋入り（稽古始め）から始まって十月初めの衣裳着せ、三日の庭見せ、四日の人数揃いと、数ヶ月にわたって準備されてきた長崎の「くんち」は、こうしていよいよ三日間にわたってくりひろげられるのである。

夜、御輿《みこし》三体が安置されている御旅所《おたびしょ》へ人波の中を歩いていく。

「くんち」の他にも、四月の凧と凧とを戦わせる独特の「凧《はた》揚げ」、六月には海の行事「ペイロン」、そして盆

長崎くんちを楽しくする出島町のオランダ万才

活水女子短大前のオランダ坂。石畳の坂道で、オランダ坂と呼ばれる坂は三箇所ある。両側に外国人の住む洋館があって、外国人が教会などに通う道として利用したことから名がついた。東山手町。昭和48年（1973）11月　撮影・須藤　功

には盛大な精霊流《しょうろう》しと、いずれも中国南部の習慣の影響を強く受けた祭りが年間を通じて数多く行われる長崎だけあって、街を行く人波の流れにも祭り慣れした様子が見られる。

繁華街にも夜店が延々と続き、ひきもやらぬ人波が次々とうち寄せて来る。

町をとりまくすり鉢状の斜面を見上げれば、満天の星のように人家の明りが美しい。光の海の間がぽっかりとあいているあたりは学校か、それとも墓地であろうか。

今、すり鉢状の底部に立って、あらためてこの数日の間にふれ会った人々のことを振り返ってみる。

棚田で、町々の片隅で、そして階段状地帯の坂道で、よそ者である私を暖かく受入れてくれた人々。皆一様に明るく人なつっこい人たちばかりであった。

かつて唐船の入港でわき立った港には、今、市の輸出総額の九〇パーセントをしめる巨大な空船《からぶね》がドックに横たわっている。

港の姿は変っても、この港町の根っこである庶民の心は、今も変わることなく生き続けているのである。

大浦天主堂

九州の石橋

宮本常一

九州には安山岩・玄武岩などの火山岩の岩石が多い。それらは比較的やわらかで細工がしやすく、石垣や石橋に多く用いられて来た。また仏像彫刻などにも、他地方に見られぬ特異なものが多い。

石橋は長崎の眼鏡橋が早くから知られており、年代的に明らかなものではもっとも古いとされている。それまでは天草の本渡市にあるような板石をかけたものであった。ところが石をくみあわせてアーチ形にかける架橋技術がシナからとり入れられて、眼鏡橋の実現となったのであるが、この技術はシナからのみでなくオランダからも入って来たといわれている。

シナからのものと、オランダからのものは技術的に若干差があるといわれている。シナからのものは橋の裏がアーチになっているばかりでなく、橋面にも反りのあるのが普通である。長崎のほかに小浜《おばま》の石橋や諫早《いさはや》の石橋にも反りがある。とくに小浜のものははなはだしい。しかしオランダからのものは橋面が水平になっている。その比較的古いものは平戸の幸橋である。十八世紀の初にかけられたものである。

このような技術はその後熊本県種山地方の石工の間に継承せられたというが、十七世紀末から十九世紀初期までの間にかけられたというアーチ型石橋ののこっているものはきわめて少ない。それは一つにはすぐれた工人がいなかったためと思われるが、幕末の頃種山に岩永三五郎という石工が出た。これはすぐれた技術者で、その名を周囲に知られ、薩摩藩からまねかれて鹿児島市内をながれる甲突《こうつき》川に六つの石橋をかけた。川下から言って武ノ橋・高麗橋・西田橋・新上橋・玉江橋・太鼓橋である。そのうち西田橋がもっとも美しい。これらの橋はいまもそのまま利用せられている。

眼鏡橋。長崎県長崎市　昭和48年（1973）11月　撮影・須藤　功

三五郎はこの工事をおえて肥後へかえって来る途中薩摩藩の刺客に殺されたことになっている。そのすぐれた技術を他藩にもらしてはならないためであったといわれる。ところが、熊本の方では生きてかえったことになっている。刺客は三五郎を追って来たがいかにも殺すにしのびず、道ばたにいた乞食を斬って、その首をもって鹿児島へかえった。

いっぽう三五郎はいのちを助けられたために一時頭をまるめて世をしのんでいたといわれる。しかし仕事をやめていたわけではない。弘化四年（一八四七）熊

中国風の石橋。長崎県小浜町金浜　昭和43年（1968）撮影・伊藤碩男

本県御船《みふね》からまねかれて緑川に眼鏡橋をかけた。川の中程に橋脚をつくり、アーチ二つからなるもので、橋面はたいらになっている。橋のそばに建設碑がたっているが、その中には三五郎の名は見えず、卯八、卯市、尉八の名がしるされている。いずれも三五郎の弟子で卯八と卯市は兄弟であった。この架橋の成功が緑川沿岸の人びとに石橋への関心をつよく与えた。そのため眼鏡橋完成と同時に御船の上流の砥用《ともち》にも石橋をかけることになった。

嘉永元年（一八四八）熊本県砥用の総庄屋篠原善兵衛は砥用川に橋がなくて不便であり、時には渡船がくつがえって犠牲者のでることもあるので、三五郎に架橋をたのんだ。三五郎は弟子たちをつれて砥用に来、淵川の上にアーチ型の大きな石橋をかけることに成功した。長さ一四一メートル。名は霊台橋。このあたりにある石橋ではもっとも大きいものである。三五郎のかけた橋は砥用の東北の矢部の聖橋などがあり、矢部付近で合計十八にのぼっているといわれる。

霊台橋ができてから六年目、丈八（尉八）、宇一（卯市）らは矢部総庄屋布田保之助をたすけて矢部町とどろき川に通《つう》潤橋《じゅんきょう》をかけた。この橋は単に川をわたるためのものでなく、川の右岸にひろがる台地の上に左岸から水をひいて水田をひらくためであった。したがって橋面の下に水道管を布設し、水の必要のないときは、橋の中央から水を川におとすことにした。この技術は高く評価され、明治政府ができると、井上馨はわざわざ視察に来、保之助の長男弥門と石工丈八を東京へつれてかえった。丈八は名を橋本勘五郎とあらため、神田の筋違橋、江戸橋などをかけ、さらに二重橋をかけた。その技術は西欧人のそれにおとるものではなかった。

しかし勘五郎の東京滞在はそれほど長いものではなく、間もなく郷里へかえって、明治八年には熊本市内の明八橋、十年には明十橋をかけている。

これらの橋の多くはいまものこって利用せられている。以上の橋ばかりでなく、幕末の頃になると、熊本県内いたるところに石橋がかけられるようになる。たいていの橋は架橋の年号が橋名のそばにきざまれているので歴史的発展のあとをたどることができるが、石工は種山ばかりでなく、後には天草、矢部などのものも技術を身につけて架橋にしたがい、明治初年の熊本県には架橋ブームがおこっている。

通潤橋。熊本県矢部町　昭和44年（1969）9月
撮影・須藤　功

種子島

—民謡と民俗芸能を訪ねて

文・写真　下野敏見

鉄砲祭りの「源太郎踊り」。西之表市住吉

〽行こや行こうや草切り行こや
　マンパ畠の右ひだり
サマはあの峰、おらこの峰よ
　招きあわせて草を切る
月は山端《やまば》にスバリは西に
　思うたショサマはそのあいに
カメよ車よ廻れよシン木
　汁もたまれば夜も明くんど

種子島万葉といわれる草切節である。草を切りながら、男女がたがいに歌う掛け歌で、労働歌である。七七七五調の歌詞は村落によって人によって千変万化、そのメロディは独特の哀調をおび、三拍子である。三拍子といえば、コーライ節という種子島民謡もそうだが、コーライ節は高麗節という説もある。秀吉の朝鮮出兵に種子島勢も参加しているので、歌好きの種子島人のことだ、あるいは朝鮮で仕入れたメロディかもしれない。

草切節の歌詞は採集したものでも千首を超す。よく見ると、歌詞は、恋愛を一番に、次いで労働、風景などが盛られ、種子島の全生活が歌われている。種子島民謡の種類はおよそ数十種。そのほかに民俗芸能がそれ以上ある。民俗芸能は分類の仕方で数がちがってくるが、歌詞とメロディのちがいによってわけると、百数十種の多数にのぼる。

島は文化の吹きだまりである、といわれるが、中世から近世にかけての文化の吹きだまりであり、民謡や民俗芸能についてもそうである。これにはワケがあるようだ。一〇五頁図を見てもらいたい。矢印は↓がヤマト文化の流れ、↑が琉球文化の流れを示す。もちろん、琉球文化も日本文化であることはいうまでもないが、両文化の流れを区分できるのである。そして図のA・Bの点線が大和・琉球両文化の境界線である。奄美群島の南にももう一線ひかれるが、ここではとり上げないことにする。つまり種子島は中世以降のヤマト文化の第一番目の南限地である。

中世のころ、種子島の殿様は、たびたび上京し、京都や大坂などの文化を積極的にとり入れた。そういう記録が残っている。そのころ、種子島と上方を結ぶ交通路は、日向灘経由の航路が利用された。そのせいか、種子島の民俗は、薩摩よりも大隅や日向により近い。

地図で見てもわかるように、種子島は細長い島であり、元禄十一年（一六九八）、この島ではじめて栽培したさつまいものような平凡な形の島である。しかし上陸し、村里に足をふみ入れてみると、意外に豊かな民俗と長い歴史の跡におどろかされる。それがもっとも豊かなのは、民謡と民俗芸能であり、まるで日本の中世〜近世の芸能の収蔵庫のような感じである。

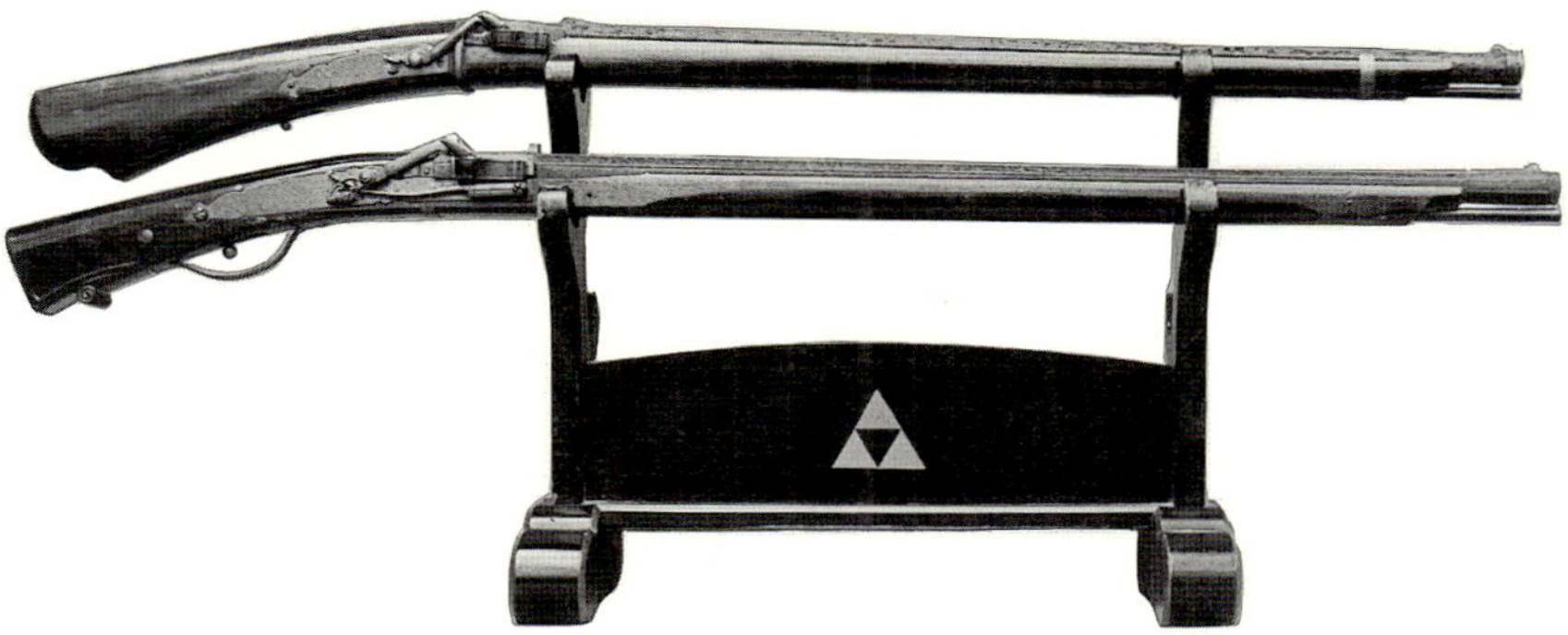

上は種子島家秘蔵の鉄砲。西之表市。下は門倉岬。天文12年（1543）にポルトガル船が漂着し、鉄砲を伝えた。南種子町

西之表《にしのおもて》

種子島への交通手段は鹿児島市からフェリー（定期船と快速船）と飛行機の二通りがある。船で行けば、先ず主邑西之表に上陸することになる。西之表は、中世以来の島の殿様の居館のあったところだが、今も島の政治、経済、文化の中心地である。ここで民謡や民俗芸能を聞いたり見たりは、ちょっとむずかしい。が、ぜひ聞きたいとあれば、市役所に行って観光係りの方に会い、伝承者や伝承村落名を聞いたらよい。

民謡や芸能に接する前に、西之表にある種子島家墓地や榕城《ようじょう》小学校（島主館跡）、麓士族屋敷（中目～小牧～納曽《のうそ》などの村落）、種子鋏《たねばさみ》製作所（鉄砲鍛冶の流れをくむ）、若狭公園、日典寺（五百余年ほど前、種子島に初めて法華宗を伝えた僧にちなむ寺）、本源寺（種子島家菩提寺）、西之表市立の種子島博物館（鉄砲館）や旧種子島邸「月窓亭」の収集品もぜひ見ておいたほうがよい。

国上《くにがみ》――古い歴史と芸能を訪ねて

西之表港から北へ十キロ、種子島北端の村、国上に着く。国上は昔は国頭とも書き、浦田港をひかえた地で、かつて多褹《たね》国分寺があった所といわれる。多褹国分寺につい

ては、『続日本紀』に、
「元明天皇、和銅二年（七〇九）六月、…ただ、薩摩、多褹《たね》両国司および国師僧など減例にあらず」とあることや『日本三代実録』に、
「天長元年（八二四）に至り、多褹島をやめて大隅国に隷す。……」
などとあることから、すくなくともこれらの期間には、多褹国分寺（島分寺ともいう）が存在したであろうが、その所在地は、正確には不明であるといわねばならない。
全国の国分寺跡がほとんど判明しているのに種子島だけは不明なのだ。赤尾木《あかおぎ》（西之表）説、島間《しまま》説、中田説、などいろいろあるなかで国上説はもっとも有力であるとされている。

南島の歴史は確実な古文書や遺物などが少ないところから、大方がヴェールに包まれているといってよい。しかも国上の外港である浦田港にまつわる浦田大明神などは、その縁起書に、日本最初の稲作地は種子島であり、タネとは稲のタネの意味である、そのタネは大隅半島をへて全国にひろまったと書いてある。あるいは、黒潮ルートによって稲と新しい文化が二千数百年前、この島を通って北上していったかもしれない。このような、自由奔放な空想をほしいままにできるのが、南島歩きの楽しみでもある。

国上の芸能は、その伝承ほど古くはない。寺之門の「花踊り」、湊の「狂言」、「ナギナタ踊り」、「チクテン（作田）」、浦田の「伊勢音頭」、久保田の「棒踊り」などがあるが、いずれも近世にはじまったものである。

寺之門の「花踊り」は、先年、五〇年ぶりに復活したもので、青年男女がタスキがけで、手に花を持って踊る。

〽酒田よそなァ、千代女は酒田、
　千代女はなぜ髪は結わぬ
櫛《くし》もよそなァ、ないかよ櫛も、ないかよ、油もないか
〽京屋大尽、井筒屋娘、ハラヤーサー
　サササ、ヤーレヤーレ、ヤーレ
七つ時からお伊勢に心、……
親にかくれて、ちょっと抜け参る、……

「サンゴ踊り」。南種子町平山

歌詞は伊勢参りを歌っているが、となりの浦田では、「伊勢音頭」が踊られている。

〽伊勢は津でもつ、津は伊勢でもつ
尾張名古屋は、城でもつ
お伊勢参りに、扇を拾うてよ
扇めでたや、末繁昌………

「伊勢音頭」は、楽器は鉦《かね》、太鼓に三味線が入る。種子島の芸能はほとんど三味線は入らず、三味線伝来以前の中世芸能の流れをよりつよく汲むものであるが、ここに「伊勢音頭」の新しさがわかるというもの。しかし、そうはいっても鹿児島本土などにはもう見られない芸能で、港町浦田に偶然のようにして伝存しているのである。浦田港から大隅半島は指呼の間にある。浦田の人たちは島主の旅の時など、遠く日向から豊後、京大坂までも同行したであろう。そうした折り、本土で習いおぼえてきたものであろうか。

ヤマト・琉球民俗境界線

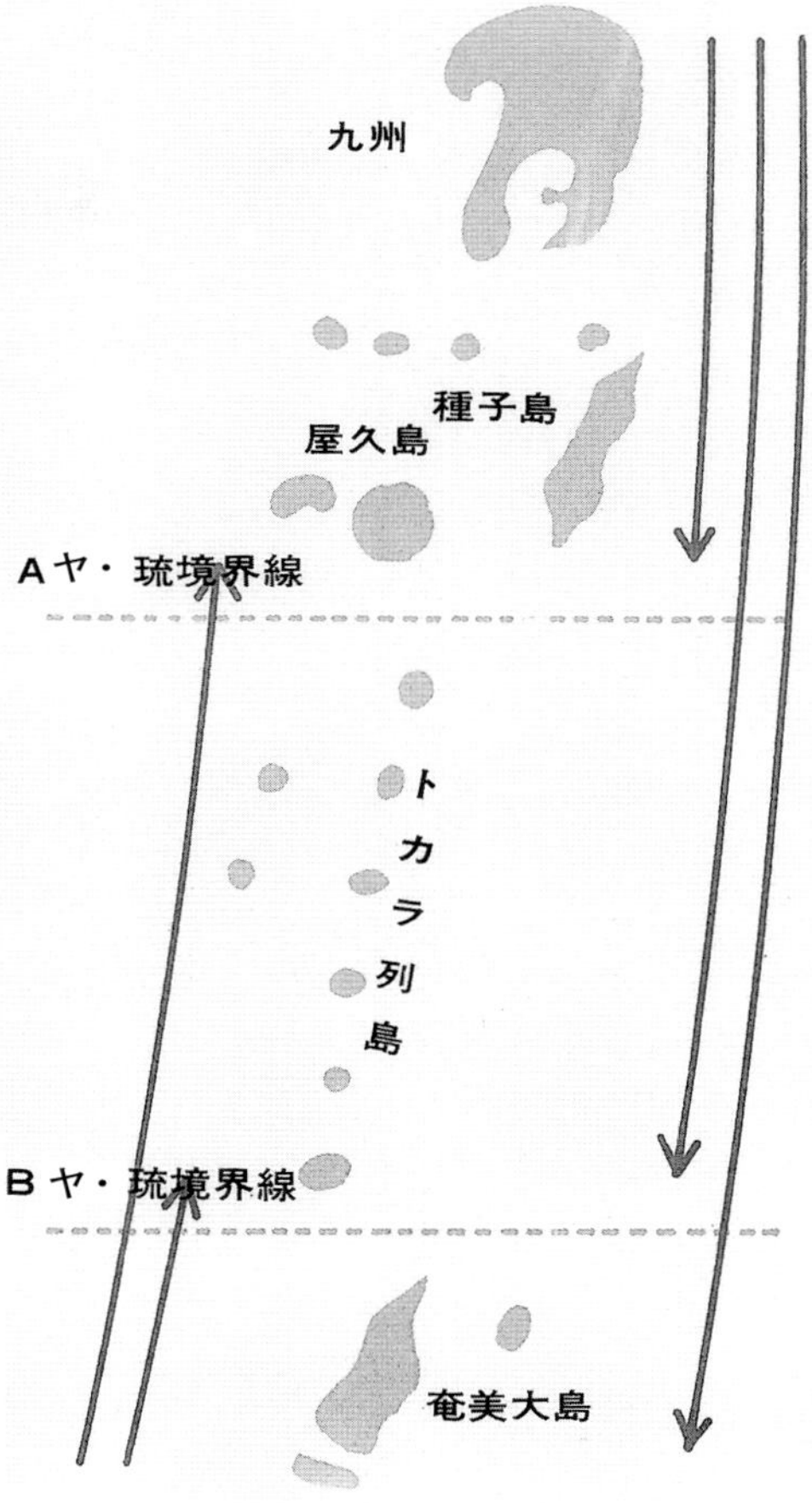

久保田は、明治十九年（一八八六）、薩摩半島坊津《ぼうのつ》から移住してきた人びとが建てた村落であるが、そこにはすぐれた「棒踊り」がある。「棒踊り」は今や種子島全島にあるが、いずれも明治時代、鹿児島方面から伝わったものである。それらの中で屈指のものは、久保田、武部《ぶぶ》、安納《あんのう》、平山のそれであろう。久保田の場合は、長じゅばんに白鉢巻、黒たび、わらじ。

そして六尺棒の組と三尺棒の組が相対し、

〽焼野の雉《きじ》は岡の背にすむ
山太郎（蟹《かに》）は川の瀬にすむ
うしろは山で前は大川《だいかわ》
娘がボンボ、聟《むこ》がなぐさみ

こんな歌に合わせて勇ましく踊る。「棒踊り」は村落ごとに伝承系統は別である。平山は薩摩半島加世田の人が工事人夫に来て、その時習っている。「棒踊り」で注目すべきは、薩摩の芸能も消滅の一途をたどっている時、明治時代の伝来当時のままの姿をよく保存している点である。

湊は古い漁村である。室町時代、島主の命によって島内各地に塩屋を設け、製塩を営ませたが、湊はもっとも早いほうで、以来、連綿と続いてきた。だから年中行事をはじめ民俗全般に古色をおび、芸能もゆたかである。しかし近年の過疎と伝承者の物故はその消滅を早めてい

「ナギナタ踊り」。右列は仇役、左列が仇討ちの娘。南種子町平山

る。「ナギナタ踊り」は、志賀団七、上杉源太郎の二曲より成る。志賀団七はかつて全国的に流行した口説《くどき》もので、仇討ち物語である。

（出端《では》・歌、女）

〽国は奥州坂田の村よ、与太郎娘のミヤギ、シノブ。親の仇の志賀団七よ、たずね討たんとお江戸に上る。五年このかた兵武のけいこ。今日が吉日、討たねばならぬ。

（出端・歌、男）

〽ヨイヨイヨイ、国は奥州片倉小十郎、小十郎苦にした志賀団七よ。三十一歳、長脇差やー。

（口上・女）

エイ、いかに団七、御身の手にかけられし与太郎が娘。親の仇じゃ、討たねばならぬ。

（口上・男）

エイ、なんじゃ。女子供、両人ともにいっしょにかかれ。与太郎討ちたるこの太刀で、汝も一緒に仕舞うてやろう。

（斬り合い・男女で歌う）

〽討ちてかかれよ。ハッシと冴ゆる。習いこんだる手裏剣抱いて、両の眼《まなこ》にふしとあたる。目元くらんで、うろづくところ、姉は陣鎌で、はや打ちかかる。親の仇じゃ、今おぼえたか。白刃ナギナタで首をかけおといたァ。

（引端《ひきは》・女が歌い、男女ともにひく）

〽仇討ちたよ、アラ嬉しさよ、ヨー、親の守りか、その日のげちか。国の殿様、ごほうびをたもる。もう

正月二日の「船祝い」。船頭と船中衆が向き合って船祝歌を歌う。
西之表市庄司浦

は、わが家に、ナー帰るはずよー、エー。

「ナギナタ踊り」は、風流《ふりゅう》特有の打ち出しが派手な芸能であるせいか、今も好んで踊られ、島内各地に伝承している。しかし、村落によって服装や踊り方が多少ちがう。湊だけにある上杉源次郎は、返り討ちされる物語だけにメロディが悲しく、舞いも沈みがちである。

〽狙う仇は山本銀左、仮名《けみょう》、実名《じつみょう》、はやひき変えて、今は上杉源次郎と変えて、周防《すおう》徳山に相着き見れば、二人《ににん》しずしず周防にくだる。……

国上の野木の平《たいら》という所には、大みそかにトシトイどんという仮面神人が幼児のいる家を訪問し、お年玉の鏡餅を与えてまわる。この行事は甑島《こしき》伝来の行事である。野木の平の人たちは明治十九年に甑島より集団移住してきたもので、以来、トシトイどんの行事を伝承しているわけである。種子島には、甑島からの移住村落が多い。北から挙げると、柳原、川氏《かわうじ》、安城《あんじょう》平山、御牧《おまき》、鞍勇《くらざみ》、池之平《たいら》。トシトイどんを今に伝えているのは、安城平山、鞍勇などである。

現和《げんな》——民俗芸能と村落

西之表から東へ八キロばかり行くと、現和村に入る。太平洋の洗う東海岸に出ると、ハマボウの木やハマユウの群生が見られる。波は真っ白に砕けながら太古の姿そのままに磯を洗っている。海沿いの道をしばらく行くと、街村状の漁村に着く。庄司浦だ。浜辺にはワラ葺きの漁具小屋が連なり、丸木舟も見える。庄司浦港の少し南（約百

「ヨンシー踊り」。面をつけた樵《きこり》と大工役が踊る琉球系の踊り。西之表市庄司浦

m南）には、瀬風呂の風俗がある。夏の日、浜石を拾い集めてたき火で焼き、その石を浅瀬に囲い込んだ一郭に投げ入れると、潮水がいいかげんにぬくもるので、着物をぬいでその湯につかるという寸法。リュウマチなどに効くといって老人などは今も利用している。

庄司浦という地名は、かつて荘園時代、種子島の庄司が現和に住んでいたころ、利用したのにちなむという。

庄司浦には船祝い歌がある。新暦正月二日の朝、人びとは浜に出て船上に水夫《かこ》と船頭が向き合い、独特のメロディの船祝い歌を合唱する。しかし、最近は略して家の中で歌うことが多い。船祝い歌は仏教音楽の声明《しょうみょう》の影響もあるといわれ、荘重で、すがすがしい祝賀歌である。庄司浦には近世後期、琉球旅の折り、琉球で習ってきた「ヨンシー踊り」というのがある。面を被った仮装神人をまじえた数十人の婦人たちが踊るにぎやかな、ユーモラスな芸能である。

武部《ぶぶ》の「種子島大踊り」は鹿児島県無形文化財に指定されている。武部は戸数およそ百戸、昔は牧に馬も飼っていたが、今は広大な山地をひらいてポンカンパイロット事業を推進、わりに若い者も多く、村落ががっちり組んで生業の発展をはかっている古く新しい農村である。ここには民俗芸能がいくつも伝承され、毎年新暦十月二十八日の風本神社（現和の氏神）祭礼に奉納踊りしているが、島の近代化とともに古い伝承はともすればうとんじられがちであった。

しかし、武部の指導者たちはきわめて賢明であった。当時、西之表市では老人大学なるものを開講、毎月集まっ

「大踊り」。太鼓踊りで、荘重な本踊りと軽快な崩しから成る。西之表市武部

て研修していたが、武部の老人たちは昔からあった掛け打ち太鼓の復活保存にとり組んだ。それは数十人の集団芸能で、老人だけでなく、壮年、青年の参加が必要であった。忙しい農作業の合間に何十日もの夜間げいこはこたえた。不満の声もないではなかった。

しかし老人たちの決意はかたく、つねに若い者をたてながら、はげまし、時々、市文化財審議委員など呼んで、その芸能の意義をなっとくさせるいっぽう、歌詞、隊形、足の動きなどの詳しい資料もプリントした。踊りのけいこがすすむとともに、何十人もの太鼓の音、手足の振りがぴたりと合うようになった。それはとりもなおさず、武部の村落全員の心の一致を意味していた。

老人たちは、若い者に積極的に互していくことにおいて指導者となり得た。そして貴重な芸能をみごとに復活させ、県無形文化財の指定もうけるにおよび、若い者たちが古い伝承や老人たちを見る目も変わっていった。

離島には、離島コンプレックスというものがある。古い伝承はすべて、おくれたものであるという誤解もある。しかし自分たちが踊る先祖伝来のつまらないような踊りが、県無形文化財の価値があることを知らされて、おどろき、目を見張った。自分たちの生活伝承の中には、貴重なものがあるということを知った。こうして離島コンプレックスを吹きとばす一つの要因もできた。

武部は、その後も、市の民具収集に積極的に協力したり、「ふるさと」という村落誌を作ったり、「棒踊り」も復活したりして、伝承文化の保存に熱心な反面、ポンカン園をはじめ、茶園など営農改善にも積極的にとりくんでいった。
「種子島大踊り」は、八つの歌詞から成る。八つの歌詞は、それぞれ本踊りと崩しの二つから成るから、実際は十六種類あることになる。その中の「締むれば鳴る」は、
（本踊り）
締むれば鳴る、締めねば鳴らぬ小鼓《こづつみ》の、心しらべに手をやれば鳴る（1）＝本踊り歌の番号
越《こえ》をして薩摩のかたを眺むれば、球磨《くま》八代《やつしろ》を鏡とぞ見る（2）
越《こえ》をして渚を行けば、千鳥なく。なおなけ千鳥、恋のやみそう（3）
（崩し）
関よりこなたの弓取りで、手には真《ま》皮の韘《ゆがけ》ぬき、足には蓮華の靴をはき、虎毛の犬を腰連れに、篠田が山を狩るほどに、十三連れた牝鹿を、一つも残さず射て召せよ、やらやら見事、やら見事、引いてもどる夜明けには、夜明けがたの横雲。

これらの歌詞は、他の七つも含めていつごろ作られたか。おそらくそれは、中世から近世初期であろう。そして踊りとして定着したのは近世初期ではあるまいか。

八つの歌詞の題は、「この城」・「これのお庭」・「締むれば鳴る」・「月日かけ」・「堺北之町」・「佐渡と越後」・「御門《ごもん》のせび」・「武蔵野」というぐあいで、「堺北之町」は大阪府堺市のことを歌っている。

〽堺北之町に札が立つとなあ、人の嫁女は盗《と》るな盗らせじ、恋の踊りはひと踊り
〽堺出づれば住吉の松によそえて小松恋しや、恋の踊りはひと踊り
〽忍ぶ小《こ》しょう路《じ》に笹植えて、くる夜こぬ夜は笹が知る、恋の踊りはひと踊り

右の「札」は、参勤交代の折、海路行き、堺に上陸した島津の家来どもを戒めた高札ともいわれるが、この踊りは堺には伝承されていないそうで、よくわからない。しかし二番の堺出づればの歌詞はそれが少し変形して本土各地に残っているようである。

「堺北之町」は、独特のメロディで、大踊りというと

種子島家墓地の拝塔群。西之表市中目

黍を搾って黒糖を作る。西之表市国上湊

種子島の産業のひとつ砂糖黍《さとうきび》刈り

漁業に使った丸木舟。昭和35年（1960）ころ種子島に86艘あって、南西諸島でもっとも多かった。

この歌を思い出すというほどである。手振りもよい。「堺北之町」は、種子島全島に分布伝承されているが、この踊りだけだったら、中種子町増田のそれがもっともすぐれていると、中種子町野間の民謡研究家石堂静也氏はいう。同町熊野や南種子町平山、同町茎永菅原《くきながすがわら》のもよい。

大踊りの見方

大踊りは、太鼓踊りのことであり、隊形も大型になる。多くは数十人で踊り、これに対し中踊りは、規模が小さく、太鼓は一つか二つに減り、服装もちがってくる。大踊りはいくつかの踊りから成り、時間的にはその一つを踊るのに二十分から三十分もかかる場合がある。種子島の芸能はほとんどが、出《で》端《は》、本踊り、引端《ひきは》の三くぎりになり、出端は道行きの楽である。その時は太鼓、鉦に合わせ、派手に練って行く。

大踊りの銅製の鉦。左の鹿の角製の捊《べ》で叩く。

　服装は役によってちがう。外まわりの太鼓は赤じゅばんにズボン、脚絆、ぞうり、鉢巻の出でたち。内まわりの小太鼓、鉦の人たちは黒の着流しに、女の帯のシンを袈裟《けさ》がけにし、花笠をかぶる。この笠かぶりの服装は全国共通の姿であるが、種子島の場合は、わずかながらやはり独特の形をなし、袈裟がけの黒装束は僧侶の面影を残す念仏踊りである。ではなぜ、こうした芸能が種子島に渡ってきたか。これにはいくつかの答が用意できるようである。先ず、『日本書紀』に「天武天皇十年（六八一）九月、多禰嶋《たねがしま》人等、飛鳥寺の西河辺に饗し、種々楽を奏す」とあるように、遠い昔から芸能とは浅からざる因縁があるようだ。以来、国師をはじめ都からの流人《るにん》など、時代に応じてたえず中央から交流があった。

　しかし、もっと積極的に島の外から教えたものはなかったか。かの時宗《じしゅう》の開祖、一遍は諸国遊行の旅に出、踊り念仏をおこないながら、全国をめぐり念仏をひろめた。その一遍は大隅半島まで来ているのである。当時、種子島は大隅の国に属していた。この一遍の影響は必ずあるといってよい。大隅にもこの系統の踊りがもとはひろく見られた。

　大踊りの本踊りは、メロディも手ぶりもゆっくりとし、荘重な美と心を追求する。これに対し、崩しは急テンポで手足の動きが早く、隊形も変化する。本踊りの静に対し、崩しは動の美を追求し、両者のコントラストは極めて鮮やかで、たがいにひき立てている。

　大踊りは隊形が次々に変化していく。村びとは昔から何回も見なれているから、説明なしでその良さ、上手下手がわかるが、旅の者は一回見ただけではとうてい、理解し得まい。もし種子島の芸能を調査、もしくは鑑賞したい方があったら、その前、幾晩も踊られるけいこの場面から見なければなるまい。

大ていの公民館の庭などでけいこしているから、そこに行き、区長もしくは踊りの師匠などに話し、来意を告げると百パーセント快くうけ入れてくれるから、できれば録音し、けいこ場面の撮影もすることだ。そして歌詞、由来、隊形、楽器、服装、期日などを聞きとり、自身も村びとのうしろについて踊ってみて、足のふみ方、手のやり方を体でおぼえることだ。ここまでやれば、人びとはその熱意に感心し、いっそう協力するだろうし、祭礼の日にはすっかり友だち化してしまって、いっしょに歓談しながらの見物ということになるだろう。しかし、こうした場合、礼儀がある。それは、約束した写真は必ずあとで送り、プリントなどできたらそれも送り、その前にハガキ一枚の礼状を書くことはいうまでもない。

左の図は種子島大踊り「この城」と「月日かけ」の隊形変化を示したものである。このように、一つの踊りが（1）～（4）と変化する隊形の中で踊っていく。その変化の合図は太鼓、小太鼓、鉦の大将（音頭とりともいう）が行ない、整然と変化していく。

こうした隊形変化は、島内各地にある大踊りは基本的には似たようなものであるが、よく見ると、同じ名称の踊りでもAとBの村落ではまるでちがうことがある。

種子島大踊り「この城」の隊形変化

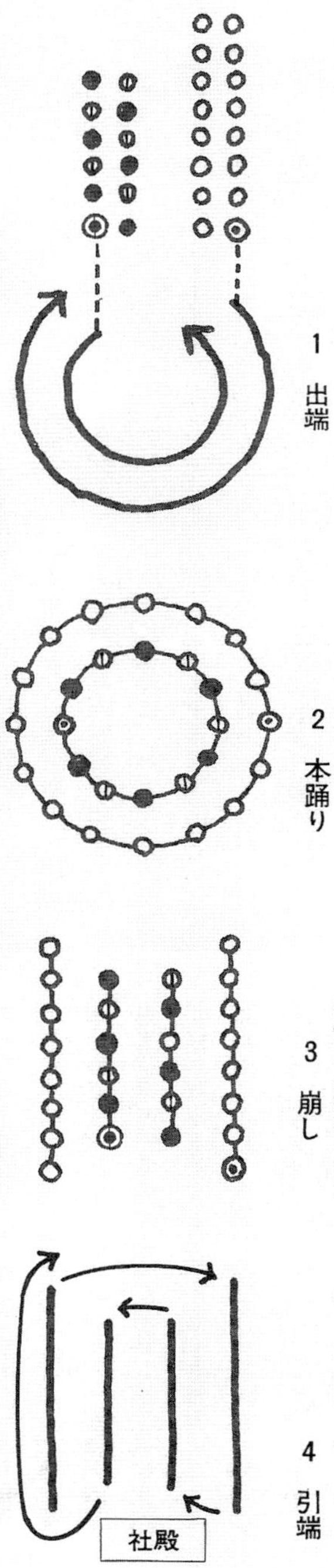

種子島大踊り「月日かけ」の隊形変化

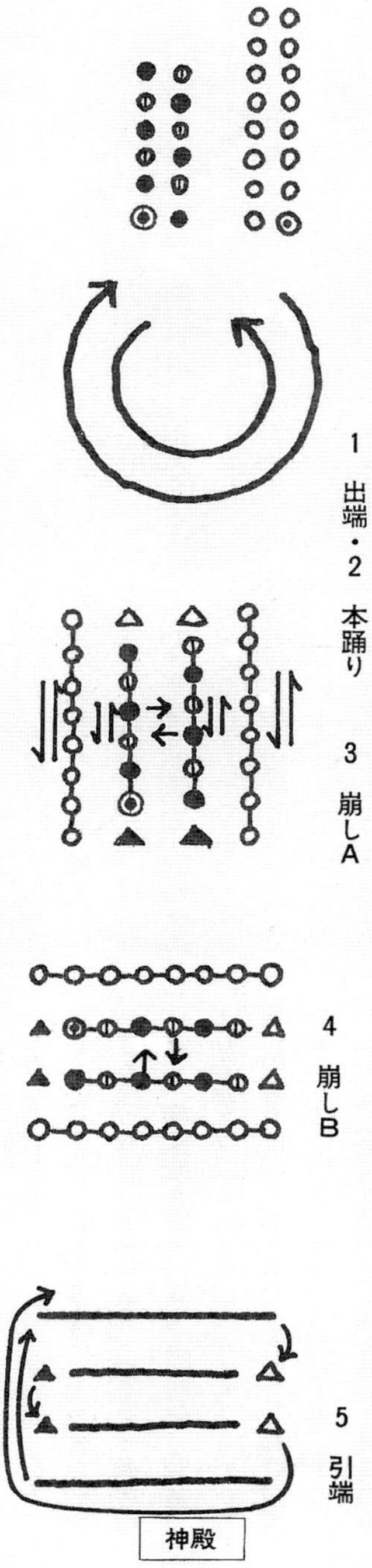

凡例 ⦶小太鼓 ◉小太鼓大将 ○大太鼓 ◉大太鼓大将
●鉦 △鉄砲 ▲弓

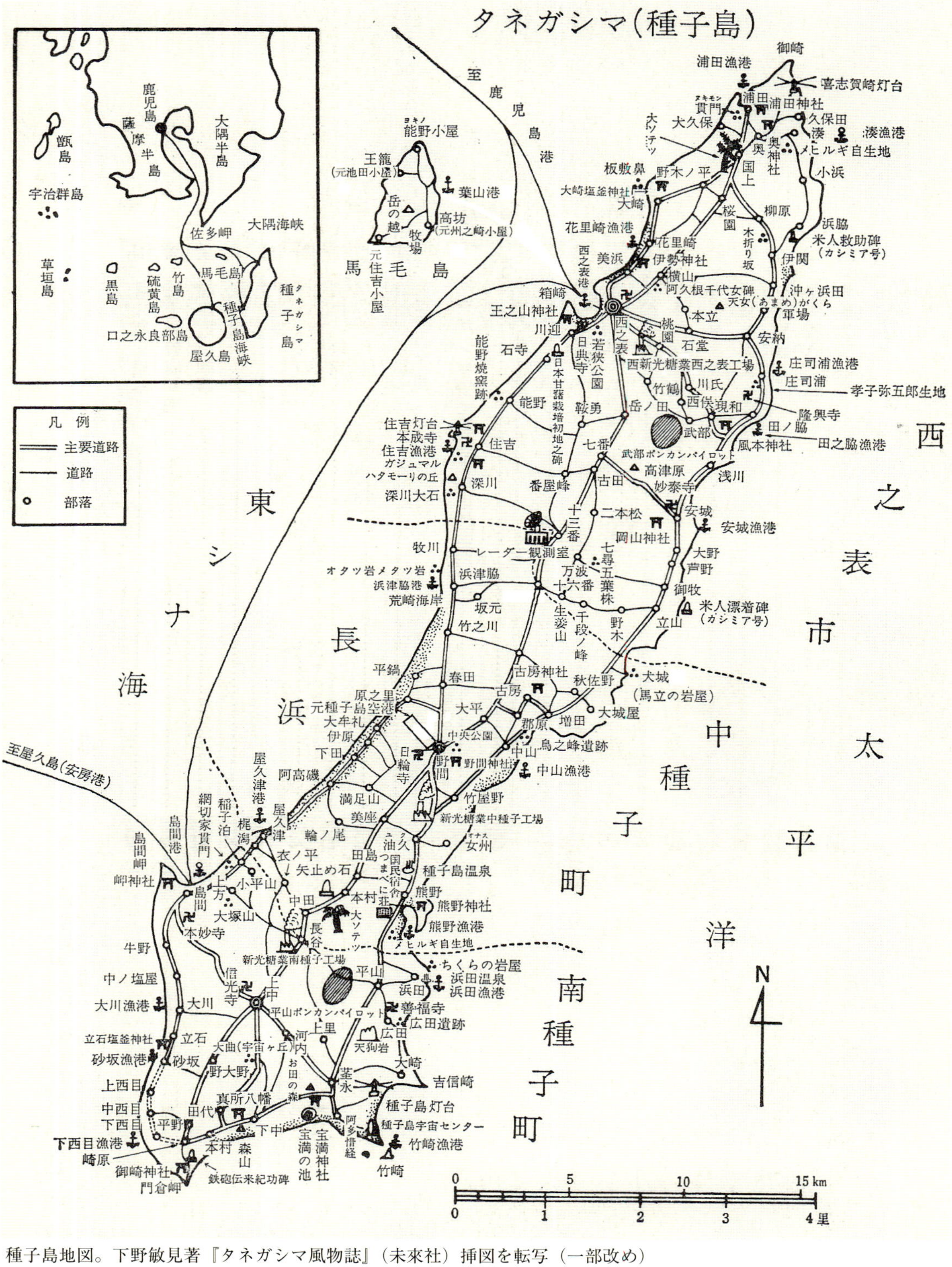

種子島地図。下野敏見著『タネガシマ風物誌』（未來社）挿図を転写（一部改め）

ガジュマル。西之表市塰泊

馬立ての岩屋。中種子町犬城

鉄砲祭りの「源太郎踊り」。西之表市住吉

ガジュマルの木陰に

西之表から八キロばかり南下したところに、ガジュマル防潮林の茂る住吉がある。室町時代、大坂の住吉大明神を勧請し、航海安全の神としたところから、この地を住吉というようになった。小漁村である。

住吉には「源太郎踊り」をはじめ、「船祝い歌」などがある。住吉の南の深川には、「面踊り」がある。源太郎踊りは、通称ゲンダラといい、太鼓踊りではあるが、大踊りとはいわず、ゲンダラといって独立した特異な位置を占めている。名称の由来は、歌詞に「山口くだりの源太郎よ」とあるところからきている。

大踊りとゲンダラがちがう点は、えびすくいと呼ぶ女の踊り子が入ることである。大踊りは男ばかり。ゲンダラは総勢六十余人で踊る集団芸能で、優雅にして絢爛。メロディ、歌詞、隊形、手ぶりが、出端、引端まで数えると九通りに変化していく。種子島の民俗芸能で、もっとも踊りらしい踊りはゲンダラであるといえよう。風流念仏踊りにいろいろの踊りを取り入れ今日のような踊りになったものと思われる。歌詞の一部を示すと、

(長者殿)

〽長者殿のお館様のお詣りやる、槍なぎなたでお供の衆はまた五百人、草葉もなびけど、おたちゃる、イヨー、おたちゃる

(あれこそ)

〽あれこそこれの山口くだりの源太郎よ、源太郎殿こそ、若衆の中でも若衆ぶる、若衆の中でも若衆ぶる

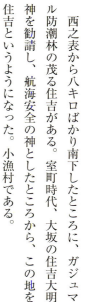

ヤァー、上のお寺に笛が鳴る、アイチョロチョロと笛が鳴る

かような歌詞で、それがまだ長くつづき、ゲンダラを全部踊るには四十分ばかりかかる。右にその隊形変化を示す。

面踊りは、ひょうたん踊りともいい、腰にひょうたんをぶらさげて大振りに踊るユーモラスな芸能である。

〽金山《かなやま》に三味線ないと誰《た》がいうた
ヨーホー、アーヒーヤー
〽ほんになりたや、大和様のひょうたんじゃ、
昼はお腰に下げられて
ブラタンブラタン

この踊りは、金山節ともいう。腰にひょうたんをぶらさげ、思いおもいの面《めん》をかぶった人たちが輪になって、大手を振り、腰を深くかまえて踊っていく。輪の中には、花笠をかぶった楽器の人たちが、外には猿に扮した者が二名ついている。面は老媼、老爺、他さまざま。粘土の型に和紙を何十枚も貼り合わせ乾燥さした自製品。手足の振りが大きく、明るく、念仏系の踊りとも風流の派手さともちがう古い踊りに見える。けれども歌詞は、三味線も出てくるように割に新しい。ひょうたん踊りは、各地に分布し、中種子町坂井本村、南種子町島間上方のものもよい踊りである。ただし面をかぶるのは、深川だけである。深川では、秋祭りに氏神の前で踊ったが、昔は、

「住吉源太郎踊り」の隊形変化

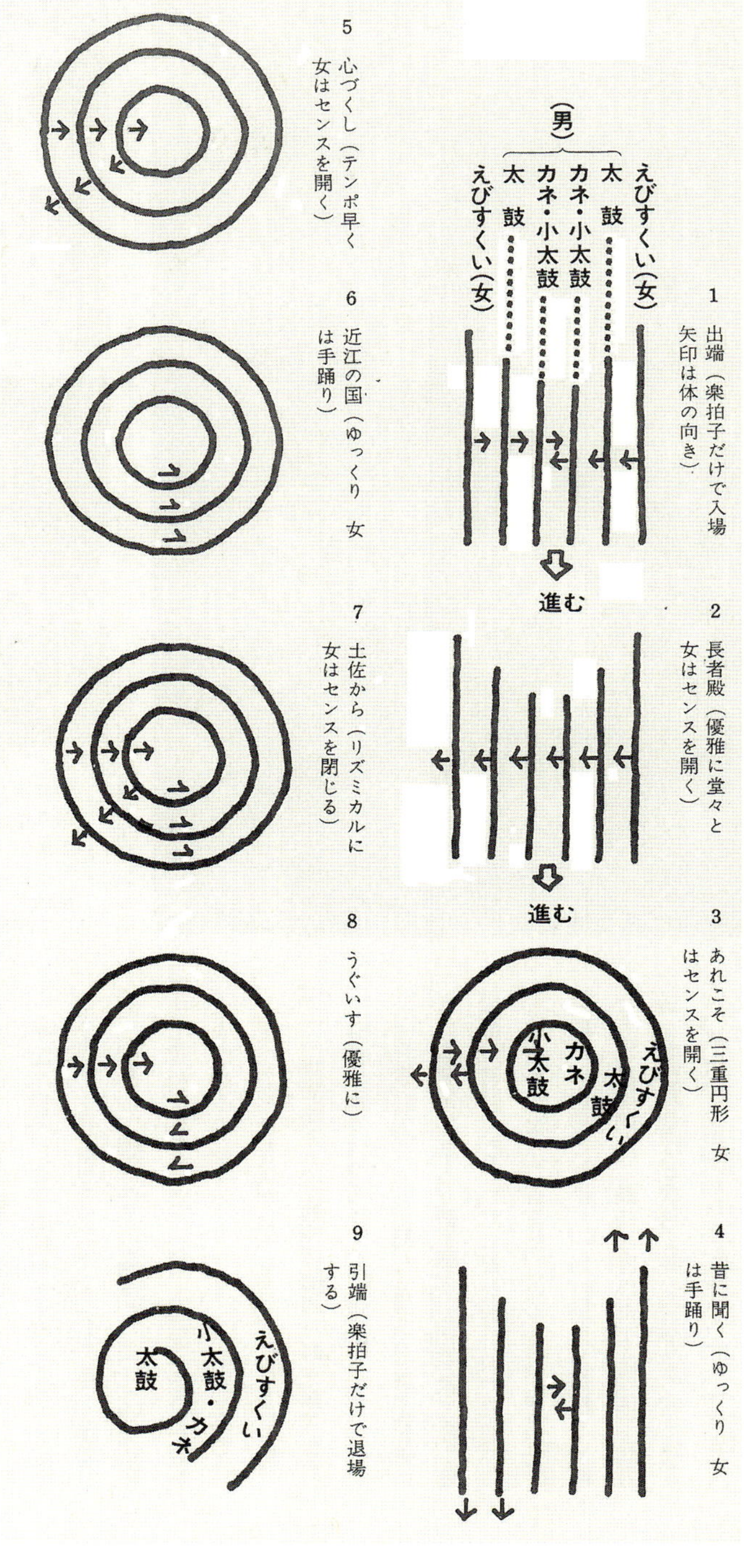

1 出端（楽拍子だけで入場 矢印は体の向き）

2 長者殿（優雅に堂々と 女はセンスを開く）

3 あれこそ（三重円形 女はセンスを開く）

4 昔に聞く（ゆっくり 女は手踊り）
5 心づくし（テンポ早く 女はセンスを開く）
6 近江の国（ゆっくり 女は手踊り）
7 土佐から（リズミカルに 女はセンスを閉じる）
8 うぐいす（優雅に）
9 引端（楽拍子だけで退場する）

「面踊り」。西之表市深川

「ひょうたん踊り」。南種子町上方

よそ村からきた養子や、よそに出ていくかもしれぬ二、三男には、面踊りは教えなかったという。

種子島民謡のふるさと平山

西之表から野間《のま》をへて東海岸の平山にいく。いったん南種子町の主邑上中《かみなか》へ、そこからバスで行ってもよい。

平山へ行ったら平山郷土文化保存会（会長中島一三《いちぞう》）を訪ねるとよい。もっとも皆、農業が忙しいから昼間は会えないかもしれない。でも、もし急いで聞きたかったら、昼間、家にいる老人を訪ねるのもよい。

平山で聞ける民謡は、「草切節」「ナーナー節」「エンナ節」「どん坂節」「樟脳節」「あっちゃめー」「弥吉シオ女《じょ》」「コーライ節」「福祭文《くさいもん》」「ヨーカイ（子守歌）」「こっちこい」「まりつき歌」「からいもの数え歌」「嫁入り数え歌」「日和見数え歌」「増田節」「善吾くどき」「しょんが節」「めでた節」「にしめ出し」などであるが、このうち、日和見数え歌や善吾くどきは、一部の老人しか知っていない。

草切節は、最初に書いたように種子島万葉といわれるほど歌詞が多く、全島で歌われるが、平山のものがもっともすぐれたメロディで、といっても素朴な哀感をたたえたもので、草切節の本場といわれている。

樟脳節は、昔、楠の木を伐り倒し、チョウナという斧でコッパに切り、それを釜で煮て樟脳をとったものだが、そのコッパを切る時の労働歌である。

〽樟脳じゃ樟脳じゃと、げしのは（下品《げしな》には）、議やるなよ
樟脳は天下主（天皇）の樟脳じゃもの
　チントサイ、チントサイ
ア、コッパは側さな、嫁女は山さな、抱っこめ
　かっこめー
〽樟脳たかねば、租税がすまん、明日は処分じゃと触れを聞く、チントサイ、チントサイ、……

樟脳節も哀調がどことなく漂う独特のメロディであ

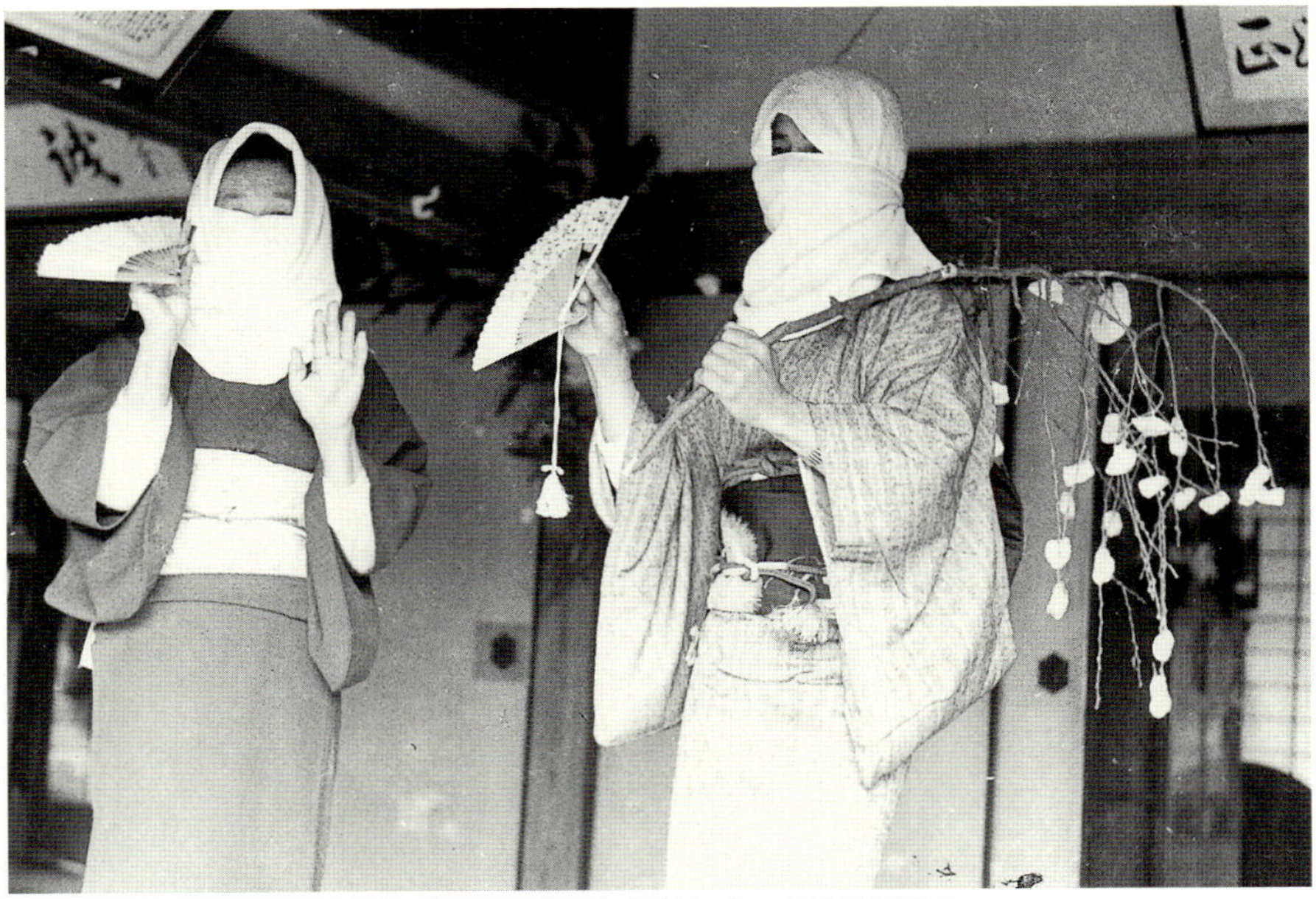
小正月に家々をまわって舞う「かーごまー」（蚕舞い）。南種子町平山

「福祭文」。正月7日に子どもたちが、門口で「くさいもんの歌」を合唱し、その家を祝福する。西之表市川迎

る。南国種子島が、新緑に萌ゆる楠の葉蔭に生んだ傑作の一曲といえよう。

次は哀調の多い島の民謡の中で特に明るい歌、「弥吉シオ女《じょ》節」である。

〽弥吉シオ女は、芋打ちにゃ好かぬナイ、カラを払えば、イヤコノセー、汁が飛ぶ、シンゴイゴイ

〽弥吉ゃバカじゃよ、わが子をほめてナイ、自分ほめねば、イヤコノセー、人《ひた》ァほめん、シンゴイゴイ

この歌は、リズムにのって面白おかしく踊れるようになっている。

福祭文というのは、正月七日の夜、子どもたちが一軒一軒廻って門松を祝う時の祝賀歌。南島では屋久島、硫黄島にもあるが、種子島が本場。これも種子島が生んだ中世の歌の一つ。その朗々としたしらべは、いかにも南国の新春にふさわしい。福祭文は全島に分布伝承されている。ついでに正月祝賀歌の一つで、全国的にも種子島だけにある「かーごまー」(蚕舞い)は、女装神人が小正月の夜、各戸を廻って舞う。なり餅の枝をかつぎ、扇子を開いて舞うゆかしい芸能で、歌詞、メロディ、舞い、意義ともにすぐれたもので、鹿児島県無形文化財に指定されている。歌詞は、

〽祝い申す、これから申す、門から申す、この家、家は、裕福舞いの家と見かけ申すよ、ましてこの家祝うておじゃるろうから、祝い申すよ、九十九階の蚕《こ》の宮城《みやじょう》を回しますさきは、綾をはえ錦をひろめ、ヤーラ、ランラと、とくとふませて、これより東の朝ひら峠のケンケン(雉)鳥のメンドリの右のオボリ羽

根、左の風切り、おっとり合わせて、一羽根がいですくえば千枚すくう、二羽根がいですくえば二千枚すくう、……

というぐあいにつづいていくのであるが、文学的にもなかなかよくできている。

ところで、民謡やこれらの舞いのほかに、民俗芸能も平山は多彩である。安城《あんじょう》踊り（大踊りの一種）、源太郎踊り、チクテン（琉球系）、やーとせー（おくめ口説、清左《せいざあ》口説）、棒踊り、ナギナタ踊り、さんご踊り（大踊りの一つ）、ひょうたん踊り、弁慶踊り、仏舞い、蟹《がに》舞い、味噌舞い、鳥刺し舞い、婆女《はじょう》舞い。

これらの芸能は旧暦九月九日、平山神社の奉納踊りとして踊られる。ひとつの村落から、二つ三つずつ奉納する。その日、平山中《じゅう》の老若男女は重箱をさげて平山神社に集まり、郷土芸能を見ながら共同飲食する。郷土芸能は村びとが自分たちで踊り楽しみ、神に感謝を捧げるところに意義があるが、平山にはそうした姿が今も見られるのである。

ここではいちはやく平山郷土文化保存会を結成し、民謡や芸能、民俗行事などを保存するいっぽう、消滅しゆく民具にも目を向けて千数百点を収集し、自力で「平山郷土民俗館」（現町立郷土館）を建設した。館は古校舎

「弁慶踊り」。にぎやかに踊る。南種子町小平山

「白鷺踊り」。青年たちが上方《うえほう》神社に奉納する。南種子町小平山

「やーとせー踊り」。男たちに女が混じり、屋形を曳いて踊る。南種子町平山

「お田植舞」。4月上旬、宝満神社の神田に赤米を植えるとき、赤米の苗を持って舞う。南種子町茎永

を払い下げた木造で、決してりっぱなものとはいえないが、農民たちの文化運動、下から盛りあがる社会教育活動として捉える時、小粒ながらも光った存在である。

赤米《あかごめ》の祭り

平山から数キロ、種子島東岸の南端、茎永《くきなが》は島では最大の水田地帯。ここに大昔から赤米を栽培し神酒を造り奉納している宝満《ほうまん》神社（祭神タマヨリヒメ）がある。種子島北端の浦田神社（祭神はウガヤフキアエズノミコト）と対照的である。浦田神社には古来白米《しろごめ》を作り、宝満は赤米だ。しかも祭神は夫婦。

赤米の祭りは、お田植祭りが新暦四月初旬。この時、田植歌に合わせてお田植舞が社人夫婦によって舞われる。舟田という舟型の天水田でお田の森に向かって泥をふみふみ舞う。

秋、旧暦九月九日には、神社の境内で奉納踊りがにぎやかに行なわれる。大踊り、中踊り、小踊りの中から幾種類も出される。それらの中ですぐれているのは、上里《かみさと》の「げんごばあ」という面踊りだ。深川の面踊りと同じように、泥型に合わせて自製したさまざまの面をかぶり、赤い衣を着、円陣を描いて舞うという素朴な、古い芸能である。茎永の弁慶踊りや比翼連理《ひよくれんり》という大踊り、安城踊りなどもよい。

茎永の村の東部に種子島宇宙センターがある。将来人工衛星も打ちあげようという科学の粋を誇る施設と対照的である。

さてこのほかにも南種子町は、いくつもの芸能を伝承していて、町全体が種子島の民謡と民俗芸能の宝庫といえよう。旧暦九月の門倉岬の御崎神社大祭や島間岬の岬神社大祭にも、たくさんの異った芸能が奉納される。

種子島芸能の伝播

種子島は、薩南諸島北部の文化の中心島であり、基地であったことが、他の島々の民俗を調べることにおいて証明される。左の図は、種子島の芸能が伝播し、現在残っている島々。

こんなぐあいに、伝播しているのである。2、3は享保年間に北薩に伝わったといわれ、4、5は近世初期もしくは中世末期の種子島家領有時代だろうか。6、7も江戸期と思われる。7は今日種子島にはその通りのものは残っていない。ただ南種子町平山のにしめ出しという祝賀歌の手ぶりと似ている。加計呂麻島《かけろまじま》の諸鈍《しょどん》では、シンジョウ節は「種子島の名高いシンジョウ法師踊りだ」と伝えている。しかし、シンジョウ法師という踊りは、全島くまなく探しても見つからないのである。

図の点線は種子島に流入した経路である。イは上方方面より中世以来流入したもの。これに江戸期のものも入ろう。ロは薩摩半島南岸塩屋、山川あたりより流入した

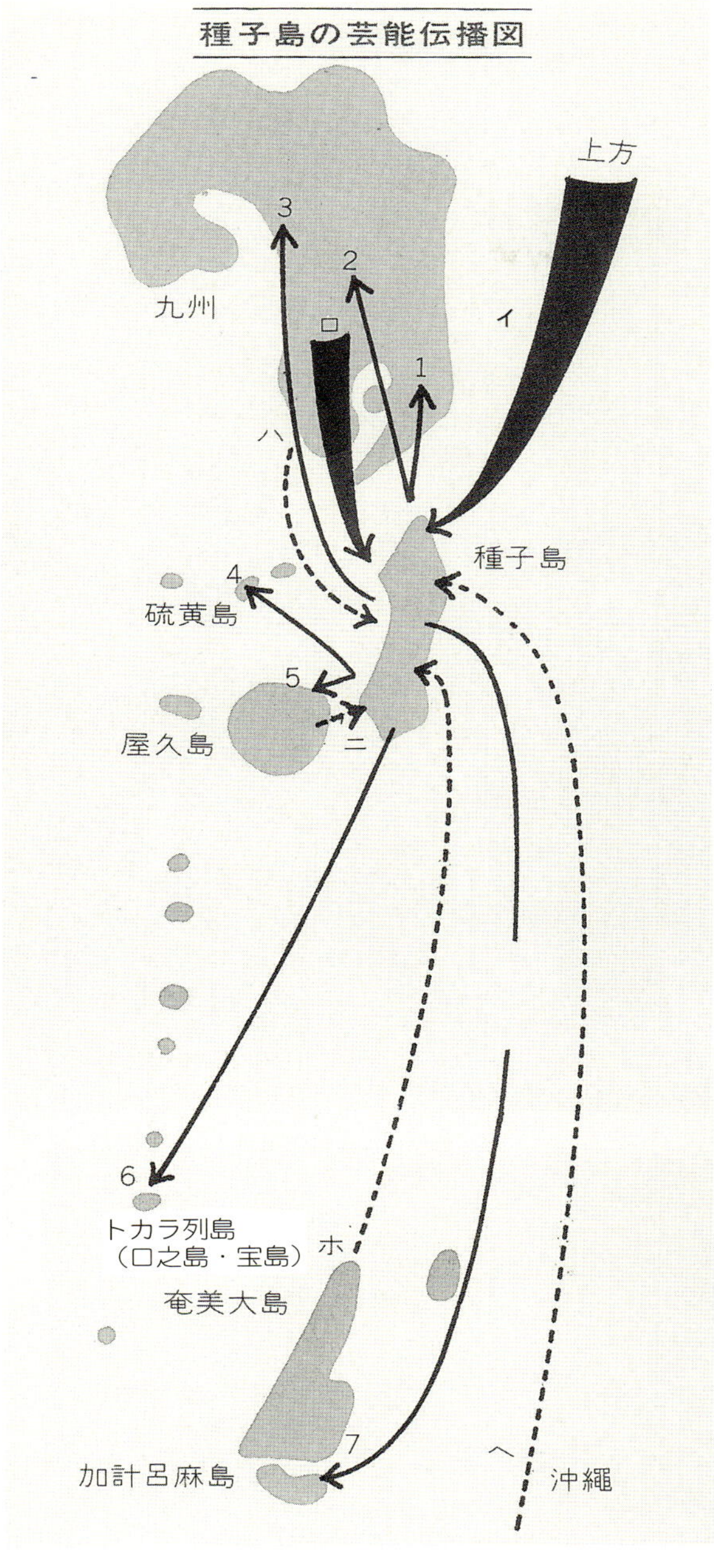

1　大隅半島（内之浦）のナギナタ踊り
2　北薩摩（川内川周辺）の種子島踊り（種子島大踊り→安城踊り）
3　北薩摩（出水市・阿久根市）の種子島楽（種子島大踊り）
4　硫黄島、クセモン（福祭文）
5　屋久島、クサイモン（福祭文・門祝い）
6　トカラ列島（口之島・狂言、宝島・盆踊り）
7　加計呂麻島の諸鈍、諸鈍芝居（その中のシンジョウ節）

南種子町に多い「棒踊り」の先導役。

娘も一緒の「やーとせー踊り」。南種子町上方《うえほう》

船祝い歌や歌謡、ロは太鼓踊りの一部や棒踊りが薩摩より流入。ニは「まつばんだ」などが流入し「まちばんだ」として歌われた。ホは稲摺り節など奄美大島より流入、ヘはヨンシー踊りなど沖縄より伝来したのを示すものである。

薩南諸島の島々は、北から南へくだるにしたがいひとつずつ民俗が違う。多くの共通点に立ちながらも、さまざまなちがいを見せる。なかでも民謡と民俗芸能が、そのもっともよい例である。

交通不便で人口の少ないトカラ列島の民謡は、深い悲しみが底を流れている。トカラオハラ節は、鹿児島オハラ節とは似ても似つかぬような哀調に包まれている。屋久島の民謡は、山岳の島のけわしさを反映しているのだろうか、ハリのある力強い調子のものが多い。

種子島の場合は、民謡は淡い哀しみが流れ、やさしさがこめられており、民俗芸能は、優雅でやわらかい。それは、離島としての種子島の古い歴史と低平な地形、暮しやすい生活などの反映であろうか。

「石塔祭り」。旧暦7月15日の昼に行なわれる共同祖霊祭。南種子町平山広田

柱に打ちつけた表札に「新光製糖株式會社　西之表工場馬毛島分工場」とある。ここが工場の正門のようである。馬車は砂糖黍を運ぶ。連結したタイヤつきの荷台は大きなものではない。馬車の下には枠が作られている。砂糖黍などの荷をおろすときの滑り止めだろうか。

宮本常一が撮った
写真は語る
鹿児島県西之表市馬毛島《まげしま》

馬毛島は、西之表港（種子島）の西約九・三キロメートルの洋上にある。面積八・四平方キロメートル、標高七一メートルの低平な無人島だが、ときおりテレビや新聞の話題にのぼる。最近は沖縄の米軍基地の代替候補地のひとつして取りあげられた。

宮本常一は昭和四一年（一九六六）三月末日から種子島に一一日間滞在し、四月三日に日帰りで馬毛島に渡っている。このときの種子島は、島の産業と人々の暮らしを調査するのが目的で、宮本常一は数名の調査員を引き連れていた。調査の結果は、『種子島経済実態調査報告書』としてまとめている。

種子島に滞在中の日記に記載はほとんどなく、わずかに、島を離れた四月一〇日に、「馬毛島の人とはなす」とある。おそらく鹿児島にもどる船中で馬毛島の人と会い、話をしたのだろう。

新年度にはいる四月初めは、学校の先生の離着任のときでもある。小学校の先生をした宮本常一にとって、先生の離着任の光景は、自分自身に重ねるものがあったに違いない。その写真は馬毛島でも撮っているが、西之表港では丹念に撮っている（未掲載）。

草葺屋根の家が並んでいるが、集落名はわからない。どの家も戸が閉まっていて生活の気配は感じられない。柱と屋根組が残るのは小屋だったのだろうか。

種子島家の領地だった江戸時代の馬毛島には、漁業権を与えられた一部の者が、飛魚《とびうお》などの加工のために、季節をかぎって住んだ。本格的な開拓の手がはいるのは明治になってからで、明治初期には牛の飼育、明治一三年（一八八〇）には政府の綿羊飼育場となった。だが実質的には無人島だった。

昭和二六年（一九五一）から同二九年にかけて、緊急開拓と称して八〇世帯が島にはいり、砂糖黍《さとうきび》、甘藷《かんしょ》、米を栽培し、養豚を始めた。国勢調査では、昭和三〇年の人口二四一人、五年後には三八三人まで増加、その間に小中学校の分校が開設され、西之表港から定期船が就航した。昭和三八年（一九六三）には、新光糖業の製糖工場ができる。新光糖業はすでに種子島に三工場あって、さらに馬毛島に進出した。宮本常一が訪れた昭和四一年（一九六六）には、北海道から酪農家を招いて乳牛の飼育にも取り組み始めた。

しかし河川がなく、表土が浅く、そのうえ日本鹿の亜種とされる馬毛鹿が作物を食い荒らす。加えて旱魃や風害にしばしば見舞われるため、島を出る人が増える。宮本常一が訪れたときは人口の減少が始まっていて、乳牛飼育はそれを防ぐ試みであったと思われる。昭和四五年（一九七〇）には二四三人、一〇年後の昭和五五年三月には、最後の島民が、馬毛島小、中学校の最後の卒業生とともに島を出て無人島となった。（須藤　功記）

参考文献　日本離島センター編『日本の島ガイド　SHIMADAS（シマダス）』東京　二〇〇一年

説明に「先生着任」とある。鶏は前の先生がおいていったのだろう。その鶏を見る新任先生のもとに、うしろ姿の人が何か長いものを持ってやってきた。右の写真の草葺屋根の家にくらべて、教員住宅は確かな造りである。

馬毛島小・中学校。まだ生徒がいたときだが、春休みでその姿は見えない。

砂糖黍。縄でしばってあるのと、おいてある場所がコンクリートなので、製糖工場に運ばれたものだろう。

蘇鉄《そてつ》が並んでいる島の道。蘇鉄の幹や実から採った澱粉は救荒食となった。そのため種子島家は家老に命じて蘇鉄を馬毛島に植えさせた。ただその澱粉は、ていねいに晒さないで食べると中毒を起こす。沖縄では中毒症状を指して「蘇鉄地獄」などといった。

奥日向

―山なみをこえて

文・姫田忠義
写真・須藤功

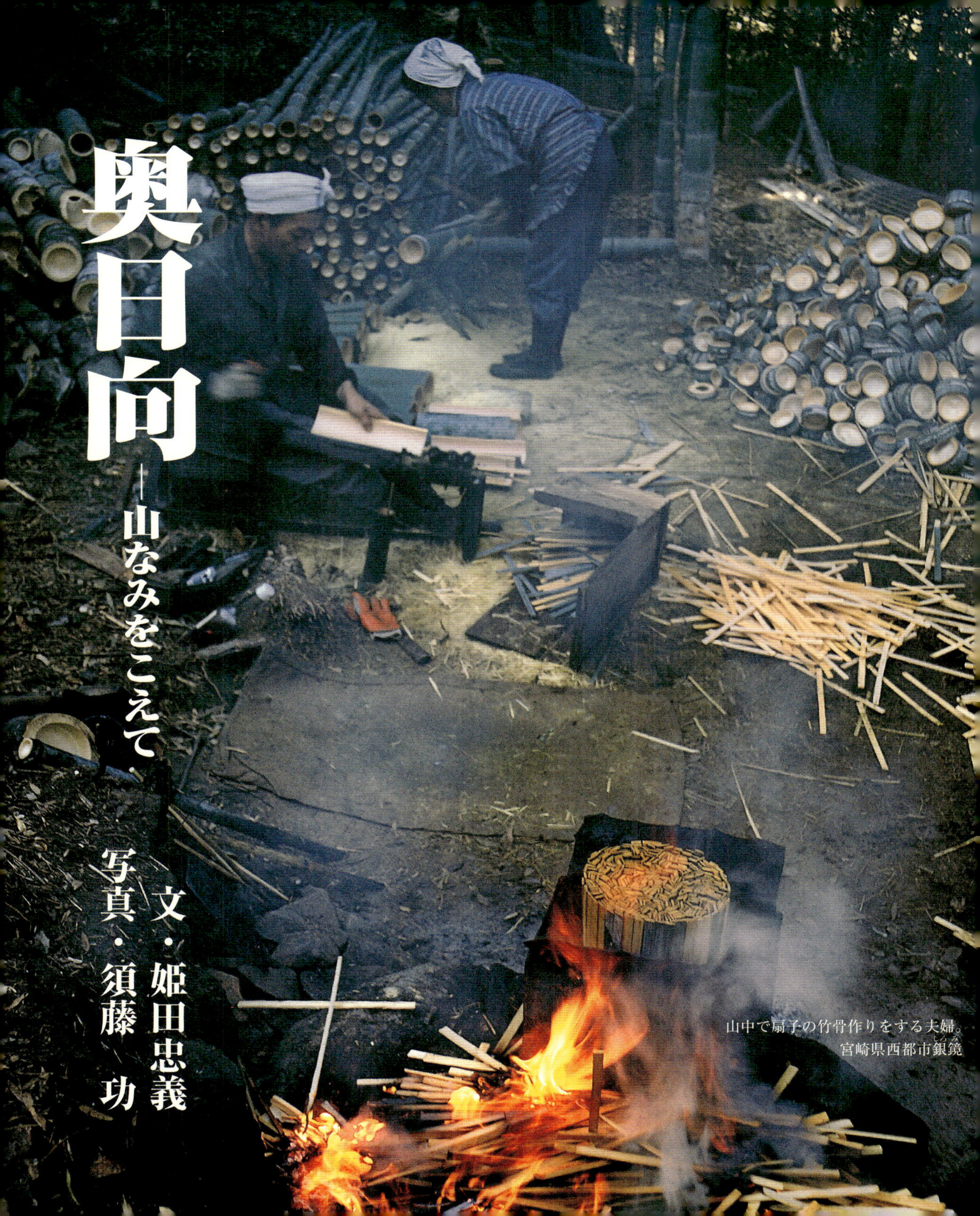

山中で扇子の竹骨作りをする夫婦。
宮崎県西都市銀鏡《しろみ》

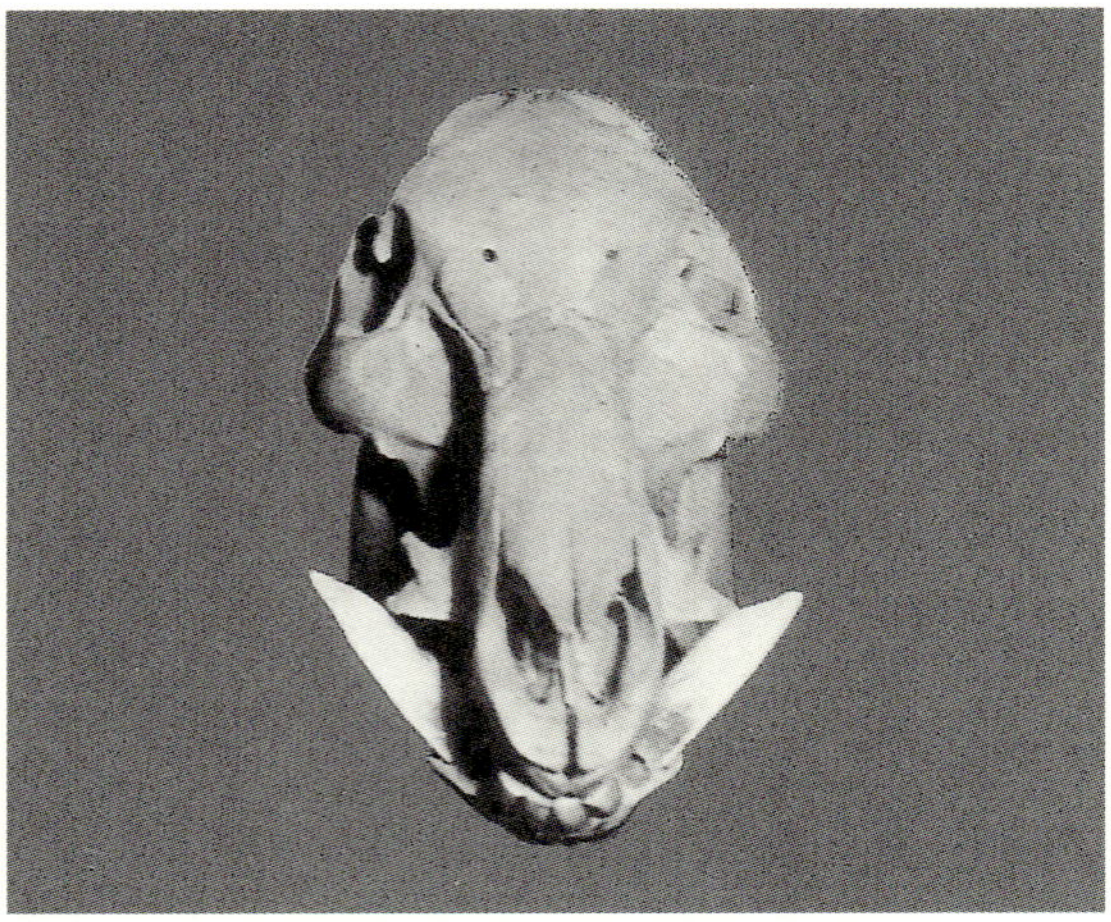
猪の頭骨。宮崎県西米良村小川　撮影・姫田忠義

何年か前、阿蘇の南、蘇陽峡《そようきょう》の急峻な中腹で、すばらしい竹編みの技術をみてから、一度ぜひ九州の屋根を縦断してみたいと思っていた。一度では果たせず、二度行くことになった。そして今また三度目の旅に出ようとしている。そこには私を魅了してはなさない世界がある。

そこにこんな生々しい世界がのこっているとは予想もしていなかった

山峡《やまあい》の湖水に面したバス停留所の前を、犬が一匹、何か放心したような足どりで歩いて行った。姿のいい白黒のブチの猟犬だが、その肩口に、べっとりとこびりついた痛々しい血の跡があった。停留所の店の人の話によると、昨日山で猪に立向い、鋭いその牙にかけられたのだということであった。

■

犬は、湖水に流れこむ一つの渓流ぞいの道を去っていった。二日後、その渓流を遡った山峡の部落で、夜通し行なわれる夜神楽があった。その年の田畑の収穫を感謝するとともに、これからはじまる冬の狩猟が無事行なわれるように神に祈る祭の神楽である。その神楽の祭壇正面にかざられた様々な供物の真中に、ひときわ目立つ大きい猪の頭があった。湖水のほとりで見たあの猟犬た

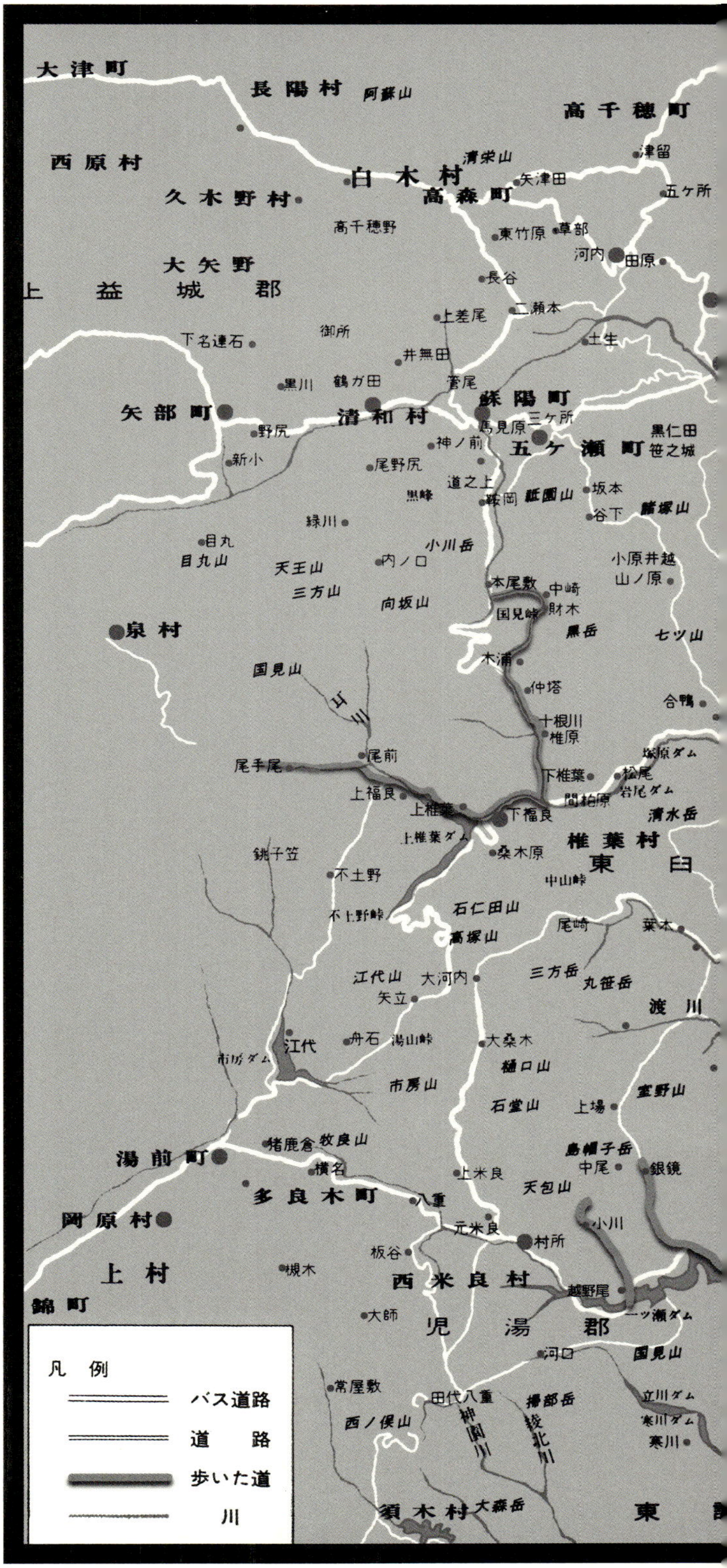

神楽を舞う舞台の神籬《ひもろぎ》の下に供えられた猪頭《ししがしら》。神へ捧げる贄である。宮崎県西都市銀鏡《しろみ》

ちと闘った猪であろうか。鼻先を斜上に向け、目を閉じたその頭の口元に、白い牙が二本、ほの暗い祭場の灯りのなかで光っていた。

■

北の阿蘇から南の霧島まで、その間に重畳する九州山地をまっすぐに縦断しようと思ったとき、わたしはまさかそこにこんな生々しい世界がのこっているとは予想もしていなかった。ただ漠然と、この奥深い山地には、日向《ひゅうが》の高千穂、椎葉《しいば》、米良《めら》、五家荘《ごかのしょう》、五木《いつき》などかつては日本の秘境といわれた山村があるらしいことを知っていただけである。考えてみれば、そういう山村は、その一つ一つだけでも、旅をするものの心を魅きつけるだけのボリュームをもったものである。四国の祖谷《いや》とか飛騨の白川とか、或いは富山県の白山麓とか越後の秋山郷とかと同じようにである。しかもこの山地は、そういうものが単独にバラバラに存在しているのではなく、互いに境を接しながら団子になってかたまった、いわば一大秘境群をなしている。ここは、そういう意味の日本でも珍しい山地であり地域なのだ、そういうとらえ方や意識すらないままにわたしは縦断を志したのである。今日の日本からはすでに消えてしまっているかに見える日本古来の狩猟生活や、そこから生れでた文化の姿が、これほど生々しく見事に継承されていることなどもちろんわたしの想像外であった。

■

北の阿蘇・九重《くじゅう》火山群、南の霧島火山群にはさまれ、ふつう九州の屋根とか背骨とかよばれているこの九州山

神楽の神籬。天と呼ぶ白紙の輪が青空に美しい。宮崎県西都市銀鏡

地は、地殻構造の上からは、海を渡って四国山脈、紀伊半島、そして日本アルプスを形成させた中央構造線へとつながり、太古の火山活動によって阿蘇・九重、或いは霧島がこの地上にあらわれる以前から存在していたといういわば九州の母なる大地なのである。わたしたちの想像を絶する自然と人間の歴史が、そこに秘められているはずであり、わたしが強いショックをうけた生々しい狩猟生活と文化などほんのその一部にすぎないはずである。

去年（昭和四十三年）の九月と十二月、ただ夢中でこの山地を歩いていたときもそうであったが、ほぼ一年経った今でも、わたしは途方にくれている。わたしが書き伝えようとしている相手があまりにも大きく、広く、重いからである。

■

阿蘇から九州山地へ入る道は二つある。阿蘇火口原の東南隅にある高森の町から南へ外輪山を越え、熊本県側の蘇陽《そよう》町へ出る道と、同じ高森の町から宮崎県側の日向・高千穂へ抜ける道である。数年前に一度、蘇陽町への道をたどったことのあるわたしは、今度は高千穂への道をたどった。

それぞれの道に、それぞれの感慨があった。そしてそのいずれにも思いがけなさがあった。

蘇陽町への道で、最も強くわたしの心にのこったのは阿蘇の人なつこさであった。南北の方向から見ると、そのなかに今も噴煙を上げつづけている中岳をふくんだ阿蘇五岳は、まるで巨大な人が横たわったような特徴のある姿で見える。その五岳が、ちょうど道行く人の後を月がどこまでも追ってくるように、いつまでもわたしの後を見送っているのである。やわらかな起伏が波のようにうねりつづく外輪山上の原野と、それにつづく蘇陽町辺りまでへの九州山地が同じような起伏でうねっているからである。九州山地というものを、はじめっから深く険しい山地だと思いこんでいたわたしには、どこまでもつづくこの高原状の地形がふしぎでならなかった。そしてはるか後方の外輪山の上に横たわりいつまでも見えている阿蘇五岳に、強い親しさを感じたのである。

高千穂への道では、今度は逆に、九州山地の険しさを思いがけないかたちで教えられた。高千穂へのバスは、高森町の東端にある津留《つる》という部落から出る。ここは、阿蘇の東にそびえる九州山地の最高峰、祖母山の山麓の部落だが、ここから二、三十分の間は、蘇陽町へ行くのと同じような高原状のうねりがつづく。ところが、祖母山やその東に連なる傾《かたむき》山への登山口である五ヵ所部落を過ぎた先にある崩野《くえの》峠のトンネルをくぐった途端に、風景が一変する。わたしは、朝七時すぎに津留を出た一番バスに乗っていたが、トンネルを出た途端にギョッとした。谷から猛烈な勢いで霧が吹き上げ、視界一面が霧の海である。そしてそのあちらこちらに、鋭く尖った奇怪な三角形の岩山の峰が幽鬼のようにニョキニョキ立ち上り、はげしい霧の動きのなかで見え隠れているのである。険しい岩山や、それにまつわりつく霧をえがいた山水画はよく見る。けれどこんなに激しい、そして異様なものは見たことがなかった。ブレーキ・テストをしている運転手に聞くと、高千穂はこの峠を下ったところだと言う。ところが、その峠からの下り道が、もう一〇メートル先は霧のなかに見えないのである。霧のなかに出没する幽鬼のような岩の峰といい、目の下に姿を隠している谷の険しげな気配といい、ここはもう全くの奥地の感じである。

ふつう高千穂を訪れる人は、たいてい日向海岸の延岡から五ヶ瀬川ぞいに遡ってくる国鉄日之影線や直通バスを利用するであろう。時間にしてたっぷり四時間。その時間の長さや途中からあらわれてくる五ヶ瀬川峡谷の風景の移りかわりによって、このコースをたどる人は徐々に自分が奥地へ入って行くことを体で悟る。ところが崩野峠越えの道では、のんびりした高原風景から突然、トンネル一つで九州山地の奥地へとびこんでしまうのである。

天孫降臨神話の神々のように、わたしは霧のなかを、高千穂に向って下りて行った。胆の冷えるような長い急坂であった。

高千穂

明るい天が　タカマガハラが近い

■

どうしてこんな山の奥地に、こんな広々とした台地がひらけているのか。崩野峠から下ってきたわたしは、またまた強い意外感にうたれた。延岡からいえば約一〇〇キロのこの奥地に、高千穂の中心部である三田井の台地が忽然とひらけているのである。

東西の幅約七キロ、南北約五キロというこの台地の周囲は、崩野峠で見たあの奇怪な岩峰がとりまいている。けれどここでは、その奇怪さがむしろユーモラスな縁飾りのように眺められる。それに囲まれた台地が広く、明るいからである。これだけの台地は、その後歩いた九州山地のどこにも見ることができなかった。

バス・ターミナルのある台地の中心部は、道路ぞいにたくさんの旅館や土産物屋、飲食店、それにふつうの町風な家がつづく。ちょうど学校の登校時間であった。制服姿の中学・高校生の姿が目につく。のびざかりの少年少女たちが発散させるあの特有の活気が、町なみをはずれた崖上にある学校への道々にあふれる。まぶしい朝の斜光が、のびやかな彼らの肢体をそこここにくっきり浮き上がらせている。霧は、いつの間にか晴れ、周囲の山の峰々にわずかにまつわっているだけである。その霧の峰の上にひろがる雲一つない青空。混るもののない山地特有の、いや南国特有のまばゆいコバルトブルー。空が近い、いや天が近い。突然、高天原《たかまがはら》という言葉が頭に浮ぶ。

脱穀のすんだ稲藁を土手に積みあげる。豊作だったようだ。
宮崎県高千穂町岩戸

■

　この日向の高千穂は、日本の神話における最も雄渾《ゆうこん》で、しかも神秘的、というよりデリケートな出来事である天孫降臨の地と伝えられるところである。雄渾でデリケートという意味はこうだ。天照大神《あまてらすおおみかみ》を盟主とした神々の国、高天原から、天孫ニニギノ命《みこと》に率いられた一団の神々が「筑紫《つくし》の日向《ひむか》の高千穂の久士布流峰《くしふるたけ》に天降《あも》り」する。つまりそれまでは高天原という天上界の住人であった神々の主力が、日向の高千穂という下界の住人になり、その後下界の統一者になる神武天皇の活躍の足場をつくるというのである。わたしたちが子どものころ教えられたところによると、神武天皇というのは神であるとともに人である現人神《あらひとがみ》ということで、ここではじめて神話のなかに人というイメージがでてくるのだが、そのためにはまず天上界の住人である神が、人の生活場所である下界の住人になる必要がある。つまり下界の住人であるというライセンス（証明）をとらなければ、下界の住人である後世の人間どもの納得が得られないからである。天孫降臨神話は、そのための布石であった。

　神から人への転化、言いかえると人間による神なる概念の創造の過程は、人類の精神史上最も画期的な出来事である。わたしたち日本人の祖先は、そのなかから神であり人である現人神という概念をも生みだしてきた。なぜ日本人は、そんなものを生みだしたのか。またなぜ人類は、神なる概念を創り出したのか。どういう条件のなかで、どういう必要があってそうしたのか。そしてそのことと、この高千穂とはどう結びつくのか。つまりなぜこの高千穂が、日本の神話形成上最もデリケートな天孫降臨の地といわれるようになったのか。

　日向の高千穂という名称は、古くは祖母山をも含み、阿蘇の斜面にも及ぶ広大な地域を指していたという。それがなぜこの三田井の台地を中心にしたごく狭い範囲に限られてきたのか。

■

　それやこれや思いめぐらしながら、三田井の台地やその背後の山裾に点在する神話ゆかりの神社や故地、或いは三田井からはやや隔絶した東北方の山峡《やまあい》にある岩戸部落の岩戸神社などをたずね歩いたことであった。

　バスターミナルを中心にした三田井の町は、先にも言ったように旅館などの建ちならぶ九州山地随一といっ

焼山寺山（796メートル）から岩戸方面を見おろす。宮崎県高千穂町岩戸

茅葺屋根の棟に千木をおいた高千穂の民家。宮崎県高千穂町

てよいほどのにぎやかさをもったところである。が、その町なみを外れると、一面の田んぼである。岩戸部落へ向う道路からは、そのことがよくわかる。台地はゆるやかに北から南へ傾斜し、その南の縁は有名な高千穂峡をふくむ五ヶ瀬川の渓谷に急に落ちこむのだが、そこにいたるまでの台地上は実に見事に田んぼがひらかれている。傾斜地であるため、ほとんど一枚一枚といってよいほど石垣の堤が築かれ、その石垣と田の面との重なりが、おおらかな階段状の流れとなって南へ下って行く。そしてその上手にあたる山裾の辺りやあちこちの田のなかに、千木《ちぎ》を置いた茅屋根の農家や小屋が見える。千木の数は、七・五・三と三種類あり、それがかつてのその家の富や社会的勢力の大小をあらわしていたというが、それよりも何よりもわたしが心をひかれたのは、それらの千木のもつ素朴な力強さである。遠くから眺めるだけではその実感は湧かない。頭上におおいかぶさるような厚い茅屋根を見上げなければならない。そのときはじめて、巨大な茅屋根の棟にある千木の太さや力強さを知る。そしてその千木の一本一本に走る大小のひび割れを通じて、この地の風霜の厳しさを悟る。

陽に向う国・日向は、一般に太陽に恵まれ、また雨に恵まれた太陽と緑の国である。この高千穂では岩戸神社をはじめ各神社の神域には、うっそうとした原始林や杉、桧などの巨木が見られ、神話の国、高千穂の神秘感を盛り上げる。が、その一方、冬の風霜もまた厳しく、台風の常襲コースでもある。そして高千穂の中心である三田井の台地は、太古の阿蘇が生みだした熔岩台地である。今でこそ見事に水田がひらかれているが、ここまでになるにはわたしたちの想像を絶するこの地の人々の労苦と時間が費されたにちがいない。伝えによれば、三田井という地名は、三つの井（天《あめ》の真名井《まない》、比波里川、逢初川）の水によってつくられた三つの田（美禄田、御守田、比波里田）の名を合わせたもので、この台地唯一の湧水である天の真名井は、アメノムラクモノ命《みこと》が天上から水種を移した井戸だというが、何にしてもこれだけ広い台地に湧水一つ、他は台地下の川から水をとったということはこの台地の水利の便の悪さをよくあらわしている。その三田井の台地に、いつごろから田がつくられ、またそれに稲が植えられるようになったのか。田は必ずしも稲をつくるものではなく、稗《ひえ》をつくる稗田もまた田であった。そしてこの高千穂をはじめ九州山地の村々は、ごく最近まで稗を常食にしていたことは、高千穂の南方にある有名な椎葉の稗つき節などがよくあらわしているし、田をつくることの苦労は、この高千穂地方に伝わるこれまた有名な刈干切唄《かりぼしきりうた》によっても知ることができる。

〽ここの山の刈干しゃすんだよ
　明日はたんぼで稲刈ろかよ
もはや日暮れじゃ　迫々《さこさこ》かげるよ
　駒よ、去《い》ぬるぞ　馬草食えよ

一昔前、この高千穂地方には、かつては五〇〇〇頭を超す牛がおり、また馬もいたという。それらの牛馬に食べさせる草を刈り、高々と積み上げて干す高千穂独得の刈干しの風景は今でもいたるところで見られるが、真夏の炎天下で行なわれる作業がどれだけつらいことか。しかも高千穂の人々には、それとともに田をつくる仕事があった。深い哀調を帯びた刈干切唄は、そういう高千穂の人々の苦労のなかから生みだされたのである。

収穫を終えた田に茅を積み干す。「刈干し」である。
宮崎県高千穂町

牛の背において米を運ぶ。熊本県蘇陽町岩神

保存30年の稗。白粉が吹いているが食べられる。宮崎県西米良村小川

蕎麦を刈る。刈る時期は過ぎているが、とにかく刈ってみることにしたという。宮崎県椎葉村大久保

大檜《ひのき》（一六〇頁）のある椎葉村大久保は七戸の部落。右の写真の蕎麦を刈る主婦の家から火を出して両隣を類焼した。部落の人々は温かく対応してくれたが、火事あとの処理で蕎麦《そば》を刈る間がなかった。

神話を作ったのはどんな人たちだろうか

■

高千穂は神話伝説の地。どこへ行っても何を見ても神話と結びつき、伝説と結びつく。だから用心しなければならない。神といい神話といっても、所詮はわれわれ人間の想像力が生みだしたもの、それを生みだした人間のことを忘れて神話や伝説にのみこまれてしまってはいけない、わたしはそんなことを自戒しながら高千穂を歩いた。天孫ニニギノ命《みこと》が降臨したという槵触峰《くしふるのみね》を仰ぎ、その足下に鎮まる槵触神社に詣り、そのニニギノ命《みこと》をまつるという高千穂神社にも詣った。その境内にそびえる畠山重忠が植えたという秩父杉の巨木にも感嘆した。が、その現場を立ち去った後には、いつもそれらの神話や神社や伝説を生みだした人たちへの想いに立ちかえっていた。一体誰が、それらのものを生みだしたのか。

高千穂神社の近くに鬼八《きはち》塚というのがある。上古この地方に勢力をはり、神武天皇の兄に討伐されたハシリタケという酋長をまつるというが、被征服者であるハシリタケをまつった上古の人たちと、現在稲をつくり刈干しを切る人たちとどういう血のつながりがあるのか。これは後に宮崎市に下ったときに聞いた話だが、この鬼八塚は高千穂の人々に非常におそれられ、甲斐宗攝という人の時代までは犠牲の女を捧げていたということである。宗攝はそれを止めさせ、代りに猪の頭を供えさせるようにしたというが、猪の頭を供える以上、当時の人々は稲つくりや刈干切りだけをしてくらしていたわけではなかったはずである。

このセイロは関係ないだろうか

■

三田井のバス・ターミナルから東北へ約八キロ、五ヶ瀬川ぞいの段丘状斜面にある岩戸部落を歩き、岩戸川の渓谷をまたいで神域のひろがる天岩戸神社に詣でたとき、わたしはまだこの部落が三田井台地の部落とはちがった発生の歴史をもっているらしいことに気づかなかった。それに気づいたのは、ふたたび三田井のバス・ターミナルに戻り、その前に並んでいる食堂の一つに入ったときであった。薄暗い店の奥に、無造作に一つの真新しいセイロがあった。直径五〇センチ、深さ三〇センチぐらいの木製丸型の大きいものである。おかみさんに聞くと、岩戸部落の或るおじいさんにつくってもらったという。そして三田井には以前からこんなものをつくれる人はいなかったが、岩戸部落にはもとは何人もいてたくさんつくっていたということであった。

檜などの薄板を曲げ、セイロや弁当箱などの曲げ物を

鏡をすえた天岩戸神社拝殿の祭壇。拝殿の向こうに本殿はない。宮崎県高千穂町岩戸　撮影・姫田忠義

つくるには相当な技術が要る。そしてガワ師とよばれる人たちがそれをうけついできた。ロクロをまわして木製のお椀や盆をつくる木地師《きじし》と同じように、ガワ師もまたここ一〇〇年ぐらい前までは盛んに日本中の山を歩いていたといわれている。とすれば岩戸部落には、そういう技術を伝承した山の民たちの歴史がいろいろなかたちでのこっているかもしれない。

　行きずりの食堂でたまたま見かけた一つの曲げ物（セイロ）に触発されてふりかえってみると、岩戸部落と三田井とのちがいを思わせるいくつかのことに気づく。今でこそバスで何気なくつながってはいるが、確かに岩戸部落は三田井の台地とは地理的に隔離している。また天岩戸神社は、三田井周辺の神社とちがって拝殿はあるが本殿はない神社形式としてはより古い形式だといわれているものである。天岩戸神社には本殿はなく、深く落込んだ岩田川の渓流をはさんで御神体といわれる岩窟《いわや》と拝殿とが向きあっているだけである。様々な樹種の原生林がうっそうとおおっている山腹にわずかにその一部を見せている御神体の岩窟は、天照大神が隠れた天《あま》の岩戸だといわれているが、岩窟や山そのものを神として崇めた原始信仰の名残りであることは明らかである。そしてそのような信仰の場を支えてきた岩戸部落の人たちの歴史には、三田井とはまたちがった独自のものがあるにちがいない。それがガワ師や木地師に代表されるいわゆる山の民的なものかどうか、今のところわたしには全くわからない。ただ神話の世界では明らかにちがった場として語られている高天原と高千穂、つまり天上界と下界が、わずか八キロほどしか離れていない岩戸部落と三田井に夫々《それぞれ》のゆかりの地点をもっていることが面白いし、夫々そう言われるようになった背景には必ずそれ相応の理由があるはずだと漠然と思っているだけである。

　天岩戸神社の境内にある展示館に、この地域から発掘されたというおびただしい数の先史時代の遺物があった。石斧、石鏃、骨器、勾玉、そして縄文土器、弥生土器、聞くところによるとこの岩戸部落をふくめた高千穂地方は日向地方屈指の先史時代遺物の出土地であり、また多くの古墳の所在地でもあるという。が、それらのも

川沿いの道をゆくと家庭的なユースホステルがある。宮崎県五ヶ瀬町本屋敷

のと神話伝説、或いは今日の人とのつながり具合は、まだ深い謎のベールに包まれている。

■

つい最近、写真の須藤くんが九州山地を歩いてきた。彼が出て行くときわたしは彼にこう言った。高千穂へ行ったら国見が丘でカッポ酒を飲んでおいでよ。

国見が丘というのは、三田井から約七キロ西方にある丘で、眼下に五ヶ瀬川の渓流や三田井の台地一帯を見下し、はるか北方には山また山のうねりの彼方に阿蘇や祖母山が見える非常に眺めのいいところである。そしてこの丘の上で、長い竹筒で燗をする通称カッポ酒が飲める。神話だ、その背景だ、とまるで迷路のような妄想のなかにはまりこんでいたものには、そんなものは全く忘れてのびのびした雄大な気分になれるところである。

が、十数日後に帰ってきた彼は、カッポ酒のことには一言もふれないで神楽《かぐら》のことを話しだした。ああ、そうだ、高千穂は有名な夜神楽のあるところだ、毎年十二月から一月にかけて岩戸部落をふくめた高千穂の各部落部落の民家で夜通しの神楽があると聞いていたがと思っていると、いやそうではない、岩戸部落で昼間見たのだと言う。そして神楽は昼間見るものじゃありませんよ、とさも言いたげであった。

確かに神楽は昼間見るものではない。夜の闇のなかで、それも深い山の夜の闇のなかで見るべきであろう。わたしはそれを後に訪れた米良の山でゆっくりと味わうことができたが、高千穂ではそれができなかった。岩戸神社でのものはともかく、ふつう高千穂の夜神楽といわれているものは、門《かど》（部落）のまつりのものである。神社のためではない、部落のもの同士、生ま身の人間同士のまつりで行なわれるものである。もしも一夜でもわたしがその席に座っていることができていたら、おそらくもっと深く高千穂の人とその心にふれることができたであろう。高千穂のことについて、神話だその背景だと妙に理窟っぽいことしか書けなかったのは、或いはそれができなかったせいかもしれない。

竹筒に入れた焼酎を焚き火で温めるカッポ酒。神社の掃除を終えた若者たちが囲む。
宮崎県西都市銀鏡

高千穂から椎葉へ古い山の道のどこからともなく竹カゴを作る人たちが訪れた

■

高千穂から九州山地を南下する道は二つある。一つは、ほぼまっすぐに南へ諸塚《もろつか》村の七ッ山へ向って山を越え、それから南郷、東米良の銀鏡《しろみ》、須木《すぎ》など九州山地東部の山のなかを行く道である。聞くところによると、これは非常に古くからあった道で、日向の海岸部や九州山地の深部はとても人が行き来できなかったような時代からひらかれていたもののようである。

それともう一つ、高千穂から五ヶ瀬川を遡って蘇陽町、五ヶ瀬の本屋敷へ出、そこから山を越えて椎葉、また山を越えて西米良、須木へと行く道で、いわば九州山地の背骨の道である。そしてこの道から、熊本県側の五家荘や五木へ越える山道が椎葉村内から出ている。わたしはこの背骨の道をたどったが、いつかはもう一つの道をたどってみたいと思っている。その道の道すじにある南郷村の御門《みかど》神社には、伝世の漢式鏡が十数面もあるという。そんな古いものが、しかも正倉院も顔負けするほどたくさん伝世されているということは一体どういうことだろう。こと古い鏡に関していえば、この二つの道すじにある諸塚村の家代《えしろ》神社、銀鏡の銀鏡神社、椎葉村の十根川神社などに夫々古い鏡があり、銀鏡神社のものなど約二〇〇〇年前のものだといわれる葉文鏡（麦穂文鏡）で、十根川神社には去年（昭和四十三年）に発見されたばかりの漢式鏡五面があるという。銀鏡神社のものはわたしも見ることができたが、とにかく日向の山一帯に一連の古い伝世鏡があるということが興味をそそる。ただ鏡を見て歩くだけでいいから、一度東部の道もたどってみたいものである。

■

高千穂から五ヶ瀬川を遡り、椎葉へ向う途中でわたしは寄り道をした。蘇陽峡の奥に住んでおられるある人の家を訪ねたのである。蘇陽峡は、今から一〇〇年ほど前までは全く人の住まなかった幽谷で、高さ二〇〇メートル以上もの急斜面が延々八キロにわたってつづいている典型的なV字渓谷である。

この幽谷の斜面に、ここに一軒、あそこに一軒と点々と人が住みつきはじめたのは約一〇〇年前。カスミ網を使って渓流の魚をとり、蘇陽峡一帯に叢生する淡竹《はちく》を切

子守をしながら庭で竹細工。手前にある左の竹籠が高千穂地方でよく使われているメカゴ。熊本県蘇陽町岩神

り、たった一丁の小刀で見事なカゴをつくる人たちであった。

高千穂からこの蘇陽峡にかけての村々や道すじで、ふつう高千穂メゴとよばれている横から見るとV字型をした独得なかたちの背負いカゴをよく見かける。底が狭いV字型なので平坦な場所に置くと坐りが悪いが、傾斜の急な斜面を背負って上り下りするときには非常に具合よくできたカゴである。急峻な山地に生きる人たちの生みだした知恵なのだろうが、こういう竹カゴをつくるのは誰でもできることではない。たった一丁の小刀で手際よく仕上げていくには、やはり相当の技術が要る。そしてそういう技術をもっていたのは、ガワ師や木地師とはまたちがった系統の山の民であったといわれている。

日向の山には竹が多い。それも太い淡竹である。その竹を求めて、それらの山の民は、次々と山のなかを移動していったのであろう。数年前に阿蘇外輪山南麓の矢部町を歩いたとき、わたしはそれがごく最近までつづいていたらしいことを知った。毎年春と秋の二回、子ども連れた数人の人たちがどこからかやってきて、家々の箕やカゴなど破損し

檜板《ひのきいた》を曲げて作ったメンパ（弁当箱）。熊本県蘇陽町
撮影・姫田忠義

た竹製品を繕い、またどこかへ去っていったものだというのである。ただどういうわけか二、三年前からその人たちの姿が見えなくなったので、どうしたことかと案じていると矢部町の人は言っていた。

収穫のすんだ谷間の道をメカゴを背負って行く。宮崎県椎葉村十根川

■

蘇陽峡のある蘇陽町は、熊本県では八代に次いで二番目に町制をしいたほどのところで、その中心地である馬《ま》見原《みはら》には、かつて七軒もあったという酒造りの家やその白壁の土蔵がのこっている。阿蘇や熊本方面と高千穂方面を結ぶ古くからの交通の要地だったのである。

この蘇陽町一帯の山からはまた阿蘇や祖母山がよく見える。高千穂の国見が丘からとはまたちがった、いやそれ以上にひらけた空と山とのひろがりである。この町にある幣立《へいたて》宮という神社の神主さんは、わたしのところこそ高天原だと言っていた。

■

蘇陽町からほぼまっすぐに南へ五ヶ瀬川を遡ると、椎葉への山越えの峠下になる五ヶ瀬町の本屋敷部落に出る。五ヶ瀬川の谷のどんづまりである。蘇陽町からバスで約一時間半、高千穂からだと約三時間。この部落にある古い茅屋根二階建の民家をつかったユースホステルの記録帳を見ると、高千穂からここまでバスでやってきた若い旅行者たち、殊に娘さんたちはたいてい「何て遠いところなんだ」と嘆いている。延岡から高千穂、本屋敷とバスを乗りついでくれば、乗っているだけでも優に七時間はあるのだから悲鳴を上げるのもムリはない。

が、それにしても、意外に多くの若ものたちが、ここから椎葉へ越え、また椎葉から越えてきていることに驚く。或いはバイクで、或いはヒッチハイクをしながら彼らはこの九州山地の背骨の道を行き来しているのである。

平地にすむものには　落人のあわれさを
魂の奥底でかなしむことはできまい

■

ユースの若奥さんに、少しここら辺りの昔のことを聞きたいと言うと、六〇がらみのおじさんをよんできてくれた。その人は、下流の木小屋という部落で不幸があり、おくやみに行くという。道々話を聞きながらついて行った。そしてわたしが今までたどってきた道はかつての落人の道だったことを知った。この本屋敷にも、下流の鞍岡にも平家の落人伝説がのこっているのである。

本屋敷のユースの斜向いに小さな観音堂が道に面してある。薄暗いその堂の奥に、青や赤で彩色した一体のかわいい木造八ッ手観音が坐っていた。昔、平家の落人がやってきて、京都から持ってきたこの観音さまを山に隠した。或る年の正月六日、部落のものが見つけ、まつるようになった。見つけた日に因んで毎年正月六日、今でもまつりをしているというのである。

椎葉や五家荘や五木が平家の落人伝説の地だということはわたしも聞いていた。けれどまさかこんなところにそれがあるとは思っていなかった。もちろんこの谷すじのものは、椎葉などのように落人そのものが定着したという話ではなく、ただ通ったというだけのことだが、わたしは何か自分の知識の盲点をつかれたような気がして驚いた。落人も人間である。どこかへ行くのに、鳥のように羽で飛んで行けたわけではない。自分の足でコツコツ歩いてゆかねばならなかったはずである。とすれば、どこかに必ず彼らの足跡があるはずである。ところが往々にしてわたしたちは、落人だ何だというとその行き着いた所だけに目を向けてしまって、その途中には全く目を向けない。そしてその結果、まるで彼らがそこへ羽根が生えて飛んで行ったかのように彼らの行動を神秘化し、ひいては彼らの行きついた場所そのものも神秘化してしまって秘境だ何だと騒ぐのである。

これは後で知ったことだが、この九州山地の背骨の道ぞいの村々で落人伝説をもっていないものはない。先にあげた椎葉などの村々はもちろん、高千穂にも米良にもある。そしてこれらの村々には、共通して本格的な神楽があり、また先に述べたように日向側には古い漢式鏡などが分布している。一体これはどういうことだろう。偶然というにはあまりにも共通しているではないか。

■

共通ということで思いだすのだが、高森から高千穂への崩野《くえの》峠越えの道にそった部落々々や、三田井から岩戸への道ぞい、或いはこの本屋敷などの五ヶ瀬川ぞい、椎葉村内、五木から五家荘への道ぞいの部落などでしきりに目についたものがある。それは、道ばたに建てられた小さなお堂で、夫々の土地で大師堂といったり観音堂といったり、また阿弥陀堂や庚申堂といったりしている。高森から高千穂にかけてのものは、それがバス停留所の待ち合い所にされたりして、堂奥に飾られている小さな石仏とその前で風雨をしのいでいる現代人との対照が、ひどくほほえましく温かい状景として今でもわたしの心にのこっている。

焼山寺山の大師堂。宮崎県高千穂町岩戸

　椎葉の中心地である上椎葉の人に聞くと、人が死ぬとその家族が故人の供養のために凝灰岩のかたまりで小さな石仏をつくって大師堂に供えたり、また不慮の事故で遭難したりした場所にはやはり同じように小さな石仏を置いて供養するということである。そういう供養のしかたは何もこの九州山地だけのことではないが、しかしそのなかの一つだと思われる本屋敷の観音堂に、平家の落人伝説をもった八ッ手の観音が坐っているのは何かひどく暗示的である。つまり奥深い山のなかに住みついた人々が、自分のまわりの人やたまたまやってくる旅人たちの死を悼み、それを供養するために石仏をつくったり大師堂を建てたりしたのと同じような意味で、平家の落人といわれる人々を弔ったのではないか。そしてそういう山の人たちにとっては、平家の公達《きんだち》であろうが、非人乞食であろうが、悲運は悲運、不幸は不幸として平等に感じ、平等に弔ったのではないか。

　本屋敷の下流の木小屋部落の字キャアノキダンに与一郎墓というのがある。或るとき上（下流）から山伝いに逃れてきた罪人らしい男を、「ドオメン」という屋号の家の先祖が訳もわからずに鉄砲で撃ち殺し、たたりを恐れて墓をつくった。ところがその子孫のものが誰もまつらんようになったので、わたしの話相手になってくれたおじさんが引受けて今もまつっている。また本屋敷から椎葉へ越える国見峠には、「モジガ墓」という場所があり、また木小屋部落の近くには勧進《かんじん》たちの墓原もある。「モジガ墓」というのは、多分文字を知っていた他所ものが

30センチメートルの物指を作る竹を干す。
宮崎県五ヶ瀬町本屋敷

海苔ひびを作る竹を干す。
宮崎県五ヶ瀬町本屋敷

峠を越しきらんで死んだ場所だろうというし、勧進というのは非人乞食だけでなく名前のわからんもののことのようである。まあしかし、昔は色んなものがここを通っていたんだろうなあ、そのおじさんはさも感慨深げに嘆息をもらした。わたしも同じような感慨であった。まあしかし、そんな縁もゆかりもないものの墓を今でもよくまつってあげられますね、わたしはそう言いたかった。が、それは黙っていた。余計な言葉であった。

■

おじさんは今どんな仕事をしておられるんですか？ わたしは話題を変えた。ところが、そのおじさんの返事を聞いてハッとした。今は隠居して、椎茸と牛を主にやっていると言う彼は、以前は盛んにメンパ（竹の曲げ物）や高千穂メゴ（ここではアゼロメゴという）をつくったらしいのである。

ああ、この人もまたかつては山を移動し歩いていた山の民の末裔なのだ、そう思った途端に、或る突拍子もないことを連想した。まてよ、こういう山の人が落人をまつったり勧進を弔ったりとにかく信心深いのは、ただ淋しい山のなかに住んでいるという理由からではなく、彼ら自身が同じような境遇にあったからではないか。つまり落人だ勧進だということではなく山を移動して歩くことが彼らのくらしの基本であり、落人や勧進たちと同じように山での危ないこと、辛いこと、悲しいことを体験していたからこそ落人や勧進たちのあわれさが人一倍感じられたのではないだろうか。

これが平地に住む人間だと、頭のなかではあわれみは

山道で出会った人。夫婦で社寺巡拝をしているようだった。宮崎県椎葉村

もてても、魂の奥底でかなしむことはできまい。平地の町や村に、山の村ほどに濃密には弔いのまつりや行事がのこっていないのは、そこに住むものがいち早く移動性の強い生活を止め、起伏の少ない平地に定住してしまったために、奥深い山をさまよい歩くものの心がわからなくなり、ひいては「人生はあてどない旅だ」という本源的な人間存在の意味を忘れ、そういう存在としてのお互いをいたわり慰め合う心を忘れてしまったからではないか。ここにはまだそれが生き生きとのこっているのだ、とわたしは思った。

椎葉 そして稗《ひえ》搗《つき》節《ぶし》もまた 男女の愛の物語りである

幾山河越えさり行かば　寂しさのはてなむ国ぞ
今日も旅行く

ふるさとの尾鈴の山のかなしさよ
秋もかすみのたなびきて居り

■

旅を愛し、山を愛して歌いつづけた歌人・若山牧水は、椎葉の山々から流れ出る水を併わせた耳川が、日向の海岸部近くまで流れ下ってきた辺りの山間部である東郷村坪谷《つぼや》の生れの人である。牧水さん、わたしは今貴方の故郷の奥深く分け入っているんですよ、わかりますか。牧水の歌を口ずさみ、そんな独り言をつぶやきながら、わたしは椎葉への山を越えた。椎葉村最北端の財木《ざいき》部落へ通じる杣道《そまみち》であった。

本屋敷と椎葉の境の屋根を越えた途端にわたしはハッとした。山の様相が、ガラッと変ったように思えたからである。山の斜面の広さといい、そのうねり具合や立ち上り具合といい、本屋敷までの山にくらべるととにかく山容が大きいのである。「いやあ、椎葉の山は大きいか

山から流れる水を引いた、山の見える水場。宮崎県椎葉村大久保

らね。山が立ち上っているよ」、本屋敷に来るまでにわたしは何度かそんなことを聞いていた。細い急傾斜の杣道をかけるように下った。足がひとりでに動いて止らないのである。

東西二〇余キロ、南北三〇キロ、宮崎県最大の山村である椎葉村の周囲は、国見岳（一七三九メートル）、市房山（一七二一メートル）など一〇〇〇メートル級の峰が数十連なっている山岳重畳の地である。もちろんそれらの山の高さは、たとえば日本アルプスには及ばない。けれどその谷の奥深さや山村としてのスケールは、やはり日本でも指折りのものである。財木部落から椎葉の中心地・上椎葉までの山峡の道を歩きながら、わたしはつくづくと椎葉の大きさを思った。東西何キロ南北何キロというような平面的な地図上の距離の数字など実際に歩くものにとってはくその役にも立たなかった。

■

椎葉にはもう秘境の感じはない、そんなことを言った人があった。確かに、上椎葉の部落の上手には巨大なアーチ式ダムができ、耳川ぞいにダムと日向海岸をつなぐ道路もりっぱになった。また村内の谷すじから山へ走る林道網もよくできているらしく、本屋敷からの杣道を下り、財木の部落近くへ下った途端に幅四メートル半もある広い林道にぶっつかってびっくりした。

一方、日向海岸から耳川を遡ってくるバスの車窓からでも幾つか見られるように、椎葉の谷には多くの吊り橋がある。そしてそのなかの或るものは、谷すじのバス路から見るとびっくりするような高さのところにかかっていたりする。奥山ならではの風景である。椎葉の人の話によると、昭和二九年（一九五四）に上椎葉ダムが完成するころまでの椎葉には、一度強い雨でも降ればいっぺんになくなってしまうような木の橋や、両岸の立木を支柱にしてかけ渡した吊橋がずいぶんあったという。不土野《ふどの》には、両岸のヘラの木とケヤキの木のそれぞれ股になった枝に一本の大き

奥日向のあちこちで見る吊り橋。いうまでもなく、住んでいる人には大事な生活の橋であり道である。
宮崎県椎葉村長野

な木を横渡しにしただけの橋があったし、尾前《おまえ》のものは両方の木がケヤキだった。また立派なカズラ橋もあったという。不土野の橋は昭和二九年の台風で一方の木が倒れ、そのほかのものも夫々鉄やコンクリートの支柱や鋼索に代ってしまったが、それでも実際に自分でそこを通ってみると胆が冷える。橋は変っても、椎葉の谷そのものはまだまだもとのままなのである。胆が冷えると言えばこんなこともあった。耳川本流にかかっている長いりっぱな吊り橋の根元を通りかかったときであった。見ると、吊り橋のちょうど真ん中あたりで、学校帰りらしい小学生の女の子が二人、赤と黄のランドセルを背負ったまま坐りこんで絵本を読んでいる。長さ数十メートルの吊り橋、眼下には白い泡立ちを見せる耳川の渓流、気のせいか吊り橋はかすかにゆれている……、わたしは見ておれなかった。

■

吊り橋は、その向うに人家のあることを教える。だがそれは谷からは見えない。あえぎあえぎ急坂の道を上る。忽然と畑がひらけ、人家があらわれる。

「椎葉の山は、作物の土地としてはよくない。萱（ススキ）などはよくのびるがね」、椎葉村で唯一人の開業医である椎葉新次郎さんが言った。そしてかっては椎葉中の山で行なわれていた焼畑のこと、稗のこと、稗搗節のことなどを話してくれた。

山の叢木を焼きはらい、その灰を肥料にして稗、あわ、そば、大豆、大根、芋などをつくる焼畑は、平地の少ない山に住む人たちにとって最も大切な食糧確保の道であった。『風土記日本』という本によると、「明治四年の人吉藩への差出し書に、田二反余り、畑屋敷四九町六反にたいして、焼畑が四九二町余りもある」というのだから、如何に椎葉での焼畑の比重が大きかったかがわかるが、この焼畑作物のなかで一番重要だったのが稗である。稗は簡単につくれ、しかも収穫出来る量が多い。大きな木のあった深山ほどよく出来た。

　収穫した稗は、大きなハガマの上にのせたアマという直径一間から一間半の竹製の大ザルに入れ、下からとろ火で乾かす。このとき稗に火がつくと大火事になるから非常に気をつかったという。そしてそのあと稗をむしろにひろげて叩くか臼で搗く。ふみ臼でははかがいかんから立て臼で搗く。むしろの上で叩いたものも仕上げには臼で搗く。稗搗節という歌は、そういう作業のなかから自然に生れてきたものだろうね……。

　いや、自然にといっても、歌は植物や何かではないからね、もう一段深くその理由を考えねばいけないと思う

奥日向の山中では焼畑にもよく出会う。宮崎県椎葉村長野

が、わしはこんな風に思っている。一つは、或る時期稗という食糧がそれまでよりも大量に必要になった時期があったんじゃないかということ。大量に生産するには、みんなが気持ちを合わせて働かにゃあやれんが、そのために歌が生れてきたんじゃないか。それとも一つは、この椎葉には昔から色んな人間がのがれてきているから、そんな連中がつくったのかもしれん。それなら、歌のできた年代はうんと古いように思う。

　歌の発生を考えるのは非常に難かしい。が、新次郎さんの言う「稗が大量に必要になった時期」というのが強くわたしの記憶にのこった。一体椎葉にそんな時期があったのか。もしあったとしたらいつごろだろうか。

■

『風土記日本』にはこんなことが書かれている。「椎葉は慶長末年（一六一四）幕府領となり、米良は米良氏領のまま相良《さがら》氏の支配に属するようになった。それから椎葉では住民が大きく動揺しはじめる。その事情は明らかではないが、検地拒否や課税反対が原因ではなかったかと思われる。そして支配者相良氏にたいしてたえざる反抗がこころみられたようで、多くの人が隣の有馬領へ逃散した。（中略）口碑の伝えるところでは、住民のたえざる反抗に手をやいて、相良氏は椎葉の住家のことごとくを焼き、また十歳以上の男子をみな殺しにしたともいわれている」。

　この後『風土記日本』には、「そのように力をそがれて、山村ははじめて平和になったのだが、云々」とある。が、狂暴な殺りくをも敢えて辞さない権力の下での「平和」

焼畑を常畑《じょうばた》にしたのだろう。耕したり堆肥《たいひ》を運んだり、家族みんなで働いていた。
宮崎県椎葉村長野

とはどういうものだろう。当然、それまで椎葉の人たちが経験したことのないような課税や制約の下での「平和」だということは目に見えている。そしてそのことと新次郎さんの言う「ひえが大量に必要になった時期」とは全く無関係かどうか。

江戸時代以前の椎葉には、那須氏などの土着の人たちがいたという。この那須氏というのが、稗搗節に出てくる平家追討の源氏の武士・那須大八らが土着したものだといわれているが、とにかくそういう落人や追手やその他いろいろの理由で椎葉へ入りこんできた人たちが、焼畑を中心にして山をひらき、彼らなりの社会組織をつくって住んでいたのである。ところが江戸時代に入ると、新しい支配者として相良氏があらわれ、当然のこととして租税を要求する。那須氏のような土着の勢力者とちがって、外からの支配者は容赦がない。「ひえが大量に必要になった」だろうことは明らかである。

はげしいチェーンソーの音で目がさめた

■

深い哀調を帯びた稗搗節がそういう時期に誕生したかどうかはわからない。けれどももし万一そうだとしたら、その誕生は、猛烈な島津藩の収奪下で生れた奄美や沖縄の歌や物語りの誕生によく似てくる。力でおさえつけられた奄美や沖縄の人たちは、その悲しみや憤りを歌に托し、お互いに慰さめはげまし合ったが、そのなかには、男女の愛の物語りとしてあらわされたものがある。稗搗節もまた男女の愛の物語りである。

「三〇年か四〇年前、わたしは屋久島へ行って島民の歌を聞いたが、その調子が稗搗節と変らんですものな。文句まで似ていた」、新次郎さんが言った。屋久島のも

民謡「稗搗節」に歌われている鶴富屋敷。現在、屋根は銅板葺きになっているが、まだ茅葺屋根のときで、一部、修復している。
宮崎県椎葉村上椎葉　昭和9年（1934）撮影・櫻田勝徳　所蔵・早川孝太郎

のがどんなものかわたしは聞いたことがないし、もちろんその生れてきた背景もわからない。いつかは聞きくらべ、考え合わせてみたいものである。

■

椎葉へ来たら必ずどこかで稗搗節の歌声が聞かれるだろうとわたしは期待していた。が、期待ははずれた。上椎葉の鶴富屋敷のすぐ前の旅館に泊ったときもだめだった。その代り稗搗節とは何の関係もないテレビの声や歌が夜おそくまで鳴りつづけていた。

翌朝、はげしいチェーンソーの音で目がさめた。渓谷に向った窓を開けた。まだ完全に陽の当らない暗い対岸の斜面の一角で、どうやらもう木の伐採作業がはじまっているらしい。わたしは､自分の寝巻姿が恥かしかった。

山岳重畳する椎葉では、山が唯一の稼ぎ場所であることは誰にでもわかる。谷々のいたるところにある材木搬出用の土場やトラックに積み上げられた巨大なマツ、ツガ、モミ、ケヤキなどの自然木、或いはびっくりするほど太い椎茸原木のクヌギの列、一団地で五〇〇ヘクタールはあると教えられた、広いスギ植林の山（一団地で五〇〇ヘクタールもある植林地などわたしは見たことがなかった）……。雨量が多く、また山の土壌も樹木の生育に適している椎葉の山では､林業が最大の収入源である。が、ここ四、五〇年前では、せっかくの山の木もロクな搬出路がないために空しく眠っていた。そのおかげで、と言ったら椎葉の人に叱られるかもしれないが、豪快な自然木や天然の広葉樹林が今でもいたるところで見られる。

またかっての椎葉の山は、熊、羚羊《かもしか》、猪、鹿などの野獣や鷹、キジなどの野鳥の宝庫であった。野獣は、せっかくひらいた山畑の作物を荒らし、椎葉の人々を苦しめた。が、鷹は、武士階級にとっては重要な必要品であった。椎葉が外部の権力者に目をつけられたのは、一つにはこの鷹のせいであった。

それからまた椎葉北部の財木や南部の大河内など椎葉のあちこちに銅鉱の採掘場があり、これも目をつけられていた。大河原の銅山がひらかれたのは、相良氏に代って領主になった内藤氏の時代であった。

宮崎県椎葉村尾八重の農家。部落の戸数はわずかだが、よい家が並んでいたと撮影者は記している。昭和9年（1934）撮影・櫻田勝徳　所蔵・早川孝太郎

おもしろいことに、焼畑のために山を焼くと、この辺りではまずまっ先に山茶が生えてくる。大河内の人に聞くと、この山茶の実からしぼった油は、以前は最も大事な食用油だったという。もちろん髪油にもしたが、さらりとしていて食用にもとてもいいものだということであった。日本の茶の先祖は支那茶で、わざわざ海を越えて日本へ運ばれてきたとよく言われるが、それだけじゃなくて日本には日本独自の山茶があったのだから、やはりそれ相応の評価をせねばなるまい。とにかくこの九州山地で焼畑が行なわれはじめたと考えられるのは、支那茶が入ってくるよりはるかな昔の先史時代なのである。

■

木といい鳥獣といい、銅鉱、山茶、そのほかわたしたちの気づかない木の実、草根などのことを考え合わせてみると、椎葉の山の富は意外に豊かであったことに気づく。もちろんそれらの富が富として椎葉の人を十分にうるおしてきたとはいえない。むしろ苦しめる要素になった方が強いかもしれない。にもかかわらず古来おびただしい数の人が、この険しい山地を往来し、定着し、平家伝説をはじめ様々な伝説や口碑のもとになっている。

なぜそういう人々の往来があったのか。通路という意味だけであれば、もっと楽な九州山地東部の道があったはずである。

■

椎葉の山には、まるで鍾乳洞の内部が外にあらわれたような奇怪なかたちの石灰岩層の露出がみられる。海をこえた四国山脈から大分県の津久見に上り、高千穂、諸

林道が椎葉の山を杉山にした。境の落葉松が紅葉している。宮崎県椎葉村

塚村、五ヶ瀬町、椎葉、五家荘、そして人吉、八代、天草へと抜ける長大な石灰岩層の一部が椎葉でもあらわれているのである。そしてそれに伴なった鍾乳洞や奇岩、或いは尾前部落の山の尾根から流れ落ちる白い滝水（山中の鍾乳洞を通ったために水が白い）などの奇景がいたるところで見られる。人間の交通からいえばそれらは全く厄介な存在で、それあるがために椎葉が他から隔絶せざるを得なかった一つの大きな原因なのだが、ときたま訪れるものにはまたありがたい景観である。

■

「確かに椎葉は不便です。けれど食物は少々貧しくても、大自然のなかで生きる方が長生きをするという意味では椎葉はいいところです」、新次郎さんはそう言った。そして如何にも医師らしい調子でこんなことをつけ加えた。「こういうところでは、体の弱いものは早く死ぬ。けれど生きのこったものは長生きです。わたしの知っているかぎりでは、一〇〇歳をこえたものはわずか一人で、とびぬけた長生きはない。せいぜい九六、七、八歳どまりです。今日で言うような栄養食はとれなかったが、稗を食い、そばを食いしながらでもそれだけみんな生きぬいてきた。栄養と生命とは別だとわたしは思っているよ。

農家に生れ、大正七年（一九一八）に開業して以来四十数年、ただひたすらに椎葉の人の生命を守って来た新次郎さんの言葉には、厳しい山地に住む人の強靭な意志があふれていた。その意志にふれるだけでも椎葉へ来た意味があった、と今でもわたしは思っている。

昨年（昭和四十三年）、忽然と五面の漢式鏡が発見された椎葉北部の十根川神社には、樹齢八〇〇年といわれているスギの大木が昂然と立っている。樹高五三メートル、目通り樹周一三・三メートル、想像を絶する強靭な自然の生命力が、その樹幹にみなぎっていた。そしてその眼下に、肉体の死滅を超えてうけつがれてきた人間の文化（漢式鏡）が、これもまた厳然と存在していた。

■

深い山をひとりで歩いていると、しきりに人間の生命力や意志について想いが向いて行く。そしてまた人間の

十根川神社の境内にそびえる樹齢800年といわれる杉の大木。樹高50メートルを超え、近くの八つの村からも見えるので「八《はっ》村杉《そんすぎ》」の名もある。宮崎県椎葉村十根川

八村杉から山道を歩いて10分ほどのところにある、こちらも推定樹齢800年といわれる大檜。樹高30メートルを超える。宮崎県椎葉村大久保

弱さ、かなしさがたえず想われる。

　話は元に戻るが、蘇陽峡のある蘇陽町の幣立宮《へいたてぐう》で、わたしは思いがけないものを見た。原爆症と闘いながら遂にそのために命を奪われた歌人の正田篠江さんが病床で書きつづった願文（細字で南無阿弥陀仏の六文字をびっしり書きこんだもので巻物にしてある）が一〇巻、この神社に納められているのである。正田さんは、もともと幣立宮とは何の関係もなかった人だが、魂こめて書きつづった願文をどこに納めるかで迷いに迷ったあげく或る人に教えられてここに納めたという。今日の日本人が、ややもすれば忘れがちになっている戦争の残虐さを、正田さんは、この九州山地の静寂のなかで訴えつづけているのである。

米良
〝かりこぼうず〟は今でもときおり　耳にきこえ　人をおびえさせる

■

　椎葉の南に米良という山村がある、わたしにはその程度の知識しかなかった。それだけにショックは大きかった。これほど見事に、日本における狩猟生活と文化がのこっているところを今まで見たことがなかったからである。

　もちろん今日の米良が、狩猟生活やその文化を軸にして生きているということではない。他の日本中の山村と同じように、現在のくらしの軸は、山林仕事であり水田耕作である。が、他の日本中の山村、というより日本人全体が、水田耕作や山林仕事の展開のなかで忘れてしまったそれを、米良は忘れないでしっかりとうけついでいるというのである。わたしがそれに気づくきっかけは、西米良村の小川部落におられる菊池宗雄さんのお宅に伺がったときであった。わたしは、菊池さんの家の床の間に置かれている一個の大きい猪の頭蓋骨を見たのである。聞くと、毎年十二月中旬に行なわれるこの部落の米良神社の大祭には必ず猪の頭が供えられるが、そのお下がりをゆずってもらったものである。そしてその猪は、祭の数日前に部落総出で狩りをして獲ったものだという。そしてさらに、この米良一円の村々では、十二月上旬から中旬にかけて毎日どこかの部落の神社で大祭が行なわれていて、夜通しの神楽が行なわれ、猪の頭が供えられているというのである。

■

「わしらの若いころは、西都市の杉安辺りへよく山越えしていったが、まるで地獄の底から這い出るような気持ちだった」、菊池さんはそうしみじみと言った。北の五ヶ瀬川、耳川、そして南の大淀川とならんで宮崎県でも指折りの大河である一ツ瀬川の上流地域一帯にひろがる米良もまた山岳重畳の大山村である。ただ椎葉と比べると、一ツ瀬川による開析が進んでいるためか谷は浅く、殊に西米良西部の元米良、上米良部落辺りの谷すじには河岸をひらいて礎いた古い水田の石垣の重なりが見事である。が、一ツ瀬川の下流の杉安へ出ていくためには、「まるで地獄の底から這い出すような気持ち」のするほどやはり山は深く、谷もまた深かったのである。

江戸時代になると、椎葉と同じように相良藩の支配下に入ったが、それ以前に入っていた米良氏の力が強く、

明治維新後に菊池姓にもどる最後の米良《めら》領主則忠。村民に人望があった。西米良村歴史民俗資料館蔵

相良氏も椎葉のようには支配できず、客分のようなかたちで米良氏の独立を認めていたという。米良氏というのは、中世期、九州の大半に勢力を張った肥後の菊池氏が、東からは大友氏、南からは島津氏の進出によって次第に勢力が狭められ、遂に米良へ逃げ籠って米良氏と改姓し、明治になってからまた元の菊池氏に名を戻している。菊池氏が入ってくるまでは、天《あま》の氏という勢力が米良一帯にあったようだが、それが一体どういう性質の勢力なのか、菊池さんにもわからないということであった。明治以後の米良は、東西二つに分けられ、現在は東米良は西都市に属している。古代の日向の国府所在地や、おびただしい古墳群のあることで知られる西都原《さいとばる》をもつ西都市に編入されたのである。そして西米良は独立した一村としてのこった。もとは一つの共同体であった米良が、こ

民家のあるところに米良領主の館があった。
宮崎県西米良村小川

ういうように別々に分けられてしまっていいものかどうか。行政区画は変わっても、一円の山岳地帯としての米良の自然は変らないのである。

■

椎葉の宿で隣合せの部屋になった或る紡績会社の人事係の人がこんなことを言った。「わたしはまだ米良へ行ったことがないが、米良には若い娘がいるんだろうか」、米良の人が聞いたら怒鳴りつけられるだろうこの言葉を、わたしは何とも反論できなかった。日本中を鵜の目鷹の目で見廻っている紡績会社の人事係が知らないくらいなのだから、わたしだって知っているはずがなかった。

米良には、焼畑のための山焼き準備のときに行なわれる敬けんな木（枝）おろしの儀式やそのときの言葉がのこっているといわれる。また神秘的な「かりこ（勢子）ぼうず」の話が今でも米良の人々の口から聞かれる。それが何の声なのか音なのか、今も謎に包まれているこの「かりこぼうず」は、今でもときおり、それも突然、山仕事をしている人の耳元や田畑に出ている女たちの耳に聞こえ、人々をおびえさせるというのである。おそらくかっての山の村ではどこにもあっただろうそういう山の神秘や人間の敬けんさが、なぜこの米良に色濃くのこったのか。絶えず色々な人間が流れこみ流れ出ていた椎葉とちがって、菊池氏という独立した勢力ががんばっていて、米良内部の変化のきっかけになるような外からの力を極力排除しようとしたからなのか。菊池宗雄さんのおられる小川部落は、その菊池氏の本拠が一番長くあったところで、菊池氏歴代の墓所がある。

一番高い木がかりこぼうずの止まり木。いろいろな鳴き声を聞くという。宮崎県西都市銀鏡

■

米良の谷すじ、殊に西米良の中心地・村所《むらしょ》から奥の谷すじや山道を歩いていると、はるかな山の高みにポツンポツンと集落から離れた小屋が見える。小屋といってもふつうの民家とほとんどかわらない大きさと構えをもったもので、米良で盛んに焼畑が行なわれていたころ、焼畑の時期には一家がそこに泊りこんで作業をしたものであった。山

が深く作業場が遠いために生れたこの小屋の姿は、山に住み、山をひらいていった人たちの歴史をほうふつさせるものだが、村所辺りの人はほとんどの人がこの小屋と本家の二つをもっているようであった。

それともう一つ、米良での開発の歴史のようすをほうふつさせるものに、東米良の銀鏡《しろみ》部落にある地主神がある。この部落には、銀鏡川がつくった低い河岸段丘の上をひらいた水田がずっと川ぞいにあるが、その田の真ん中に円筒型に石を積み、その上に御幣の竹を交叉させているのが見える。かと思うと、たった一ヵ所だが、やはり田の真中に小さい土まんじゅうが盛ってあったり、田のあぜに地神とか地主神とか字を彫った小さい石碑があったりする。一番最後のものは、日本中どこでも見られるものだが、少しでも広く使いたいはずの田の真ん中にそんな邪魔っけなものがあるのは見たことがない。そしてそのどれもが地主神だというのである。今でこそこんなに数は少なくなってしまっているが、少くとも戦前まではこの妙なものがあちこちの田の真ん中にポコンポ

山のなかにポツンとある作小屋。前に田がある。小屋といっても造りは普通の家と変わりなく、長く住むこともできる。宮崎県西米良竹原

田の中にある、田を拓いた人を祀る地主神。宮崎県西都市銀鏡　撮影・姫田忠義

コンとあり、そのおびただしさを見ていると、その妙なものが土地一般の神様をまつったものではなく、その田一枚一枚をひらいた人の記念物ではないかと思えるほどだったという。ともあれ、そういう珍しい田のなかの記念物が、この銀鏡にはあっておもしろい。そして冒頭の猪の頭の供わった神楽を見たのもこの銀鏡神社である。

神に猪の頭をそなえて　人びとは夜どおし舞う
そして冬の猟期がはじまる

■

九州は南国だという。けれど十二月の山は、やはり陽がかげり、夜になると寒い。そしてその夜を待って神楽がはじまる。神社の本殿とはずいぶん離れた民家風の社務所横の舞庭で行なわれるのである。

舞庭の正面には、高々と⿺辶神《しめ》（神籬《ひもろぎ》）が立てられ、白米、酒、野菜など様々な供物の中央に猪の頭が供えられている。まつりに先立って、各部落の狩組のものが山に入り狩ったものである。古来この銀鏡神社の神域の狩倉《かくら》（狩のなわばり）は、外狩倉、内狩倉、下狩倉に分れ、それが一二の狩倉に分れているという。そして色々聞いてみると、これらの狩倉と現在の銀鏡各部落の発生なり役割がわかるようで興味がある。つまり各部落と神社は、狩、或いは狩倉でつながれ、毎年十二月の十二日から十六日にかけて行なわれる年一回の大祭行事の神楽もまたそれらの部落の狩組によって支えられているのである。神楽は、それらの部落でふだんは保管されている神面の到着を待って行なわれるのだし、また猪の頭の供えられない神楽は考えられないという。

「そんなに大事な猪が獲れないとどうするんですか」、宮司さんの浜砂さんに聞いてみた。「いや、ぜったいに獲れないことはありません」、断固として宮司さんは言った。最近他の米良の神社では、猪の供わらない神楽もあると聞いたが、いや、銀鏡はそんなことはないという強い返事が返ってきた。

■

神楽は三三番。高千穂も椎葉もみな三三番だが、銀鏡のは高千穂系ではなく日向海岸の鵜戸《うど》神社系だという。が、その一つ一つを伝えている余裕はないが、わたしが特に趣味をひかれたのは三二番の「ししとぎり」であった。「ししとぎり」というのは、猪の足跡を見るという意味の狩言葉で、それまでの神楽とはちがって即興的な狂言風のものである。

「ししとぎり」のはじまるのは、夜も明けきった午前

右の山が銀鏡神社の御神体とされる龍房山《りゅうぶさやま》（1021メートル）。宮崎県西都市銀鏡

九時ごろ。徹夜で神楽を見ていた見物の人たちも一旦朝食に帰り、改めて出直してくる。銀鏡の小・中学校は、ここの「ししとぎり」が終るまで始業時間を延ばす。先生も生徒もみんな見にきているからである。西米良の方では、「ししとぎり」を「猟面《かりめん》」といって、すべての神楽の終った後の昼ごろ行なうらしいが、ここでは「ししとぎり」が終らないと神楽が終った気がしないと言う。

猪狩の様子を演じる銀鏡神楽の「ししとぎり」。猟師はもとより一般の人にも人気の高い一番である。宮崎県西都市銀鏡

老人男女の面をつけ、古風な狩人姿の二人（まぶしの神と勢子《せこ》をあらわす）が、社務所のカマドのところからあらわれる。「ホーイ、何とか部落のたれそれよー」、陽物の形の大根をぶら下げたまぶしの神が周囲によびかけ、勢子に出てくれとたのんでまわる。そして以後山に入り、狩りをし、獲物をもってカマドまで帰るようすを、まことにユーモラスに演じるのである。狩り言葉は古い万葉言葉である。その日本最古の言葉をまじえた「ししとぎり」が、周囲の爆笑のなかで悠々とくりひろげられるのである。そしてその翌朝、銀鏡川原で厳粛な猪の魂送りの儀式がある。その頭を焼き、神人ともにその肉を食うのである。そして冬の猟期がはじまる。

神楽と本殿祭を終えた翌朝、「ししば祭り」が銀鏡川の河原で行なわれる。御幣と猪の左耳を七切れに切って串に刺して供え、豊猟を祈る。宮崎県西都市銀鏡　撮影・姫田忠義

焼畑

田村善次郎

（写真は昭和五八～五九年に須藤功が撮影）

のぼりんけえよ　まずけえよ
この山は
　おとに聞えたしずか山
しずか山でこそ
　枝おろしにまいりました
まもり給えよ　山の神

宮崎県米良地方の山村に伝わる〝木おろし唄〟の一節である。

秋の彼岸頃、このあたりの村々では一せいに木おろしが行なわれる。二抱えも三抱えもあるような大木に登ってチクという鈎《かぎ》のついた竿をつかって木から木を移りながら枝を落してゆくのである。不安定な木の上での作業であるから危険が多い。山の人たちは大きな声で木おろし唄を歌いながら作業を続ける。歌声がしなくなったら何か異変がおこったしるしであるから近くにいる人びとがかけつけることになる。

このあたりの村はたいてい深い谷の上にひらけたややゆるやかになったハエ（八重）とよばれる段丘の上にある。後は山、前は谷にのぞんで僅かな畑が開かれているといった屋敷構えである。屋敷のまわりを除いては耕地として拓けるほどの平地とてはないようなところであり、定畑《じょうばた》からの収穫だけではとうてい食料には足りないから、周囲に広がる森林を伐って火を入れ、そのあとに稗、粟、ソバ、大小豆などをつくる焼畑耕作が食料確保の手段として盛んに行なわれていた。ここでは焼畑のことをコバとかヤボといっている。コバ＝ヤボには二種類あって、晩春から夏にかけて木を伐り、二週間程乾燥させたのち火を入れるナツヤボと、秋に伐って一冬すごしてよく乾燥させ、翌春彼岸頃に火を入れて、稗、粟—大小豆という順序でつくるアキヤボがある。アキヤボは大木のあるところでも開いたもので、伐り倒せない木は登って枝をおろし幹は立てたまま焼いたものであった。木おろしはこのアキヤボにともなった作業で、危険が多いので部落の人たちが組になって行なった。日柄をえらび、方位をみて、日を決め、朝は女房が心をこめて

樅《もみ》の木の木おろし。「せび」と呼ぶ梢は山の神のものとして伐らない。

料理した四ツ組の飯（三菜の膳）を食べ、武士の出陣のようなおごそかな気持で家を出たものであるという。

焼畑は山を伐り拓いて焼き払い、そのあとに稗、粟、ソバ、大小豆、里芋、大根などをつくるものであるが、特別に肥料を施すこともせず、また畝をたてたりして播種をすることもなく、種はバラ播にし、芋などは植穴をあけて入れ、あとは簡単に土をかぶせておくといった、全くの粗放な略奪農法であるから、生産力もひくく、三、四年も続けてつくると、肥料分や土砂の流亡がはなはだしく、地力がおちて生産があがらなくなるから、耕作を放棄して山にかえす。二〇～三〇年して木が生い茂り、地力が回復したところでまた焼畑に拓くといった切替方式をとることになるが、平地の少ない山村では食料確保の手段として最近まで広く行なわれていた。

それは非常に古くからの農法ではなかったかと考えられる。焼畑づくりにともなう儀礼には古い習俗をしのばせるものが残っている。奈良県の吉野山中も盛んに焼畑の行なわれたところであるが、ここの天川村広瀬では焼畑にかぎらず定畑でも拓く前に地貰いということをした。拓こうと思う土地の四隅に杭をたてて笹などをくくりつけておくのである。これはその土地を山の神から貰いうける儀式であって、そうしておくと誰もそこには手をかけなかった。大分県の玖珠《くす》地方の山村でもカンノ焼（焼畑）をする前に地貰いをしており、また四国の木頭《きとう》地方でも地貰いといったかどうか記憶にないが、焼畑しようと思うところに萱などを結んでさしておいたものだという。そして、火入れをする前にはコナシといって、伐り倒された木の枝を落して焼きやすいようにし、周囲に火道（防火線）をきって、まず上手から口火を入れて焼き、他に火の移らないようにしてから、下手から火を入れて焼きこむのである。一枚の畑を焼くのに朝火を入れると晩方までかかる。口火をつけるのには正月の若水迎えのときにつけて行く松明《たいまつ》の燃え残りをとっておき、これでつけると良いという。火入れは近所同士でユイで行うことが多かった。周囲の山林に火がはいらないようにするために人手が多くいったのである。また火を入れる時には無益な殺生をしないために「今この山に火を入れるから、飛ぶ虫はとんで行け、はう虫はほうて行け」と唱えたものである。同じ四国の土佐寺川でも山を焼くときにはまず打火をして「山を焼くぞう山を焼くぞう、山の神も大蛇どのもご免なれ、はう虫はほうていけ、飛ぶ虫は飛んでいね。ひっこむ虫はひっこめ、あぶらおけそうけそうけ、さあさあやけやけ」と大声で焼きたてたと、宝暦元年（一七五一）に書かれた「寺川郷談」に記されている。

火入れ。ゴーと音をたてて燃える。

灰で白くなった斜面に、土止めの横木をおく。

木頭地方では明治三〇年（一八九七）頃からスギの植林がさかんになり、焼畑をしたあとにスギの植林が行なわれるようになっている。これは焼畑をすることが植林の地拵えの役を果し、また病害虫や下草の繁茂が少なく、スギ苗の生育も若木の頃は焼畑をしない土地よりも良いとされているからである。持山の少ない人は山を借りてヤマサクをすることが多いが、その場合小作料は払わないのが普通で、そのかわりにスギ苗を植えつけて返すのが普通であった。ここでは焼畑がスギ植林を行うための効果的手段として行なわれている。このような造林のための焼畑は奈良県の吉野、大分県日田、熊本県小国、宮崎県飫肥《おび》、静岡県天竜地方など日本の主要なスギ林業地で見られるところで、スギ林業の展開にとって焼畑は重要な意味を持っている。

土佐の山中なども焼畑あとにスギを植林することは広く行なわれているが、ここではその前に三椏《みつまた》をつくっていた。三椏は和紙の原料として山村農家の主要な換金作物であった。吉野川上流（高知県）の本山町吉野あたりで行なわれていた方法を見ると土用伐と秋伐の二種の方法があり、土用伐はソバヤマともいって初年度はソバを播き、その収穫後から翌年の三月にかけて三椏苗を植えつける。三椏を植えつけたら一年は稗、粟または大小豆などを播きつけるが、そのあとは作物はつくらない。三椏は第一回は四年目、第二回目からは三年目毎に刈りとる。秋伐はヒエヤマともいわれ、ソバヤマより地力の悪いところが拓かれる。第一年目には稗をつくり、二年目に三椏を植えつけてあとは間作をしないのが普通である。三椏は土地の悪いところで八〜一〇年、良いところで二〇年位つくられる。スギを植える場合は三椏と同時にまたは二〜三年おくれて植付け、一〇年位すると杉が生長して三椏が収穫出来なくなる。こういった方法は鳥取県西石見地方でも見られるが、土佐からその技術がはいったものであるという。また中国山中などでは焼畑跡に榛《はん》の木を植えることが多かった。そのほか養蚕の盛んなところでは桑が植えられることが多かった。白山の麓にあたる石川県白峰村では牛首や桑島などに住居を持つ人々が八十八夜がすぎると広い山中にちらばる出作所に一家をあげて移り住み、秋雪のくる頃まで焼畑を拓いて、稗、ソバなどをつくり、その跡に桑を植えて養蚕をしていた。ここでは養蚕のほかに男たちは鍬棒《くわぼう》とよばれる鍬の柄や木鋤《こすき》（雪かき道具）などをつくっていた。本来は鍬棒つくりなどが

コバ（焼畑）に蒔く稗

稗の茎が伸び始めるころ、神官に虫除けをしてもらう。

主業で山住まいをし、その間の食料自給のために焼畑づくりが行なわれたのかも知れない。

日本の焼畑づくりの系譜を考えて見ると、山中に住んで農業以外の仕事にたずさわる人びとが、その主業を行うための食料を自給する手段として焼畑づくりを余業として行うことが多かったようである。例えば近江から美濃にかけて多かった椀木地師たちは木地挽のかたわら焼畑づくりをしており、吉野山中でも酒樽の材料にする樽丸を製造する丸師や杓子木地などをつくる仲間たちが焼畑を行っていた。また東北地方の焼畑も稲作を主とする農民がこれを行うことは少く、木地屋やマタギなど山を相手にして暮しをたてて来た人たちが多く行っていた。こうした人たちは移動性のつよい人たちであった。

米良や椎葉などの山村はこれらの山を仕事場として生きてきた人たちとはちがう系譜に属するもので、やむなく住みつかなければならない事情を持ちつつ焼畑づくりによって食料を自給してきたのである。日本の山が開発されてゆく事情は一つではなかった。焼畑をさぐってゆくことはそれに接近する一つの方法であると思うが、まだ何程も追求されていない。『あるくみるきく』の読者の間にでもそれをさぐる仲間ができたらありがたい。

コバ（焼畑）に実った稗

稗を食い荒らす猪鹿除けに古着を吊るし立てる。

射止めたところで猪の大小にかかわらずすぐ内臓を抜き、小さな猪は背負って山をくだり、家の近くで解体する。
宮崎県西都市一ノ瀬　昭和44年（1969）12月　撮影・須藤　功

猪狩の作法

宮本常一

（写真はいずれも須藤功が撮影）

九州はイノシシの多いところである。明治四〇年（一九〇七）ごろ、稗搗節《ひえつきぶし》で有名な椎葉村では年々四〇〇～五〇〇頭のイノシシがとれていたという。そしてここには狩猟を生活手段にする人びともあった。寛延二年（一七四九）の書上げには村中の鉄砲の数が四三六挺にのぼっていた。それほどの狩人がいたわけであるが、これはひとり椎葉だけのことではなく、北の阿蘇から南の大隅半島あたりまで狩人の数はきわめて多かった。それだけに山中の村々には狩の作法や祭が多く見られた。大隅半島のものは小野重朗氏のしらべたものがあるが、私も大浦というところで狩の話をきいたことがある。イノシシは通る道がきまっていて、その道をウチという。地名の宇治などもウチから来たものであろうといわれている。またイノシシはからだについたシラミをおとすために水のあるところでころげまわって水をあびることが多い。そういうところをニタといっている。奈良県の山中などではヌタまたはノタなどといっている。ノタウチマワルというのはイノシシがニタをうっているさまを見て生れた表現であろう。イノシシはまたネドコをつくるのが上手である。草や木をならべて、厚さが二尺もあるようなベッドをつくっている。大隅半島ではネドコといっているが、カルモ、カモというところもある。

イノシシは大きさによって名まえがちがう。大きいものをゴネンゲ、二五キロくらいのものをサンゼイノコ、小さいのをニモゴという。奈良、大阪地方ではイノシシの皮で田靴をつくったもので、大きなイノシシは六足分の靴皮がとれたから六足とよび、以下五足、四足というようによんだそうである。

イノシシをとって肉をわけるとき小さく切るが、これをタマスという。大浦にはこのことばはなかった。狩のときはじめに命中させたものをハツヤというが、ハツヤはタマスを二人まえもらったものだという。

また、旧一一月と一二月にとったイノシシは鼻を切りとってイロリの上などにつってほしてくさらないようにしておき、一月三日の柴祭にそなえたものであるが、たいてい二〇くらいはあったというから、その頃はおよそ一ヵ月ほどの間

猪が薄《すすき》の葉で作った寝ぐらのカモ。宮崎県西都市横平
昭和58年（1983）9月

猪肉の分配は猟犬にもある。宮崎県西都市一ノ瀬　昭和44年（1969）12月

に二〇頭くらいのイノシシはとれたことになる。

小野氏の「南九州の柴祭・打植祭の研究」によると、田代村の川原と柴立では正月三日の朝くらいうちに部落のホイドン（神主）が列をつくり鉦《かね》太鼓をたたきながら柴立部落の旧道のあるところにシバを四本たて、山からもって来た萱で作った縄を張って、そこから柴立の内神のある方を向いて拝む。この縄は行事の終るまでは切らず、縄をはってある間はそこを通ってはいけない。次にホイドンは山口部落の山の入口にある枦尾山ン神のところへいってコクラのまえで祭をし、山ン神の前にあるカヤ野に火をつける。この火がつけられるまでは村人は野山で火をたいたり、野火をつけたりしてはいけないとされていた。

ホイドンが枦尾山ン神の祭をおえて、大きな供養松の下まで来ると、そこから川向いの鶴園部落に向って

「鶴園の名頭ヨーイ、シシがとれたでホチョ持って来いよ」

と大声でよぶと、鶴園の名頭はホウチョウをもってやって来る。そして供養松の近くの若宮八幡にそなえてある、長径一尺五寸、短径一尺ほどの餅を切って、ホイドンや村役人たちにくばる。この餅はシシの肉だといわれていた。その餅をもってかえってたべる。この行事がすむと山に入って木を伐り、猟をしてよかったそうである。餅をきるまえはほんとうのイノシシの肉をきってわけたものであろうと思われる。

佐多町郡の柴祭ではワラでつくった鹿を弓矢で射る行事がある。また田代村川原のシバンクッアケの祭には、やいた餅をマナイタにのせて「猪七、鹿八、イ七、カ八」ととなえながら切る。これはイノシシは肋骨二枚目から七本の肋骨をつけて切り、鹿は八本の肋骨をつけて切る作法によったもので、切った餅はユズリハにのせて人びとにくばったという。

小野氏はこのような祭の例を一九ほどあげている。もとは狩の祭であったことがよくわかるが、実際にはシシがとれなくなっているので猪肉のかわりにモチを代用しているのである。

狩人は誰しも獲物の多いことを希う心にかかわりはない。そこでいろいろの祈念がおこなわれる。その際オコゼを用いる

沖縄の祭りの猪狩。ティル（籠）をかぶったのが猪役。沖縄県国頭村比地　昭和56年（1981）8月

風習が各地にある。九州の山中では山の猟には海オコゼをまつると効験が多いという。オコゼを白紙につつんでおき「オコゼ殿、オコゼ殿、近々に一頭の猪をえさせたまえ、さすれば紙をといて、世の明りを見せよう」ととなえ、獲物をとると「おかげで大猪をとった。この上なお一頭得させたまえ、さすればいよいよ世の明りを見せよう」といってもう一枚白紙をその上からつつんで、その上をこよりでくくる。このようにして一枚一枚紙をかけてゆくので、先祖からつたわったオコゼになると百数十枚の紙でつつんだものがあるという。ところが大分県大野郡長谷川村ではオコゼをたくさんの紙でつつんでおき「シシをとらせてくれるならオコゼを見せましょう」と祈って、シシのとれるたびに紙を一枚ずつはいでゆき、全部はいでしまうと山の神にそなえるという例もある。

猪を解体するとき、肝臓を竹串に刺して山の神に捧げる。宮崎県西都市一ノ瀬　昭和44年（1969）12月

　イノシシやシカをうつと、その心臓をとって串にさして山の神にそなえる風習が九州の各地にある。

　獣をとるのは腕にもよるが運不運がつきまとうのでいろいろの作法があり、しかも古くからの作法がよくまもられていた。『猪狩古秘伝』という書物によると、イノシシをとると頭を友引の方向に向け、土鼻と舌の先と尾のさきを切りおとして串にさし、友引の方へたてる。またイノシシのはらわたを出し、中の血をすてて、頭を友引の方へ向け、前肢を切りおとして二本をあわせ、「千匹々々」と三度となえる。そして後肢もぬき、耳を後へまわして、その耳のとどくところを頭と背の境にし、尻尾を背へやって端にあたるところが尻と背の境になる。そういう境を目安にして刀をいれて切りひらくのであるが、左右のあばら骨が背へつくところへ刀を入れて左右を切りおろすと、背すじともに九つになる。友引というのはその日の干支によってきまるもので、子午卯酉の日は東、丑未辰戌の日は東南東、寅申巳亥の日は南南東である。

　また月のうち六日ほど他出するのにわるい日があるといわれているが、狩人の場合はかえってそういう日を喜んだ。また山中などで女にあうと猟があると考え

地蔵に捧げた獲った猪の尻尾。熊本県錦町
昭和56年（1981）1月

ウジと呼ぶけもの道に仕掛けた猪の仕掛罠《しかけわな》。大分県佐伯市
昭和55年（1980）2月

ていた。

イノシシはその通り道がきまっていたから鉄砲でうちとるばかりでなく、その道に深い穴をほり、穴の底に竹のさきをとがらせたものを何十本というほどたてておき、上には草などでおおいをしておいて知らずしてやって来たイノシシがおちるようにしたワナをしかけてとることも多かった。このワナにはよくイノシシがかかったものである。しかし、一度イノシシがかかるとそのあとはめったにかからなくなるから、場所をかえなければならなかった。あるいはまた丸太で四角な柵をつくり、一方に入口をもうけ、イノシシがはいると入口の戸がしまるようなワナをつくることもある。狩人のいないところではそうした方法でイノシシをとることが多かったのである。

イノシシの多いのは九州ばかりでなく、四国にも中国山中にも、中部地方の山地にも多かった。今も中国地方の東部にはたくさんのイノシシがおり、そのシシをふせぐためにシシ垣をつくっているのを見かける。昔のシシ垣は石垣を積んだものが多い。しかし最近はトタン板などで田畑の周囲をかこっているものも見かけ、福井県などでは電気柵を用いているものもあった。しかしこれは人間がふれると危険なので、いまはとめられているようである。

イノシシの被害はどこでも困っていたものだが、最近はめっきりへって来た。それでもまだまだあとをたたぬようで、夜田畑に出て荒さぬようにカーバイトをならしておどしているのを広島から山口県の山中へかけてつい最近見かけた。

このような近代的な方法でなく、竹を二つ割りにして、中央を支え、一端へ水をながしこむと水の重みでその方がさがり水がこぼれる。すると竹はもとの位置にもどる。他の一端には小さな石などつけてあって、それがブリキ罐などをたたくようになっていて音をたてる。ボットリなどといっている。これも広島山中でちか頃見かけた。夜きいているといかにもさびしい音をたてるが、そういうものでもイノシシを追うことができるという。些細なことにもおどろきやすい動物のようである。そのくせ油断をしていると、一晩のうちに二〜三アールくらいの稲田をふみあらして籾を食うていることがあるという。山地地方における人間と野獣との戦は実に久しかったのだが、狩人たちがひたすら獲物の多いことを祈ったのは一つの皮肉であった。

伊勢神宮の御料林の山にはたくさんの猪がいる。そのため麓の農家では、田のまわりに長い猪垣を築いている。三重県鳥羽市河内　昭和55年（1980）4月

対馬

―国境の島

文・写真　姫田忠義
写真　伊藤碩男
西山昭宣

烏賊干し。美津島町大船越。昭和36年（1961）3月

浅茅湾内から見る下島。昭和33年（1958）7月

対馬にこういう言葉がある。

「ざっとうや」或いは「ざっとうでえ」、それを丁寧に言うと「おいざとならしゃりませ」。標準語の「さようなら」である。

「ざっとうや」或いは「ざっとうでえ」の「ざっとう」は、「座遠し」或いは「里遠し」で、お互いに遠くなりますね、里は遠いですよ、という意味だと言う人がある。

またこう言う人がある。「ざっとう」は「聡《さと》う」「聡く」という意味で、「ざっとうや」「ざっとうでえ」は「聡くありなさいよ」「注意深くありなさいよ」という意味で、「おいざとならしゃりませ」はそれを丁寧に言う言葉だ。

どちらの解釈が正しいのか、わたしにはわからない。けれどももしも後者だとすれば、いったい何に対して「聡く、注意深くあれ」と言うのだろう。

対馬は、本来の意味は津の島。朝鮮半島やアジア大陸へ渡る船の渡り津（湊）の島という意味で、そして国境の島である。その歴史が生んだ言葉だろうか。

対馬へ

在根良《ありねよし》　対馬の渡り　わたなかに
ぬさとりむけて　はやかえりこね
（万葉集　第一巻）

対馬は遠い。はるか玄界灘の彼方にある。

古代の人びとは、この海を渡るとき、海神にぬさ（御幣）を捧げて安全を祈った。そして家族もその人が無事に帰って来るのを神に祈った。

はるけき島　その海をわたしがはじめて渡ったのは、昭

厳原港。国境の島、対馬の玄関口。税関があり、李ライン時代には韓国からの密輸船の出入りも盛んだった。

和三三年（一九五八）七月、暑いさかりであった。

船は、北九州の博多から出た。一日一便。途中で壱岐の島に寄港してから対馬南部の厳原《いづはら》に向う約八時間の船旅だが、しかしそのころは、年中毎日船が出るとは限らなかった。玄界灘が荒れるからで、冬は三日に一回、年間通して一〇日に一回は船が欠航するといわれていた。事実、そのときのわたしは、まずそれにぶつかり、博多に一日足どめされてしまった。

そのころからくらべると、最近はずいぶん便利になった。博多からの船が一日二便にふえ、同じく北九州の小倉から対馬北部の比田勝《ひたかつ》へ一日一便の夜行便が出る。所要時間も、博多からが六時間足らずになり、小倉からは六時間半から七時間足らずである。船が大きくなったので、欠航も前にくらべれば少なくなったという。

また昭和五〇年（一九七五）からは、定期の飛行機便もできるという。いまその飛行場が、対馬の鶏知《けち》町の山の上につくられているが、飛行機が飛ぶようになれば対馬もうんと近くなるわけである。

昭和三三年以来、わたしは対馬へ合計五回渡った。三六年三月、三九年一〇月、四四年一〇月、そして今年（四八年）の四月。滞在は延べ七〇日ほどである。

大きな島だ　船の甲板からはじめて対馬を見たとき、わたしはそれが意外に大きい島なのに驚いた。島の端が見えないのである。しかも姿の優しい壱岐の島とはちがって、対馬は厳しいいかつい表情の島であった。

南北八二キロ、東西一八キロ、面積約七〇九平方キロ。対馬は、南北に細長い独特のかたちの島で、日本の離島

昭和33年（1958）7月

町と港　厳原は宗氏十万石の城下町。町の中央の通りの馬場筋には、堂々とした屋敷門を構えた高級武士の屋敷が並び、それを軸に一般武士の屋敷が広がっていた。馬場筋の変化は激しく写真の屋敷門も今はない。一般の武家屋敷街は今でも面影がよく残り、高い石塀や質素な門はあちこちで見られる。

（写真に撮影年月の記載のないのは、昭和四八年（一九七三）四月に撮影したものである）

武家屋敷の白壁、石垣

のなかでは沖縄本島、佐渡、奄美大島に次いで四番目に大きい島である。

全島山におおわれ、平地らしい平地はほとんどない。山は、高さこそ最高の矢立山が六四九メートルでさほど高くはないが、おしなべて険しく、その山裾が海まで迫って厳しい断崖や絶壁をつくっている。そして海岸線の出入りが激しい。海岸線の総延長は約七〇〇キロで、おそらく日本の離島のなかで随一ではなかろうか。殊に島の中央部やや南寄りの辺りで、西から東へ大きく入りこんでいる浅茅《あそう》湾は、湾内の地形の出入りが激しく複雑で、海面にはおびただしい大小の無人島が浮び、対馬で最も美しい景勝地になっている。そしてこの浅茅湾の東南端部の大船越瀬戸と万関瀬戸で、対馬は上島《かみじま》（上県《かみあがた》）と下《しも》島《じま》（下県《しもあがた》）の二つの島に切れている。大船越瀬戸は、江戸時代のはじめごろ（寛文一二年＝一六七二年）に人工的に掘切られた瀬戸で、万関瀬戸は、明治末期に掘切られたものである。

厳原その1　対馬の港は、すべて天然の湾入を利用したものである。厳原の港もそうだ。そして厳原の町は、その港の奥に、まわりを山に囲まれてある。長い船旅に疲れたものには、この港と町を囲む山のひろがりが何ともいえず嬉しい。

厳原の町は、鎌倉時代から明治維新までの約六二〇年間対馬を支配した宗氏の旧城下町で、かつ古代対馬国の国府の所在地である。対馬は、佐渡や隠岐と同じように古来一島一国（一つの島で一つの国とされていたところ）で、厳原に国府が置かれていた。また国分寺もつくられ、現在国分《こくぶ》という地名が厳原の町のなかに残っている。

宗氏は、江戸時代には十万石の格式を持っていた。その格式の高さが、宗氏の菩提寺である万松院《ばんしょういん》やその墓所にうかがえる。金石山という山の斜面に設けられた墓所には、江戸時代以降の歴代藩主や奥方を弔らう大小の宝篋印塔の群れが苔むし、整然と並んでいる。またこの寺の文庫には、万松院文書と呼ばれるぼう大な量の古文書が保存されている。宗氏の治政や、宗氏時代の対馬のくらしを知る上で貴重な文書だという。

万松院の近くに、宗氏の居城であった金石《かねいし》城の址がある。残っているのは城の外まわりの石垣と濠の一部分だけで、石垣の高さも高いところで三、四間のささやかなもの。城の敷地は、今は中学校やビジターズ・センターに利用されている。

金石城址と道を距てた南側が、古代の国府の庁舎跡という。今は拘置所がある。

この万松院や金石城址や国庁跡のある辺りの地名が国分である。

厳原その2　宗氏十万石の城下町の主要部分を形成していたのが武家屋敷街である。昔も今も町の中央通りである馬場筋（昔は馬場でもあった）には、堂々とした構えの高級武士の屋敷や屋敷門が並んでいたらしいが、今はそのうちの一軒がほぼ完全に残っているにすぎない。ところが表通りから横丁に入ると、一般の武家屋敷街になり、この方は昔の面影がよく残っている。石を分厚く高く積上げた石塀が両側につづき、表通りの豪壮な武家屋敷門とは対照的な質素な木づくりの門が、一定の間隔ご

万松院　厳原の町の西奥にある万松院は、宗氏の菩提寺。正面の山門は、対馬最古の木造建築といわれ、本堂内陣の本尊仏や什器類には、鎌倉室町期のものが現存し、文庫には宗氏時代の治政や対馬の生活状態を記したおびただしい文書類が保存されている。本堂の建物は、もと宗家の屋敷の玄関で、明治になってから万松院に寄贈された。

　老杉老松におおわれた墓所へは、百数十段を数える見事な石段を上がる。墓所には、一九代義智以下三三代までの歴代の藩主、およびその奥方や子どもの宝篋印塔が並ぶ。義智は、豊臣秀吉の朝鮮出兵の先達となった藩主で、それ以前の藩主たちの墓は、対馬全島に散らばっている。初代重尚の墓は、下島南部の内陸部である内山の木武古婆神社にある。初代から一五代までの墓は質素で、万松院のものとは対照的だ。

とにあらわれる。門からは家の玄関あたりが見える。けれどあとは石塀と石塀の上から屋敷の屋根が見えるだけ。頑丈な石塀に囲まれた砦の感じである。その上の空が広い。

小路は、方々で行きどまりになる。と思ったら、そうではなくて右か左へかぎ型にまがっているのである。これも外敵を防ぐためだ、と厳原の人は言う。敵に袋小路と思わせ、後戻りさせ、町のなかをうろうろ迷わせる。こういう道のつくり方は、あちこちの旧城下町で見聞きするが、ここでは小路の両側が高い石積みの塀でそのなかが見えないから、迷いこんだ敵には不気味だろう。いつその塀の上に対馬兵があらわれ、石や矢や鉄砲玉をあびせられるかしれない。石塀の上にひろがる何もない空さえ不気味に思えてくるから妙である。

厳原の裏山である有明山をはじめ、この町を見下す山の峰々も天然の防壁であった。「あの峰が一の木戸あの峰が二の木戸……」厳原の人は、そう指さしながら教えてくれる。

サデヨリの島　厳原の町の中心部から、三つの方向へ主要な道路が出て行く。一つは北へ走り、上島の最北端にいたる縦貫道路。一つは南へ走り、下島の最南端にいたる縦貫道路南部。もう一つは、上見坂《かみざか》まで北上して、それから西へ走り、下島西海岸の小茂田《こもだ》にいたる道路。小茂田は、歴史上有名な元寇のときの激戦地である。

上見坂に上れば、眼下に浅茅湾とその北にうねりつづく上島の山なみが一望に見える。東に、茫々と対馬海峡がひろがっている。

天之狭手依比売《あめのさでよりひめ》

古代の人は、対馬のことをそうも呼んだ。「サデ」は魚を掬う網、「ヨリ」はそれに依る、それに頼るの意。つまり天之狭手依比売とは、網によって生きる神、漁労によって生きるものという意味だという。そして浅茅湾を、その「サデ」に見立てた人があった。

上見坂の西に屹立する白嶽《しらたけ》の頂に上れば、その「サデ」の姿が、より明らかになるであろう。

津の島

巡航船　いまはもうなくなってしまったが、わたしの三回目の対馬渡島（昭和三九年）のころまでは、浅茅湾内や対馬の東西沿岸をめぐって走る巡航船があった。

浅茅湾内の巡航船は小さかった。が、縦貫道路ができるまでは、下島と上島をつなぐ唯一の交通機関であった。浅茅湾南岸の鶏知町樽ヶ浜の船付場が、その巡航船のターミナルであった。毎日朝早くから陽が暮れるまで、浅茅湾岸の各地点へ向かう巡航船が発着して、なかなか活気があった。巡航船でない貨物船の出入りも多かった。ところが今年（昭和四八年）の四月、久しぶりに立寄ってみたら、ようすがすっかりちがう。船を横付けする浮桟橋も待合室も以前のままだが、人気がなくすっかりさびれた感じなのである。待合室の切符売場の窓口をのぞいたら、中年のおばさんがひとりぽつんと坐っていた。聞くと、一日に仁位《にい》へ二便、水崎へ一便あるだけだと言う。「寂しくなりましたね」と言うと、「そうですばい」と答え、「前に来たことがあると?」と聞き返した。にぎやかなときを知ってくれているのか、それは嬉しい、という表情であった。

やがて水崎への便船が来た。かっての軽快な感じの客船ではなく、機帆船型の貨物船であった。いつの間にか来ていたお客さんが三、四人、船のへりに直接足をかけ「よいしょ」とかけ声をかけかけ乗り込んで行った。船が見えなくなるまでわたしは見送った。

大船越・小船越　樽ヶ浜を出た船は、間もなく竹敷《たけしき》の前を過ぎる。万葉集の歌に出て来る竹敷の浦である。そしてこの辺りから、東の大船越や小船越へ、北の濃部《のぶ》や仁位や水崎へ、或いは西へ浅茅湾口を抜け上島の西海岸を北へと、巡航船はそれぞれの針路をとったものであった。

竹敷から東へしばらく行くと、北側に狭瀬戸《せばせと》がある。対馬本島の地峡部と浅茅湾の島（島山という）にはさまれた文字通り狭い瀬戸で、それを北へ抜けると、浅茅湾最深部の多島海になる。静かな海面におびただしい小さな無人島が浮ぶ最も美しい風景の場所である。そしてこの浅茅湾最深部の東の丘を越えたところに小船越がある。小船越はもう東海岸で、浅茅湾の水面との距離は、わずか二〇〇メートルほどしかない。

小船越は古来日本と朝鮮半島、中国大陸の間を往来した船には最も大事な船がかりの地であった。たとえば日本の国家草創期に、朝鮮、中国からの文物を運び、制度や精神文化に非常に大きい影響を与えた遣隋使船や初期の遣唐使船は、すべてこの小船越を経由したのである。

日本から朝鮮半島に向う船は、まず対馬の島影を目ざした。そして対馬で風待ちをして朝鮮半島に渡るのだが、南北に長い対馬をまわって行くには時間がかかるし危険も多い。そこで東海岸と西海岸の距離が最も少ない小船越に船を入れ、人や荷物は約二〇〇メートルほどの距離の丘を越えて浅茅湾に出た。そこを西の漕手（こえで、こいで、こぎて）といって乗りかえの船が待っていた。小さい船なら、そのまま人の背や肩で運んで丘を越えたという。大船越も同じような場所で、越えなければならない丘の距離はむしろ小船越より短かく、それだで大きい船も運べたといい、大船越小船越の名もそれから生じたという。

小船越には、出入りする船の荷役をして賃を得てくらす人びとがいた。が、大船越の瀬戸、万関の瀬戸と掘切られてからはその働きはなくなり、ごくふつうの半農半漁の部落になってしまった。

部落の奥まったところに梅林寺がある。「欽明天皇の時代に、百済から仏像経巻を日本へもたらした使節の船がこの浦に泊り、滞在中一堂を仮建して仏像を安置した。その跡に一宇を建立したのが当寺の起源である」と伝えられる古いお寺で、対馬に出入りする使節船を応対する大事なお寺であった。静かな落着いたたたずまいのお寺であったが、すぐ前を新しい縦貫道路が突切るようにつくられたため、昔日の静けさや落着きは失なわれてしまった。

竹敷の浦　西の漕手も忘れられない場所である。西に向って漕ぎ出す漕ぎ手という呼び名がそのまま地名になっているこの浜は、前が狭い瀬戸になっていて、非常に静かな奥まったところにあり、澄みきった美しい水を

海の幸1　対馬の村は、ほとんどが半農半漁だが、稼ぎの主力はやはり海である。西の朝鮮海峡はカツオ、サバ、タイ、シラスなどの好漁場で、東の対馬海峡は北海道と並び称されるイカの大漁場。対馬南部沖はブリの好漁場でもある。そして浦々の磯は、ワカメなどの海藻やアワビ、ウニ、サザエなどの貝類の宝庫である。はるかな縄文時代以来、対馬の人びとは、それら海の幸に大きく依存してくらして来た。古事記に出てくる海幸彦さながらである。

　下島西海岸の曲《まがり》は、対馬でただ一つの海女の部落であったが、今はごく普通の漁村になってしまった。曲の他に純漁村としてできた部落は、上島東海岸の泉や、浅茅湾口に近い水崎などごくわずかで、そういう部落には、他の部落とはちがったたたずまいやくらしの姿がある。たとえば水崎では一軒の家に二〇人三〇人の大家族が住む。古い半農半漁の部落は、せいぜい数人単位の家族構成である。

透して水底がよく見える。別に記念碑一つあるわけではないが、それだけに俗塵を離れた心に沁みる場所だ。縦貫道路のためにがらっと雰囲気が変ってしまった小船越側とは対照的である。

なおこの辺りの南方に浅茅山（大山嶽《おやま》）という山があり、小船越や西の漕手を目指す船の恰好の目標になっていた。

あまさかるひなにもつきは　てれれども
　いもぞとうくは　わかれきにける
あきさればおくつゆしもに　あへずして
　みやこのやまは　いろづきぬらむ

これは、天平八年（七三六）、遣新羅《しらぎ》大使阿倍継麿の一行が、新羅へ渡るために小船越から西の漕手に越え、順風を待ったときに詠まれたといわれる歌で万葉集にある。「都から遠く離れたこんな田舎にも月は照るが、妻とはあまりにも遠く離れてしまった」、「秋だ、都の山は紅葉で色づいただろうなあ」切々たる望郷の歌である。

もみじばのちらふやまべゆ　こぐふねの
　におひにめでて　いでてきにけり
たかしきのたまもなびかし　こぎてなむ
　きみがみふねを　いつとかまたむ

西の漕手を出た阿倍継麿の一行が、秋の西北風に遮られて進めず、さらに竹敷の浦に滞泊したとき、玉槻という名の対馬の娘が一行にささげた歌である。万葉集は、この荒海のなかの孤島の娘にもすばらしい歌心のあったことを今の世に教えてくれる。ロマンのかおり高い歌である。

万葉集には、対馬の地名の入った歌が四二首あるが、そのうち最も多く詠まれているのが竹敷である。四二首中一八首と断然多い。それだけこの浦が美しい、しかも浅茅湾内で最も大事な場所だったことがうかがえる。

明治一五年以降、ここが旧帝国海軍の寄港地、水雷敷設隊基地、要港と急速に軍港化されて行ったのも、この浦の立地的重要さのあらわれである。

大陸への顔　竹敷の浦から西へ山を越えたところに黒瀬という浦があり、水面を隔てたその前面（西方）に城山《じょうやま》というこの辺りでは際立った山がある。高さは二七五メートルだが、浅茅湾内から湾口を見下す絶好の場所にあり、丸味をおびた特徴のあるその姿は、浅茅湾の海面からはもちろん、はるか南方の上見坂からもよくわかる。

わたしはまだこの山に上ったことがない。が、対馬の歴史、殊に国境防備の歴史の上では見逃すことのできない山だということである。

江戸時代の終りごろ（文化六年＝一八〇九年）、平山東山という人によって書かれた「対馬記事」には、この山の上にある城砦址のようすが記されてあり、これが仲哀天皇元年に築かれたという黒瀬の城だろうといっている。仲哀天皇は、有名な神功皇后の夫と伝えられる天皇だが、しかしこれが黒瀬城だという説は日本の正史に記されていないということで疑問視されている。

これは、天智天皇六年（六六七）一一月対馬に築かれた金田城だという説がある。金田城のことは、日本書紀に出ていて、この年倭国に高安城、讃岐国に屋島城、対馬国に金田城を築いたとある。ただしその金田城が、この城山にある城砦址なのか、下島西海岸の佐須辺りであったかいまだに明確ではなさそうだが、しかしいずれにしてもこの山の上には頑丈な石垣を組み濠をめぐらせた古い朝鮮（高句麗）式の山城の址が今も残っているということである。

仲哀天皇元年という説はともかく、天智天皇六年築城のことは、対馬にとっても日本にとっても重要な意味をもっている。この年から四年前の天智天皇二年、百済救援のために朝鮮半島南部に進出していた大和朝廷の軍が、白村江《はくすきのえ》で唐と新羅の連合軍に大敗し、朝鮮半島から退却した。そしてこの敗戦を機に、神功天后三韓征伐の伝承にみられるようにそれまで何かにつけて朝鮮半島に進出していた日本の勢力が完全に朝鮮半島から排除され、朝鮮半島に最も近い対馬に防禦専用の城砦が築かれたのである。「対馬記事」の筆者も「追討には益少なけれども守り防に徳あることは此すこやかなる利に及ぶものなし」と記している。

防禦専用の城砦をつくる、これは裏を返せば古代の日本人がはじめて国の境を意識したことになろうか。つまりそれまでは、朝鮮半島の南部はおれのものだ、或いはおれのものにしようと思っていたかもしれない日本人が、ここではっきりと日本の境はここだと思い定めた、

昭和33年（1958）7月

昭和36年（1961）3月

海の幸2　東西一八キロメートル、南北八二キロメートル、国内で三番目に大きい島だが、対馬には平地がなく、田畑は島の全面積の一パーセントほどしかない。人びとは、古くから主として磯の貝や魚や海藻類によって、日々のくらしを立てて来た。

海岸線には無数の湾入があり、その湾入の奥には真珠養殖のブイが浮かんでいる。対馬全域に鎮まる海神神社の祭神・豊玉姫の名は真珠に因んでつけられたという。

海辺の岩場に寄る海藻は、重要な畑の肥料でもあった。人びとはその寄藻を共同で採集し、平等に分け、或いは船で或いは牛や馬の背につけて山の畑へ運んだ。鰐浦にはその古風な共同作業が数年前まで残っていた。

魚のワタ（内臓）も重要な畑の肥料で、それを貯える巨大な桶やフネが浦々で見られる。最近はハマチの養殖やワカメの養殖、イカなどの釣漁も盛んになった。

いや定めざるを得なかったということになる。金田城築城の三年前（天智天皇三年＝六六四年）、つまり白村江の敗戦の翌年、すでに対馬、壱岐、筑紫に防人《さきもり》を置くことが決められているが、それと合わせて対馬に国境という運命が課せられたのである。

ロマンのかおり高い玉槻の歌がつくられたのは、それから七〇年ほど経った後だが、そのときの相手である阿倍継麿遣新羅大使の任務は、新羅との修交という厳しい仕事であった。その仕事がうまくいかず、継麿は失意のうちに帰国したと伝えられる。

はるか昔のことなのだが……

地形の違い　浅茅湾を北へ渡ると上島である。上島は、対馬における人間生活のふるさとと言えよう。対馬の縄文遺跡はすべてが上島にあるからだ。志多留《したる》、佐賀《さか》、吉田の三ヵ所に、縄文中期から後期の貝塚があり、それぞれからおびただしい貝や鳥獣魚類の骨、土器、石器、それに志多留貝塚からは五体の人骨が発掘されている。また貝塚はないが、仁位、佐護、仁田《にた》の各地で縄文期の石器類が採集されている。東海岸の佐賀、浅茅湾沿岸の仁位などを除けば、ほとんどが朝鮮海峡に面した西海岸である。

下島では、西海岸の阿連《あれ》で石斧が発見されている以外に現在まで遺跡はないと『新対馬島誌』（昭和三九年刊）は記している。

縄文時代の遺跡が上島に集中していることは、古い時

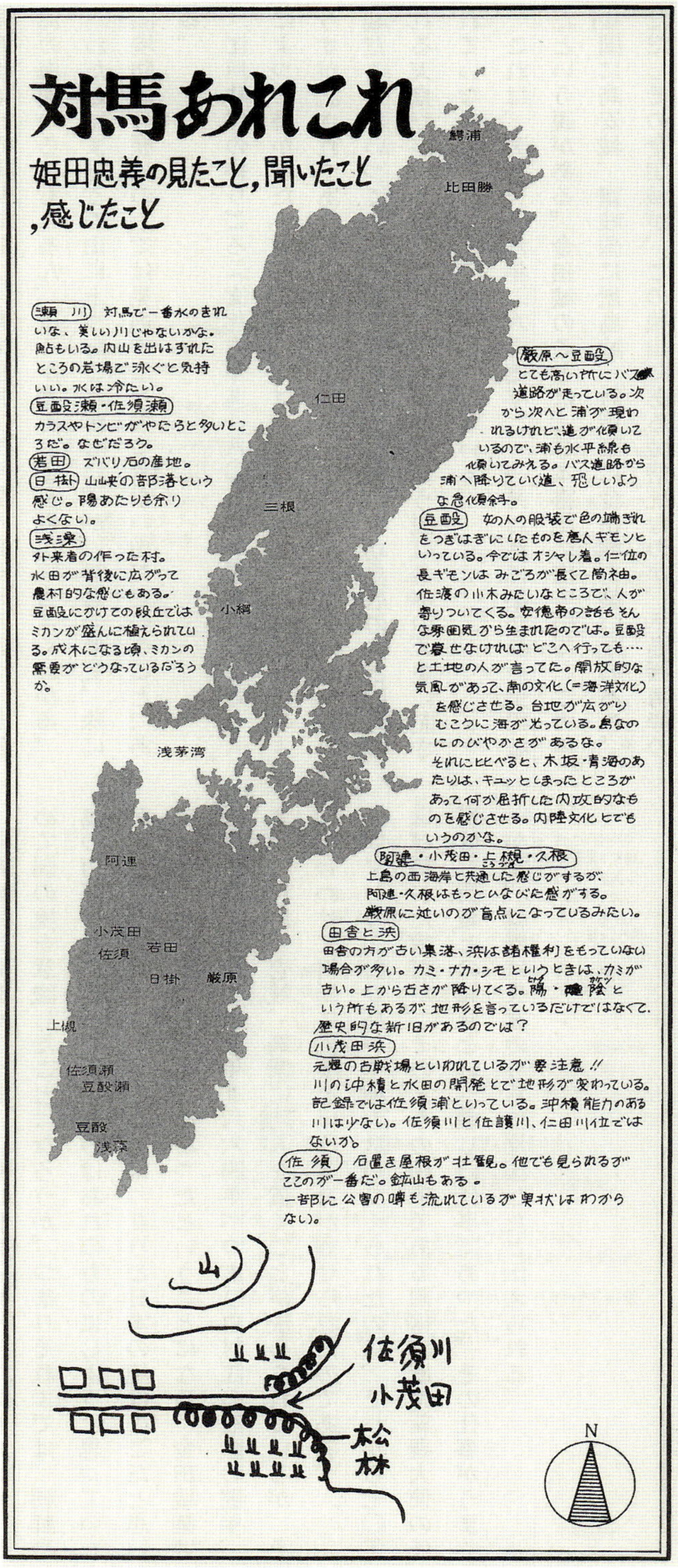

代には上島の方が暮しやすかったということなのであろう。地形から考えてもそれはうなづける。上島の山は下島の山より低い。従ってそれだけ海岸の湾入部などに、人間がとりつきやすい地形が多い。三つの貝塚のうち志多留のものは、湾入の奥の三つの川の合流点にできた扇状地の上。佐賀のものは、やはり湾入ぞいの傾斜のゆるい山裾。吉田のものもそれと似ている。こういう場所は、高い山が海に迫っている下島では珍しい。

こうした山の高さのちがいは、海から見るとよくわかる。下島の方は、それこそどっと山が海から立ち上っているが、上島の方はわりあい低い山がうねうね続いている感じで、下島のようないかつい厳しさはない。ただ残念なことに、こういう様子を見せてくれた海岸沿いの巡航船は、今はもうなくなってしまった。

西海岸の田里生崎《たりおい》から棹《そう》崎にいたる間は、海から切りたつ断層断崖になっていて、はるかな地質時代、それまでひと続きであった対馬と朝鮮半島が切れたときの、大自然のいとなみのすさまじさがありありと感じられ、初めてここを巡航船で通ったときは感激したものであった。

遺跡から出たもの　『新対馬島誌』には、志多留貝塚から出た貝や鳥獣魚類の骨の名が載っている。直良信夫博士の分類によるとあるが、当時の人のくらしが想像できて興味深い。獣類では、イノシシの一種、ニホンジカ、ドブネズミ、ナガスクジラ、マイルカなど、鳥類ではカモメの一種、魚類や貝類の種類はきわめて多い。貝類の中で最も多いのがウミニナとサザエであるが、これは現在でも対馬に多い食用貝類である。これらの他にも植物質の炭化したようなものがあるが、よくわからないということだ。

また吉田貝塚では、貝類の大部分がカキである。今でも三根《みね》湾（吉田はその支湾の奥にある）一帯はカキが大量に成育するところで、志多留や佐賀などとの立地条件のちがいがはっきりわかるということである。

対馬の浦々は、今でも貝や海藻に恵まれている。

浅茅湾から上島にかけてのあちこちの湾入の奥に、静かに浮ぶ真珠のイカダが見える。真珠もまたはるかな時代から伝えられている海の幸である。

浅茅湾の北側の豊玉村の玉は、真珠を意味するという。そして同村の仁位にある和多都美《わたつみ》神社は、海神《わたつみ》とその娘豊玉姫の住む「わたつみのいろこの宮」だったと伝えられている。浅茅湾内で最も深い入江である仁位浅茅湾の奥の水面に、この神社の鳥居が立っている。

縄文時代から弥生、そして古墳時代になると、その遺跡は対馬全域にあらわれるのだが、やはり下島に比べてはるかに上島の方がその数は多い。

縄文土器が塩壺に　縄文時代から弥生時代、古墳時代へ、そこには数千年の時間が流れている。現代までを数えれば一万年という時間だ。

ところが対馬を歩いていると、その数千年以上の時間がほんとうにあったのかどうかとまどってしまうようなことがしばしばある。

こんなことがあった。

第一回の対馬渡島のとき、仁位の南の卯麦《うむぎ》から山越えで上島西海岸の小綱《こづな》へ歩き、そこの観音寺というお寺に二日間泊めてもらったときである。或る人からこんな話を聞いた。

宅地の地名を通称カナクラという家の納戸に、明らかに縄文時代の土器があり、塩壺として最近まで使っていたという話が出た。いつごろからかわからないが、この辺りでは塩壺や茶壺は納戸のなかに置いて動かさんからずいぶん古くからだろうと言う。そしてその壺は、その家の桶家財道具《おけかせどうぐ》（家財道具）といっしょに誰かがすっぱり持って行ってしまったという。今のわたしならそれこそ根掘り葉掘りして聞き出し、その壷を追跡するだろうが、何せまだひとり歩きの旅をはじめたばかりで、しかも何が大事なことなのかも全くわからないころである。まことにあいまいな話の聞き方で終ってしまったが、しかし縄文時代が遠い時代だということだけは頭にあった。そしてその時代の壺が、博物館の陳列棚や写真本のなかではなく、家の納戸のなかに、しかも塩壺として使われているということに、何か言いようのないものを感じた。あえていえば時間が消え、縄文が今に生きていることの衝撃であろうか。

志多留の貝塚も、或る家の小屋の床下に掘ってある「いもがま」から発見された。

石と腰巻　小綱をはじめ朝鮮海峡に面した浦々では、昔から盛んに漂着物があったという。そしてそれを見つけたものは、その上に石を置いておく。するとそれはもう誰も他人は手をつけてはならなかったというのである。そういうことは、一体いつごろからはじまったことだろう。

石ではないが、女の腰巻を置くという話もある。クジラ獲りの話に関連してそのことが出てきた。小綱や東海岸の横浦などでは、昔は盛んにクジラが獲れた。志多留貝塚に出てくるナガスクジラだ。イルカも獲れた。小綱には、江戸時代末期から厳原の商人、亀屋のクジラ獲りの納屋があった。クジラ獲りの網の納屋である。海辺の山にある遠見壇（見張りの場所）からクジラ発見の報があると、男たちはいっせいに船を漕ぎ出す。誰の船でもよい、近くにある船に飛び乗る。そして船でクジラを囲み、湾内に追いこむ。退路をハリキリ網で遮断する。手編みの縄でつくった網だ。それで遮断しておいてクジラを陸に追上げる。一番銛は女がやる。両親がある妙齢の処女が襷《たすき》がけでだ。浜は戦争騒ぎ。多いときには一日に三頭も獲れたが、仕止めてから解体するまで何日もかかる。近隣の村からも山越えしてみんなやって来る。夜はかがり火を焚き、焼酎や御馳走の大盤振舞い。そうやって大馳ぎしながら解体し分配するのだが、そのとき女どもが肉片をかんだら（かっぱらい）する。区長などがそれを止めるが、それは役所に対するジェスチュアで、ほんとはおおっぴらである。お婆さんなんかは、自分の赤い腰巻をはずしてかんだらした肉の上に置く。すると誰もそれに手を出してはいけないのである。

自分の所有をあらわすのに、赤い腰巻きを置くのと石を置くのと、そういう習慣としてはどちらが古いのだろう。もちろん石の方が古いにちがいない。では、石を置く習慣はいつごろからのものだろう。

昭和33年（1958）7月

小屋とベー　室町時代に朝鮮人申叔舟によって書かれた『海東諸國記』には、対馬には八二の浦があると記されている。浦は集落のこと。そして今日見られる集落のほとんどが、そのころすでにできていた。

集落はいくつかの例外を除けば、山が迫った湾入の奥にある。海へ流れ出す川ぞいの狭い平地に家が密集している。対馬最北端の鰐浦は、そのいい例だ。細い川にそって道が浜まで下り、その両側に家が並び、浜にはベーと呼ばれる広場と、ベーを囲むように小屋の群れがある。

ベーは部落共同の作業場で、ワカメやイカなどを干すための干し棚が設けられ、等分に各家に割当てられている。小屋は、海産物や田畑の作物の貯蔵庫であるとともに、家財道具を納める倉でもある。湿気を防ぐために、三、四尺の高床になっている。屋根は、殊に中部以南では板状の石をのせた石屋根が見られる。小屋が密集しているのは、各家の敷地に余裕がないからである。

寄藻《よりも》の分配　対馬最北端の鰐浦では、こんなことも見た。毎年四月ごろ、ここでは磯の岩場に寄り着いている海藻を拾いあげ、半乾きの状態まで岩場に置いておき、後に畑へ運んで肥料にする。この肥料藻を採るのに「稼法規定」があって、各家に不公平がないように磯を割当て、二人以上に割当てられた磯では共同で藻を集め、「こっちんとがすこうしこめえばい」「あっちんとが多いばい」などと言いながら藻の山を平等に分ける。そして岩場にある小石を人数分だけ拾ってきて、それに堅い石で一、二、三、亖、などと掻き傷のしるしをつけ、それでくじ引きをして、割当ての藻の山を決める。平等に分けたのだからどれをもらってもいいようなものだが、わざわざ石のくじ引きをつくって決める。その後めいめい松や椿などそこらにある木の枝を折ってきて、藻の山のどこかに立てて隣の人のものと間違わないように目じるしにする。その一部始終を見ながら、わたしはひどく感激した。磯に寄りついた藻を共同で素手で集め、目分量で平等に分け、辺りにある石でくじ引きし、辺りにある木の枝で目じるしにする。こんな素朴な大自然の恵みの受け方があろうか。わたしはそう思った。そしてその木の枝の目じるしは、自分の所有物だと他の人に示すためだけではなく、むしろ自分自身の心覚えのためのものらしいということに気づいた。今、岩場に並んでいる藻の山は、やがてそれぞれの人が必要に応じてめいめい勝手に運んでいくので、どれが自分のものだったかわからなくなるおそれがある。そのときこれはわたしのものだとわかるし、それが石であっても木の枝であってもいいのである。

とすれば、小綱で聞いた漂着物に石をのせる話も、これはおれのものだ、誰も持っていってはならん、と肩ひじいからせて主張するためだけでなく、自分自身の心覚えのためのしるしだったと言えないか。そしてそれは、古い時代に遡るほどそうではなかったか。

これは、人間の所有観念の発生やその他さまざまな問題につながる。

時間が消えてしまう　木坂やその近くの青《おお》海《み》辺りでは、死者の遺体を埋めたところに石を積む。場所は、木坂では部落から山一つ越えた「ホリノダン」という浜の椿藪のなか。青海のは名前を聞き洩らしたがやはり浜。第二次大戦ごろまでは、浜そのものに穴を掘り、遺体をほたり込んだ（投げこむ）という。そしていずれも人はふだん近づかず、お盆などのお詣りをするのはお寺のカラムショ（この辺りでは墓地のことをそう言う）にある墓石である。遺体を埋めるところとお詣りするところが別だからいわゆる両墓制だが、埋めたところに石を積むのは何のためだろう。死者が自分で石を置いて居場所を主張するわけではないから、やはり生きているものの何か心ある仕業である。そしてそこへ置くまではただの石であったものが、だんだんと霊性を持っているように思われはじめる。生きているものにとっては全く不可解なものである死者の上にあるからだ。そしてそのことが、別に死者の上にあるのでもない石や岩にまで霊性を感じさせるようになり、いわゆる巨石崇拝や自然崇拝が発生する、などとわたしは考えるのである。漂着物の上に石を置いてこれには誰も手を触れられん、触れてはならんなどと考えるようになったのは、すでに石というものに或る種の霊性・霊力を感じている証拠であろう。石にそんなものを感じない現代の人間なら、置かれた石には目もくれず、ないしは無雑作にそれをつまみ上げてポイと捨て、漂着物が自分に有用なら勝手に持って行ってしまうはずである。

　人間の持つ信仰心や社会的約束事は、元をたずねれば、結局のところ人間の生と死の問題から出発しているにちがいない。生きているものが死んだものをどう考えるか、またやがて死ぬ自分をどう考えるか。すべてはそれからである。縄文時代の人もわたしも、その点は同じであり、彼らとわたしとの間にある時間は消える。対馬を歩くたびに、わたしはよくそう感じる。

タブーの地・茂地《しげち》　茂地のことも、考えさせられることの一つだ。

　茂地というのは、人が足を踏み入れてはならないタブーの地で、対馬中いたるところにある。場所的には、山あり森あり薮あり海辺あり、いろいろである。また茂地というのを、ただ茂といったり、タケ、ヤブサ、天道地といったりもするが、タブーの地だという意味で共通している。対馬へ渡るといつもお世話になる人に、厳原の醴泉院《れいせんいん》の和尚さんがいるが、その醴泉院辺りの地名は天道茂といって、天道地と茂地とをいっしょにした名である。厳原のような大きい町のなかにもそういうタブーの地があった。そしてそれら茂地の集点ともいうべきところが、下島の竜良《たつら》山や上島の天道山である。

　竜良山は、下島の南端部にそびえる。高さは五五九メートルだが、雄大な山容の山である。奈良時代に対馬南端の豆酘《つつ》に生れ、非常な霊力を発揮して都の人を驚かせた天道法師が入寂した山と伝えられている。彼は対馬に生まれた役《えん》の行者ともいうべき人で、対馬での信仰の集大成者であろう。竜良山はその入寂の地にふさわしい山岳の森林におおわれた霊山で、海までのびるその山裾一帯までも原始かっては茂地であった。

　竜良山頂から真南にある浅藻《あさも》の浜は、もとは卒土《そと》の浜と呼ばれ、人が立入ってはならない霊界の入口とされていた。現在の浅藻部落は、明治以後対馬に渡ってきた広島県の人たちが、昔から対馬に住んでいた人たちの強い反対や圧力に抗しながら開いたものである。戦う相手は在来島民だけではなかった。古来人の手が入らなかった浜の海には、船の出入りを妨げる石や岩が積っていて、それを取除くのに浅藻開拓の人たちは非常な苦労をしている。つまり卒土の浜の自然そのものも、非常な障害だったわけである。竜良山の北麓には、第二次大戦後入植した開拓部落があるが、そのあたりもいたるところ岩盤が露出していて、開拓の人たちの障害となった。わたしがそこを通ったのは、一回目の渡島のときだが、竜良山の山頂付近を残して見渡す限りの山の斜面の木が伐られ、その伐り株の間に露出する白い岩頭の群れが異様であった。そんなところに開拓の人たちは田をひらいていたが、そのあたりもまた昔は立入るべからざる茂地だったのであろう。

　浅藻開拓をはじめ、山麓山腹一帯の開拓開発によって、竜良山の原始林はもうほとんどなくなってしまった。が、

昭和39年（1964）10月

昭和33年（1958）7月

昭和33年7月

対馬は山国　対馬は山国である。田が少なく、古くから山で盛んに木庭作（焼畑）が行なわれていた。木庭作を荒らす猪も非常に多かったが、江戸時代の中頃に陶山訥庵《すやまとつあん》の指導で約八万頭の猪を獲ったため、対馬には猪がいなくなった。訥庵は生産力の低い木庭作から常畑への転換や、さつまいもの導入など対馬の自給自足を計ったが、しかしすべての作物を合わせてもなお、対馬に必要な食糧の三分の一を自給できるにすぎなかった。

対馬の山が大きい稼ぎを生み出すようになったのは、炭焼きが盛んになった第二次大戦後である。炭焼きのために何千人もの朝鮮人が対馬へ連れて来られたりした。

奥深い山から焼いた炭を運び出すのは馬、対馬の馬は、体は小さいが力が強く、またねばり強い。炭俵を四、五俵背中に積んでピョコンピョコン兎が跳ねるように急な山坂を上がったり、炭俵を運んだあと、女を乗せて山道を帰る馬の姿は、以前は

昭和36年3月。仁田。古種の対馬馬を引く。

昭和36年（1961）仁田。屋根に頁岩をのせた倉。

昭和36年3月

昭和36年3月。美津島町鴨居瀬。たった一ヵ所の協同井戸。

どこでも見られたものだが、最近はめっきり少なくなった。昭和三〇年代の後半から炭焼きが激減したからである。対馬中でくらしていたたくさんの朝鮮人の姿もめっきり少なくなった。

炭焼きや第二次大戦後の乱伐（杭木やチップ材のため）によって、昭和四〇年代までの対馬の山は裸山が多かった。その山にヒノキやスギ、或いはクリの木が盛んに植えられている。

鶏知《けち》町のはずれにある農業伝習所では、若い青年男女が山へのクリの植林や新しい園芸農業の実習に励んでいた。また椎茸の栽培も全島の山で盛んになっている。

対馬は水の乏しいところが多い。保水力の乏しい場所が多いのだが、簡単水道が普及したので苦労の多い共同井戸の水汲み風景は見られなくなった。板状の石を屋根に置いた小屋や、テボ（背負いカゴ）を背負った労働者姿の人の姿は、今も昔の面影を色濃く残している。

茂地としての竜良山に対する古い信仰心は、まだ残っているようである。

堆積する時間　昭和三五年（一九六〇）に対馬で発刊された『対馬雑記』（津江篤朗氏編集）の創刊号に、厳原町安神《あがみ》部落での「オタケサマ」の行事について日野義彦氏のレポートがある。安神は、竜良山東麓の海辺の部落だが、そこの本戸二四戸で伝えられている行事である。三年目ごとの旧一一月一六日（カネツケの日）の翌日に行なわれる。カネツケは、今ではあまり行なわれなくなっている昔の女の成人式で、その翌日に竜良山の神様（女の神様）をまつる行事があるというのがおもしろい。ただし行事は、男だけで行なわれる。女の神様は嫉妬深いから、とここでも言う。厳重な禁忌を伴った準備の後、当日になると、早朝の海でみそぎした男六人が「オタケサマ」に向かう。六人というのは、この行事が本戸二四戸を六戸ずつ四組に分け、各組順まわりに三年目ごとに行なわれるものだからである。ひとまわりするには一二年かかるわけだ。

さてその六人が、竜良山につづく三角山（四〇〇メートル）にある「オタケサマ」の祭壇に向かうのだが、そのうち三人は途中の「メシタキ壇」に留まり、他の三人だけが「オタケサマ」まで上る。これから先は、この三人以外は誰もついて行くことができない。頼んで頼んでやっと同行を許された日野氏も、「メシタキ壇」で止められている。「オタケサマ」には、高さ一・五メートルほどの東向きの石祠があるという。三方を平たい石で囲み、上をやはり石の板でおおった石祠である。そしてここで、まず石祠のまわりの草を持参したナタでなぎ払う。ナタを使うのは二人。祠の前から左右へ別れて草をなぎながら進み、石祠の後で出逢うとこんどはお互いに後向きになってなぎながらもとへ戻る。全体に石祠を中心とした円形に、草をなぎ払うというのである。これを「キリコゲ」をつくると言い、その後に御幣と米と赤飯を供え、祝詞をあげるのだが、その「キリコゲ」の形がおもしろい。石祠を中心とした円形、ということは、先史時代の竪穴住居の形だ。そして円形の真んなかにある四角な石祠は、いろりの位置になる。

行事はこの後、「メシタキ壇」まで三人が下って、そこで炊かれている米の飯と酒、ブリの串焼きで宴があり、さらに部落の河原に下って部落の男たちとの素朴な饗宴がある。日野氏はこの河原の宴を、古事記にある神々の天《あめ》の安《やす》河原の集いを想起すると言われるが、その状景の古風さもさることながら、わたしは「オタケサマ」で「キリコゲをつくる」ことに最も強く心をひかれる。それは何を意味するのだろうか。わたしは、鬱蒼とした樹木の茂る原始の山で、木を伐り草を払い素朴な竪穴住居をつくって住んだ、はるかな時代の人の姿を、神様ではない人間の姿を、人間のいとなみを想起する。そしてそういういとなみを再現し、先人をおし包んでいた大自然の雰囲気を自分たちも感得することによって、ふだん忘れがちな自分たちの生活の場や生存条件を深く顧みる。それがこの行事の意味ではなかろうかと思うのである。

茂地は、ふだん人が立入るべからざる神聖な霊地であった。対馬には、その茂地がやたらにあった。ということは、神社だ、お神楽だ、民俗芸能だと騒がれることのない全く素朴な、ひそやかなまつりが、対馬中で行なわれてきたことになる。

　対馬には、古い神社が多い。その神社が古いか新しいかをいわれる場合に必ず引き合いに出される延喜式《えんぎしき》の神明帳（延喜式の完成は延長五年＝九二七年）には、上県郡（上島）一六座、下県郡（下島）一三座、計二九座が記されている。奈良や京都など、当時の日本の中心地に比べればそう目立って多くはないが、九州の国々と比べれば断然多い。そしてそれらの神社は、海神系統、八幡系統、天神系統などに分類することができ、またそれによって対馬に住みついた人びとの系統をうかがい知ることができる。ごく大まかに言うと、海神は海人族（安曇《あずみ》族）、八幡神は焼畑民族、天神は稲中心の農耕民族が奉じた神と考えられるからだ。そしてそれらの神社の付近の山や森林は、殆んど例外なくかつては茂地であった。天神系統に一応分類されている豆酘の多久頭魂《たくつたま》神社、久《く》根《ね》の都々智《つづち》神社、豊の島大国魂《しまおおくにたま》神社、佐護の天神多久頭魂神社、小鹿《おしか》の那須加美乃金子《なすかみのかねこ》神社などはいずれも対馬でこれという山岳を神体とした神社で、それぞれに竜良山、矢立山、仁田岳（御嶽）、天道山、三浦山という神体を持っている。いずれも、天道法師などの登場によって対馬における山岳信仰の霊地となった山々だが、それらの山々をふくめて対馬の茂地信仰といえよう。

　茂地、茂、タケ、ヤブサ、天道地などと呼ばれるこの茂地信仰は、朝鮮半島南部のタカチ（タケに対比）、北九州のヤブサ、沖縄のオタキの信仰に共通しているという。

　最後に一つだけわたしの疑問を記しておきたい。それは、茂地と縄文時代遺跡とが重なっているところが沢山あるということだ。最もいい例が、上島の志多留だ。

　志多留の貝塚は、ある家の小屋の床下に掘られた「いもがま」から発見されたが、そのあたりは昔は天道様の茂地で、今の部落ができたのは江戸時代の末期だったという。神秘的な自然崇拝の場所だとされているところに縄文時代の人の居住址があるというのは、いったいどういうことだろう。

　茂地は対馬防衛のために宗氏の政策によってつくられたと言う人があった。茂地を天然の障壁にしようとしたというのだが、そんなに新しい発生のものだろうか。もともとは筑前（福岡県）を本拠にして惟宗《これむね》氏を名のっていた宗氏が対馬へ渡ってきたのは、鎌倉時代の寛元三年（一二四五）である。

鰐浦の変化

国境を前に　対馬へ渡るたびに、わたしは最北端の部落である鰐浦へ行く。五回の渡島のうち行けなかったのは一回だけだ。ここからは朝鮮半島が近々に見え、しかも李ライン時代には李ラインに最も近い場所だったからである。そのころ、ここには国境というものの実感が最も強くあった。

　ふだんわたしたちは、国境というものをほとんど意識しないでくらしている。頭のなかの観念はともかく、外国を毎日目で見、それとの関係を絶えず意識することがないからだ。

その点ここの山からは、朝鮮半島の釜山《プサン》辺りが肉眼でもよく見える。ここから釜山まで海上一八里(七二キロ)。昔の五丁櫓から七丁櫓の船で八時間、一二ノットの船で三時間半である。朝鮮戦争の一時期、戦場が釜山周辺に移って第二のダンケルクかなどといわれたことがあったが、そのときは鰐浦の頭上を米軍機が激しく行き交い、釜山辺りでの砲爆撃音が殷々と聞えて来たという。

砲爆音は止んでも李ラインは残った。

李ラインというのは朝鮮戦争がまだつづいている昭和二七年(一九五二)一月、当時の李承晩韓国大統領によって一方的に設けられた国境線で、対馬のすぐ西側の海、鰐浦辺りでは陸地から一里先を走っていた。海峡一八里中の一里沖に、である。解消されたのは、昭和四〇年(一九六五)の日韓会談。

「ここは、半農半漁というても漁業中心の部落です。それが一八里中一里の沖にラインが走っとるとですから、漁にも出られんです。ヨコア(カツオ)のときが一番困ります。ヨコアを追うて沖に出にゃでけん(ならない)ですから。それにサバは、集魚灯をつけにゃでけんですから危のうて。韓国の警備艇は灯を消して近寄って来っとです。こっちがラインを越えとらんでも撃って来っとです。

ありゃ海賊ですばい。

日本の警備艇は、吹流しを上げたり黒煙を流したりして知らせてくれるです。無線も組合の事務所に入ります。

けんど鰐浦の船にゃ無線を受ける装備なんぞないし、向うの船影が見えればもうでけんです。船足がちがうとですから捕まります。

幸い鰐浦の船にゃ捕まったもんはおらんが、みんな戦々恐々ですたい。

わしらは韓国に馬鹿にされとります。武器がないとですから。日本にゃ武器はいらんなんちゅうもんはわしらは信用せんです」

鰐浦の漁業協同組合の事務所で、幹部の人と逢ったときの話である。

これは少し後のことになるが、北海道東端部の納紗布《のさっぷ》岬でも同じような状態があることが、新聞やテレビで報じられるようになった。コンブ漁に出る漁船が、ソ連警備艦に追いまさわれ、拿捕されるものが相つぐという事件である。その報を聞きながら、わたしは思った。北海道の漁民は、遂に一言も「日本に武器がないからソ連に馬鹿にされる」と怒りの言葉を投げつけたことはない。これはなぜだろう。相手の力がちがうからか。それとも対馬と北海道の人の物の考え方のちがいか。

「これでいいの会」 三年後、再び鰐浦を訪ねたわたしは、雰囲気がだいぶちがっていることに気づいた。話を聞いたりしたのが、主に二〇歳代の青年たちであったこともある。李ラインを嘆いたり怒ったりする言葉がほとんど聞かれなかった。

二〇才歳の青年七人で、「これでいいの会」という会をつくっていた。青年たちは言った。「李ラインは困るです。けんど嘆いてばっかりはおれんです」。彼らは結束して、鰐浦の漁業や生活の改善に乗り出していた。その手はじめに、前年（昭和三五年）一二月から、それまで鰐浦からはボツボツ個人的にしか出て行かなかった対馬海峡でのイカ漁に、部落共同の仕事として出かけるようにさせた。「イカの共同」と彼らはそう呼んだが、これは一つの画期的な出来事であった。専ら朝鮮海峡（李ラインの海）に向いていた鰐浦の人の目を対馬海峡に向けさせたこと。今ではこれは当り前のことになっているが、当時としては大きな意識の変化であった。

対馬の東の対馬海峡は、北海道と並んで日本の二大イカ漁場の一つである。毎年漁期になると、北九州から北海道にいたる日本各地から漁船が集まり、それらが灯す強力な集魚灯の列が対馬の東の海に不夜城を現出する。初夏から夏いっぱいの夏イカ、一一月から春先にかけての冬イカ。ところがふしぎなことに、昭和二〇年代のおわりごろまでは、対馬の人たちはイカ漁に余り積極的ではなかった。たとえば対馬東海岸の中央部にある鴨居瀬《かもいせ》は、今ではイカ漁にほとんど全力投球して対馬漁場中央部の拠点になっているが、少なくとも昭和二八年ごろまではそうではなかった。漁らしいものといえば、昔からの雑魚の地曳網やイカの一本釣りぐらいのものであった。ところが北海道からやって来た船は、海に下した釣糸を一本一本手でたぐり上げる一本釣りではなく、手まわしではあるが糸を捲き上げる捲上機を使っていた。また集魚灯は発電機を使った電灯で、石油ランプを使っている対馬のものとは格段のちがいがあった。獲るイカの量も、鴨居瀬の人は一日三〇〇〇匹も獲れればいい方だったのに、北海道の船は一万匹は獲った。鴨居瀬の人たちはショックを受けた。そして昭和三〇年（一九五五）ごろから北海道のもののように切かえて行った。漁具漁法を切かえただけではない。対馬海峡に対する姿勢を切かえて行ったのである。電灯の集魚灯にいち早く切かえたのは塩浜の漁師で、昭和三八年ごろだという。イカの大漁場を目の前にした東海岸でもそんな状態であった。まして鰐浦は、朝鮮海峡に目を向けた村であった。

　それともう一つ、鰐浦にはフノリ、ワカメ、ヒジキ、ウニ、アワビなどの磯のものがあった。特にウニは質量ともに対馬随一といわれていた。また、それらのなかで稼ぎ頭は、当時までは糊の原料になるフノリであった。そのフノリが、昭和三〇年ごろから進出しはじめた化学糊に押され、値段も需要量も急激に悪化して行った。「これからは食用海藻でなけりゃでけん」そういう声が切実なものとして出て来た。李ラインには出られん、磯のものも頭うちだ。そこで青年たちは、ワカメの養殖の実験をはじめた。天然のものに頼っているだけでは、鰐浦は助からんと考えたのである。磯を洗い、種をつけ、月に三回の水温調査をまず一年間欠かさなかった。青年たちは、本戸《ほんこ》の長男たちであった。長男が第二次大戦で戦死したため家を継がねばならなくなっていたものもいた。一家の稼ぎや部落での行事や用事がすべて彼らの肩にかかって来ていた。本戸の後継ぎには、自分たちのための時間の余裕などほとんどない。そのなかで、彼らは連日水温調査やワカメの発育状態の観察をつづけ、夜は夜で九時一〇時ごろから深夜まで、ワカメのことやその他諸々のことを語りあった。

　彼らの会合場所は、部落内にある宝蔵寺という無住の寺のいろり端であった。裸電球が一つ。わたしはその暗いいろり端で二晩、彼らの話合いを聞いた。彼らより若い青年団の人たちの話も聞いた。数人の女子青年を除いて、その人たちも本戸の後継ぎであった。

　本戸というのは、宗氏時代からの旧家で、部落共有の磯（或る部落では山林も）の使用権利を持つとともに、部落共同体での諸義務を負っている家である。一方寄留は他からの移住者で、本戸の持つ権利義務関係の外にある。この本戸寄留という伝統的な社会制度が、今でも対馬の集落での生産や社会生活の根強い背景をなしている。鰐浦の場合は、本戸が五三戸で、李ライン時代は寄留が数戸。最近は、寄留が若干ふえているようだが、しかし、まだ圧倒的に本戸が多いのである。

　今年の四月、久しぶりに鰐浦を訪ねると、宝蔵寺の建物はなくなり、そこに鉄筋コンクリート二階建の立派な住民センターができていた。鰐浦は、かつては対馬のなかでも最も僻遠の地とされていたところである。その鰐浦に、対馬北部ではトップを切って生れたこの住民センターは、鰐浦の人たちの積極的な運動の結果できたものだという。「どうです。ええとこでしょう。もうあんな煤ぼけたいろり端でなしに話ができるし、泊ってももらえますばい」かつての青年の一人が言った。よかったですね、わたしは答えた。が、あの宝蔵寺のいろり端も懐しかった。ややもすれば暗く沈みがちだった李ライン時代の鰐浦の姿、というより七人の青年たちの青春の姿が、そこで強くわたしの脳裏に焼付けられているからである。

　鰐浦の浜には、ベーと呼ばれる作業広場やそれに沿って建ち並ぶ小屋（倉）の群れがあって独得のたたずまいを見せている。そのベーや小屋をはじめ部落内のいたるところに、みずみずしいワカメの色と強い香りがあふれていた。養殖実験は、見事に結実したのである。そしてそれは、今では上対馬町一帯にひろがっていた。

内陸部落・内山

ヒトツバタゴの寒さ　鰐浦は、天然記念物のヒトツバタゴの自生地である。主として部落の背後の斜面にあって、春五月、真白な花が咲くという。

　ヒトツバタゴは、地質時代には、西日本一帯から朝鮮半島、中国にかけてあったといわれる植物で、日本では木曽川流域に若干残っただけでいったん絶滅したらしい。それがまた何らかの理由で後に再び鰐浦付近に自生しはじめたらしいが、幹の膚がやや白味を帯びた細身のこの灌木の林は、殊に葉を落した冬は寂しい。

　そしてその冬から早春にかかる膚寒いころの朝、鰐浦の部落のある谷から海に向って、寒けぶりと呼ばれる冷たい霧が押し出し、扇のように海面にひろがる。対馬北部一帯に見られる寒気流で、殊に鰐浦はそれがきわだって見える。それだけ寒いのだ。ヒトツバタゴの自生も、その寒さと無関係ではあるまい。

　鰐浦では、そのヒトツバタゴをナタオラシという。鉈が折れるほど堅いという意味だそうだが、また鉈が折れるほど伐りまくった時代があったことがこの名から想像される。もちろん薪にするためで、或いは塩をやくこともあったかもしれない。対馬東海岸には塩浜という地名もあり、また浅茅湾北岸の仁位の和多都美神社にまつわる海宮《わたつみ》神話にも塩椎神《しおつちのかみ》が出て来る。

　同じ対馬でありながら、南端部の豆酘や浅藻はぐっと南国的である。平均気温で二度、花の咲く時期では一ヵ月のちがいがある。そして樹木も、竜良山の中腹以下から海岸地帯にかけてはシイ、モッコク、イチイガシ、サカキ、ツバキなど暖帯性の常緑広葉樹が濃い緑を見せている。ツバキの木は鰐浦辺りにもあることはあるが、花が小さい。最近豆酘や浅藻では山へはい上るみかん畑がつくられている。

冗談にも暖かさが　緑の濃さのちがいは、人の気風をもちがわせるのだろうか。こんなことがあった。はじめて豆酘を訪ねたとき（一回目の渡島）である。このときは、豆酘から竜良山の西側を越えて内山という対馬で唯一つの内陸部落へ歩き、それから北へ日掛へ越え、日掛から士富《しとみ》、佐須、そして西海岸の小茂田へと歩いたのだが、これから内山へ行くと豆酘の人に言ったらその人が「山で女に逢ったらこう声をかけられるぞ。今日は馬か牛か、とね」と言った。何のことが分らないでキョトンとしていると、「馬のひづめは一つ、牛は二つ。つまり今日は一人か二人か、という意味たい」と言う。なおわからないでいると、ハハハと笑って「あんたは結婚しとるか」と聞く。まだだと答えると、「そうか。それじゃ、ずっと馬じゃと言え」と言った。ははあ、とそれでわかった気がしたが、何かそれだけで胸がドキドキして来た。山道を登り、豆酘辺りの海が見えなくなるまで、山のなかからいつ声をかけられるかいつ声をかけられるかと思っていた。幸か不幸か、声もかけられず、半ば失望しながら内山へ越えた。そんなあけすけな軽口を聞いたのは、豆酘だけであった。

対州馬の強さ　内山はまわりを、対馬で最も高い矢立山をはじめ竜良《たつら》山、萱場山、舞石《ぬえし》ノ壇山など五〇〇メートルを越す山々で囲まれた盆地状のところで、対馬では正に別天地である。

盆地のまんなかを、周囲の山々からの水を集めながら西へ向う瀬川という川が流れている。上島の佐護川、仁田川などとともに対馬で指折りの清流だ。水は透みきって冷たい。その瀬川の渕で泳いだ。内山の子どもたちと一緒だ。彼らはふりちん。唇を紫にしながら、それでも水から上らなかった。渕に張出した大きく平たい岩の上で寝転び、空を見た。空は青く、これも透みきっている。水面にひびく子どもたちのかん高い声や飛び込む水音が、ひどく遠い彼方のもののように聞える。内山をとりまく山々。対馬の山が、こんなにおおらかに眺められる場所は、他にはまずない。

もちろんその山に足を踏みこめば、たちまちその厳しさを思い知らされる。翌日、内山の人に連れられて山へ登った。その人の炭焼き竈へである。草をかき分けながらゆっくりと山道を登った。わたしが先に立った。そしてヒラクチ（まむし）に出逢った。その一、二歩手前だったが、わたしは気づかなかった。すぐ後にいたその人が、とっさにわたしをつかまえ、後へ引き飛ばすと同時に、杖にしていた木の枝で無二無三、道を打ち、道に沿った草むらを打った。一瞬、逃げるそれの姿を見たように思ったが、しかしすべてがあっという間の出来事だった。わたしはふしぎだった。後にいた人が、なぜそれのいることがわかったのか。わたしには、その人の「聡さ」がふしぎだった。

炭焼き竈に着くまでに、こんどは馬に逢った。白い手拭いを姉さんかぶりにし、黒い手甲をつけた女を乗せていた。体の小さい対州馬（対馬在来の馬）であった。「やあ、お疲れでしたろう」確かそういう意味らしいことをその人が言った。「ああ」女は一言そう答え、大したあいそもないままゆっくりと下って行った。あの人はどこへ行っていたのか、わたしは聞いた。「厳原です」とその人は答えた。「炭を運んで行ったとです」そうつけ加えた。

対州馬は、体は小さいが力は強い。炭俵を四俵から五俵背中に乗せて、急な山道でも勢よく上り下りする。その馬も、今朝早く内山を出て、山越えして厳原へ炭俵を運んで来たのだ。そして帰りは、炭俵の代りに、自分を曳いて行った女を乗せて来た。往復に一二時間はかかっただろう。

寄留者のくらし　内山は、半農半炭焼きの村だが、収入が多いのは炭焼き。男が炭を焼き、女が馬を曳いて厳原まで売りに行く。厳原でその姿を見たことがある。内山の戸数は、当時（昭和三三年）本戸が二三戸で、寄留や分家を合わせると三〇数戸。本戸の数に対して寄留や分家の割合が多い。わたしを案内してくれた人も寄留者であった。田畑は少なく、田は収量が少ない。水が生きている（冷たいということ）し、土も赤土の粘土質でよくないからだ。平均でいえば反当一石ぐらいで、全国平均の三分の一ぐらいだという。しかも前年（昭和三二年）は完全な不作で、収穫ゼロに等しく、配給米をとらなかった家は一、二軒しかなかった。勢い炭焼きに頼っていて、当時は各戸平均一竈は持っていた。そして馬は各戸平均二頭。ただし馬を持たない寄留者が何軒もあって、その人も持っていなかった。

その人は、山林も田畑も何もなく、本戸の人の山を借りて炭を焼いていた。材料の木も炭俵も縄もすべて金を払って買わなければならないし、馬も借りなければならない。家も、雪洞庵という廃寺を借りていた。わたしは二晩そこに泊めてもらった。内山には、その前年に電灯がつくようになっていたが、その人はランプ生活であった。家族は、奥さんと小さい子どもが確か五人。陽が暮れないうちに、奥さんは子どもたちをせかして夕御飯を食べさせていた。ランプをつける時間を少しでも短かくするためであった。夕御飯を食べると、子どもたちはすぐに寝た。なかには、御飯をほおばったままコックリコックリしはじめ、とうとうそのまま寝入ってしまった子もいた。

「わたしはね、炭で稼えで、早よう内山を出ようと思うとります」貴重なランプの灯の下で、わたしは夜おそくまでその人の話を聞いた。生れは内山だが、長男でないため、小学校を出ると内山を出た。大船越で手広く荷物運搬業をやっているところで働き、番頭にまでなった。が、ある事情でそこをやめ、内山へ戻って来た。山はもちろん家も馬も炭俵も縄もすべて借りたり買ったりしなければならない寄留者のくらしは厳しい。「炭で稼えで、早よう厳原へ出ようと思うとります」その人は何度もそう繰返した。

三年後（二回目の渡島のとき）、その人は厳原に出て、元気に魚屋をしていた。そしてその三年後（三回目のとき）、その人は亡くなっていた。奥さんに逢った。苦労しながら死んでかわいそうだと奥さんは泣いた。

宗氏との関係　その人たちが借りていた内山の雪洞庵は、宗氏初代の主、重尚《しげひさ》の菩提所だったお寺である。また内山の北側の山の中腹にある木武古婆《きぶこば》神社は、重尚の霊をまつっている。静かな木立ちのなかにひっそりと鎮まっている神社で、おもしろいことに拝殿の後のふつうなら本殿のある位置に屋根のない高い石垣の囲いがあり、そのなかに小さい、しかし形のよく整った実に気品のある宝篋印塔が一つ、苔むしてある。それが重尚の墓石だというが、厳原の万松院の墓所に並んでいる巨大な宝篋印塔群にくらべて、何と親しみのあることか。内山は、重尚の隠居の地だと伝えられているが、いかにもそれにふさわしいひそやかなたたずまいの墓石である。が、それにしてもふしぎなのは、この神社の名前である。木武古婆という名からは、木場作《こばさく》（対馬では焼畑のことをそう言う）に関係のある神様を連想するが、それと重尚とどんな関係があるのだろう。

重尚はまた、源平合戦のとき壇の浦で二位尼に抱かれ

対馬に生きる顔　対馬の海辺や山の村には、厳しい自然とたたかいながら生きつづけて来た人たちの、深い年輪を刻んだ顔がある。

　ある人はわずか七、八歳のころから漁師として生きつづけ、ある人は、一七歳から六〇年間炭焼きとして生きた。またある人は第二次大戦中満州の開拓地で妻を失い、故郷の村のそばの小さな無人島に住んで、娘三人をひとりで育てた。故郷の村には、本戸寄留という旧来の社会

昭和45年（1970）10月（この頁、同じ）

昭和36年（1961）3月

制度が根強く残り、二男であった彼は、自ら望んで不便な小島の端に自分で家を建て、娘の成長にすべてをかけたのである。

そして彼、もともとは福岡県の人である。一〇歳代でアメリカに渡り、ロッキー山中でカウボーイ生活をつづけた後、第二次大戦中に帰国し、戦後対馬北部の佐須奈の山中に入った。かつては炭焼きの人しか入ったことのない山奥だが、彼は家族とともに道をつけ、木を植え、見事な牧場をつくり上げた。対馬の山が、こういう姿になりうるのは、在来の島民は夢想だにしなかったことであった。

対馬の女は、またすばらしい働きものである。「牛になるなら鰐浦の牛になれ」、鰐浦にはそういうことわざがある。陸上での労働の主力が女であったことが、このことわざの裏に隠されている。

て入水したとされている安徳天皇を対馬に迎えた人だと伝えられている。つまり安徳天皇は、壇の浦で亡くなったのではなく、対馬で育ち亡くなられたと対馬の人は言うのである。内山から西へ山を越えると久根田舎《くねいなか》という部落があるが、そこが安徳天皇の皇居の場所と伝えられ、内山という名や内山から南へ山を越えた海岸にある内院という部落の名も、それに関係のあるものだといわれている。

　内山から厳原へ越えて行く山道は、内山の人と馬の汗とあえぎの歴史がしみ込んだ嶮しい道であった。ところが、最近は、それを通らなくてもすむ自動車道路ができた。厳原、豆酘間のバス道路の途中にある安神部落のバス停付近から内山へ越えるもので、内山へ入るのもまったく楽になった。今年の四月、厳原の人の車でその道路を越えさせてもらったが、あれよあれよという間に峠に上ってしまった。峠から見る内山の姿にも変化があった。盆地そのものの地形には変りはないが、周囲の山の斜面の色が変ったのが特に目についた。かつては炭焼きの煙があちこちから上っていた山の斜面が、ほとんどヒノキやスギの緑に代っているのである。炭焼きから林業へ変りつつある姿が一目で看取できたが、しかしやはり内山は内山、対馬の別天地の感じは失なわれてはいなかった。

やはり国境なのだ

放してやれば…　内山でお世話になった人は、実は韓国からの密輸か密航に関係して仕事に失敗し、親元の内山に一時引きこもったのだということを後に聞いた。李ラインは、思いがけない人をもその渦中に巻き込んでいたのである。

　いや、そういうわたし自身、はじめての渡島のとき、上島西海岸の佐護の山で密航者に間違えられ、山から里まで下ろされたことがあった。山へ登って西海岸の断崖の上へ出ようと思ったのだが、ちょうどその前夜、一〇人ほどの韓国からの密航者が断崖海岸に上陸したらしく、警察や地元の人が山狩りをしていた最中だった。縄で縛ったボロ靴をはき、汚れたリュックを背負って汗みずくになってボソボソ山を歩いているわたしが、その人たちにはよほどうさんくさかったのだろう。わたしの顔は、朝鮮系よりむしろ南方系だと思っているのだが、それはどうも通用しなかった。

　捕まった人も見た。まだ若い女の人で、疲労と空腹で青い顔をしていた。捕まったときは、山のなかにうずくまっていて、猛烈に泣き叫び、暴れたそうである。わたしは、放してやればいいのに、と思った。

　対馬へ上陸して捕まった密航者のことは、対馬のあちこちで聞いた。そしてその度にわたしは思った。警察はともかく、地元の人はなぜ見逃してやらないのだろう。たぶんそうした人もいただろうけれど、そういう話はついに聞かれなかった。対馬の人は、密航者のことを捕まえるのが当り前と思っているのだろうか、それとも何かへの遠慮があって、たとえ自分が見逃したことがあってもそれを話さないのだろうか、そう思ったことであった。

花ちらしの日に　しかし、そういう思いも、わたし自身の記憶のなかでも遠い昔のことのようになっていた。ところが、今年（昭和四八年）の三月、つまり五度目の渡島の直前に、テレビで韓国からの密航者が厳原に上がって捕まったことを知った。四月に対馬へ渡り、早速厳原の新聞社へ行ってみた。記者の人たちは留守で、そのときの新聞だけを貰って帰ったが、今日は帰りの船に乗るという日、醴泉院の壇徒の人から、その夜のようすを聞くことができた。その人の家は、現場に近い山にある農家で、夜おそく（一〇時ごろだったか）大勢が叫ぶ声が聞え、何事かと思ったという。しかしその人は、家の外へ出てようすを見ることはしなかったようである。

その話を聞いたのは、三日日《みつかび》の山遊びに、醴泉院の和尚と子どもさん、壇徒の人たちといっしょに、与良崎《よらざき》の辺りを見下す山で酒宴をひらいていたときであった。対馬の村々では、今でも旧暦三月三日を三日日といって春の節句の祝いをする。子どもたちに酒と御馳走を持たせて遊びに行かせるのである。昔はほんとの酒を持たせたそうだが、今は白酒（甘酒）にしているようだ。厳原などの町場では、家のなかにお雛さまをかざることはやっても、三日日の子どもたちの遊びはなくなったようである。翌四日は、「花ちらし」といって、これは大人たちもいっしょの遊びの日である。近くの山や海辺へ行って宴をひらくのだが、ちょうどこのころ桜の花が満開である。曲の人たちは早朝から白獄へ登ったということであったが、わたしはその日の午後の船で対馬を離れねばならないので、一番近い厳原の人の「花ちらし」に加わった。上天気に恵まれ、一望の対馬海峡を見下しながらの宴であった。そしてその席で、密航者の話を聞いたのである。心のどこかに、いつまでもそのことがわだかまっていた。

曲という村　厳原のすぐ北方に、曲という部落がある。対馬で唯一の海女部落である。

言い伝えでは、筑前（福岡県）鐘ヶ崎の海士が七艘の船で壇の浦の戦場から安徳天皇の一行を対馬まで送り、そのまま住みついたのが曲だといわれている。そして宗氏時代は、毎日四匹のアワビを宗氏に献ずることで、対馬一円の海での操業を許されていた。江戸時代の終りごろ（天保年間）厳原の亀屋が鯨捕りをはじめたとき、曲の男は、そのハザシ（船頭）になったが、部落としては土地を与えられていなかった。

対馬ではここ以外に見られない特異な待遇のされ方で、曲の人も別に土地を欲しいとはいわなかった。曲の土地は、小浦の所有地であった。これが今日まで曲の人を困らせる大きい原因であった。明治時代になって宗氏から与えられていた特権がなくなったからである。明治三三年（一九〇〇）に漁業法が制定されたが、その三年後、曲が対馬で最も早く漁業協同組合をつくったのも、漁業法制定という新しい時代の動きに曲が一番敏感だったからである。それでもその後二〇年間は、従来の慣行権が認められていたことと、対馬の浦々の人がまだ本格的な海への関心を持っていなかったために、曲と各浦々の人とのあつれきや衝突は少なかったという。

大正から昭和にかけて、対馬の人びとは次つぎに朝鮮へ出て行った。明治四三年（一九一〇）に日本が朝鮮を併合し、朝鮮半島が日本の領土化されたからである。狭い対馬で窮屈なくらしをしているよりというわけである。家を捨て土地を捨て対馬の人は朝鮮へ出て行った。対馬の海に対する関心も当然強まることはなく、曲の人はまだ慣行権を維持することができた。が、第二次大戦が終り、漁業法が改正されてから、いよいよ曲は苦しくなった。朝鮮へ、外地へ出ていた元島民は続々と対馬へ帰って来た。彼らは当然海へ目を向けた。そして李ライン時代。目の前の磯に豊富な海の幸に恵まれた鰐浦のようなところでさえ目を対馬海峡へ向けて来た。さらに戦後急速にふえた韓国人海女の存在が、曲を圧迫して来た。

曲の海女　曲の海女は、荒縄の褌一本で海に潜る働きものであった。臨月になっても潜ることをやめず、漁の最中に子どもを生むこともあった。真冬の雪のなかでももぐった。休むのは、子を生んだ後の数日だけといわれたぐらいである。上島西北海岸の佐須奈の飲食店で聞いた話だが、曲の海女が来なくなったとたんに佐須奈の飲食店がさびれたというぐらいだ。それほど曲の海女は働くことは働くが、食物や着物には一般の対馬の人よりぜいたくだということであった。

女が働くので、当然女尊男卑かと思ったら、やはり男尊女卑だということも聞いた。対馬全般がそうだが、それでも九州の大分辺りの漁師が「女が釣竿をまたいで通った」とカンカンになって怒ったのがふしぎでしょうがなかったと曲の男たちは言っていた。

曲は、現在は主として対馬海峡を相手にしたふつうの漁師部落になった。土地は少し持つようになったが、そ

対馬あれこれ
姫田忠義の見たこと，聞いたこと
，感じたこと
鰐浦
比田勝
三根
小綱
浅茅湾
厳原
豆酘
浦を辿って歩く道
海辺の道は とにかく単調。
峠をまわって湾の奥にある部落までの道、これは長く感ずる。そうかと思うと、峠を越えてみると眼下に部落があったりもする。
峠の鞍部を越えると、すぐまた海。潮の香がプーンと鼻につく。
歩いて いて人に出会うことが少ない。人里と人里の間では本当にそうだ。そんな時、ふいと学校帰りの子供達の笑い声にぶつかる。救われたような暖い気持になってしまう。
山の道
縦貫バスが走るようになってから、どうしても歩くことが少なくなった。途中で バスを捨ててとも思うのだけれど、運行回数が 少ないし、山がとても深くて 恐いくらいだから、よっぽど度胸をきめないと。 ヒッチで 拾ってもらえる可能性もあまり高くない。
もともと対馬は人くさい。つまり人の いける所には 必ず人が住んでたのだから。 でも炭焼きがなくなって山中に 急に人気がなくなった。
とにかく最初に行ったころは、裸山が 目立ったね。
戦後の鉱木、枕木、チップ材のための乱伐がすごかったから。最近は山の地肌が見えなくなった。
とにかく大きい
とにかく大きく感じます。
バスを乗継いでいたころは、それに時間をくってね。余計に遠く感じます。山は深いし。
海から見なければ島という感じがなかなかしないでしょうね。将来は、観光のためにも巡航船が復活するだろう。対馬を理解するためには ぜひ必要なことだ。
でも、誰が運営するかが問題……。
N

れでも他の対馬の村にくらべるとはるかに少ない。海女は、今でもごくわずか残っていると聞いた。

戦争・そしてその後　李ラインという国境線は、わたしが予想したよりもはるかに深く対馬に影響を与えていた。が、それは何も李ラインだけのことではなく、有史以来対馬が再々経験して来たことで、たとえば豊臣秀吉の朝鮮出兵の後がそうであったし、それよりはるか以前から再三再四対馬を巻き込んだ日本と朝鮮半島との国際的紛争や戦争の後にも経験して来たことである。

　まずどちらかが手を出す。戦い。そしてその尻ぬぐいを対馬がする。その繰返しである。

　対馬でよく引合いに出されるものだけを挙げてみよう。

　弘仁四年(八一三)、刀伊《とい》の賊の来寇。刀伊というのは、朝鮮半島の北、今の中国東北地方にいた女真族で、下島西海岸の佐須の地を数カ年にわたって占拠したといわれるが、これが事実かどうかは史家の間で疑問視されている。

　寛仁三年（一〇一九）、再び刀伊賊来寇。

　佐須浦に上陸して銀山や民家を荒らし、壱岐から九州本土へ向った後、帰途再び対馬を侵す。対馬人で殺されたもの一三四人、生擒《いけどり》され拉致されたもの三四六人、焼かれた民家四五、掠奪された牛馬一九九頭とある。なお佐須は、日本最古の銀山といわれている。

　文永一一年（一二七四）、元の大軍、対馬・壱岐・北九州に来寇。いわゆる第一回の元寇で、対馬では佐須浦（小茂田浜）をはじめ西海岸一帯が荒らされ、このころすでに対馬の支配者になっていた宗氏の一族は、当主助国をはじめ大半が戦死している。

　弘安四年（一二八一）、第二回元寇。対馬の兵千余人が戦死。この二度の元寇は、先の刀伊賊のときとは比較にならない甚大な打撃を対馬に与えた。

　元中六年（一三八九）、高麗軍百余艘来寇。

　応永二六年（一四一九）、李朝の兵船二二七艘、兵員一万七千人来寇。浅茅湾岸各地で戦いが行なわれ、李朝軍は小船越付近に柵を設けて対馬の南北の連絡を断とうとさえした。

　以上は、朝鮮側からの侵寇だが、しかしこれら（ただし元寇を除く）の事件が起る原因の一つには、対馬を根拠地にした海賊が盛んに朝鮮半島の沿岸を侵していることがある。朝鮮側の記録では、そのことが記録されてあり、対馬に対してもしきりに海賊を取締るよう要請している。そしてこられの戦いの後、いつも対馬は朝鮮と通交回復に懸命になっているのである。なぜなら山におおわれた対馬は、自給自足できない島で、古来朝鮮との交易を通じて生きて来た島だからである。

　三世紀の中国で書かれた『魏志倭人伝《ぎしわじんでん》』にこう書かれている。これは、歴史上の記録に対馬の名がはじめて出て来た書物である。

「倭人（日本人）は帯方の東南大海の上に在り、山島によりて国を為す。もと百余国………（中略）………、対馬国に至る。其の大官を卑狗《ひこ》と曰い、副を卑奴母離《ひなもり》と曰う。居る所絶島、方四百余里ばかり、山地嶮しく、深山多く、道路は禽鹿《きんろく》の径《けい》の如し。千余戸有り、良田無く、海物を食して自活し、船に乗りて南北に市糴《してき》す」

嶮しい山におおわれた対馬に、良い田がないのは、今もかわりがない。そして海物（海産物）に大きく依存していることもそうだ。そして船に乗って南（日本）や北（朝鮮）と市糴（交易）しなければ生きられなかったのである。交易といっても対等のものではなく、むしろ朝鮮から米や布などを恩恵的に与えられていたのが実状であった。

戦いは、その交易を断つ。そしてたちまち対馬は、食糧難に陥ったのである。

応永二六年の戦いの後、宗氏は懸命になって朝鮮の李朝と交渉し嘉吉条約を結んだ。嘉吉三年（一四四三）のことで、応永の戦いがあってから二四年も後のことであった。当時宗氏は、筑前などに持っていた領地をすべて周防の国の大守、大内氏に奪われ、対馬一島に拠らねばならなくなっていた。それまで筑前などから送られて来ていた米（三千石）は全部ストップになり、朝鮮との交易に全力を注がなければならなかった。嘉吉条約は、李朝がその宗氏に米豆二百石を与えるとともに、日本と朝鮮との交易の特権を与える約束をした条約である。これ以後日本の各大名は、宗氏の文引（許可証）がなければ、朝鮮と交易することができなくなった。

ところが、文禄元年（一五九二）、豊臣秀吉の野望によって日本軍が大挙朝鮮半島に侵寇するという大事件が起った。宗氏は、懸命になって秀吉に思い止まらせようとしたができなかった。そして最も朝鮮の事情に詳しいということで、日本の各部隊に通訳を派遣し、自らは小西行長の第一軍の先鋒部隊になって朝鮮半島を侵さざるを得ないはめになってしまった。戦いは、足かけ七年に及び、秀吉の死（慶長三年＝一五九八年）でようやく終ったが、この年の晩秋全日本軍が朝鮮半島から引き上げた数カ月後に、宗氏はもう国交回復のための使者を次つぎに朝鮮へ派遣している。が、日本人に非常なうらみを抱く朝鮮人が、簡単に使者を迎えるはずはなかった。使者たちは次つぎに殺された。

上島西北海岸の佐須奈に、武田嘉夫という人の家がある。この武田家の先祖は、第九回目に使者として派遣され、はじめて無事に対馬に帰ることができた。わたしは、はじめての渡島のときこの家を訪れたが、当時の嘉夫氏はまるでそれがつい最近のことであったように熱をこめて話してくれたことであった。

旧対馬島誌に、こういうことが記されている。「是より先文禄年、朝鮮役後怪異あり。朝鮮人の幽霊路傍を徘徊し、男は才を以て立ち女は泣て通行するを見る事あり。霖雨の日殊に斯かる怪異多し。是に於て巫、祝《ほうり》（保佐《ほさ》）をして魔鬼退散を府中八幡宮に禱ること一七日、後府中を祓い、郷々の境界にて祓う。是を郷渡しと云。最後に豊崎郷鰐浦の海栗《うに》島に到り、船に砂七石七斗、石三石三斗とを載せ幣を立て禱りて放流す。此時上県の士西北方に向って数千発の銃を発して以て魔鬼を払たり。是より後怪異終息せりと」

魔鬼は払ったかもしれない。けれど現実のくらしの問題は変ることはなかった。

自立するために　対馬に、これという場所の水田がつくられるようになったのは、秀吉の朝鮮の役後であった。たとえば、昔から再三朝鮮軍との戦いの場所になった下島西海岸の小茂田付近がそうだし、上島の仁位、三根、佐護などこれという川の川口に水田がひらかれたのもそうであった。

しかしそれらの水田は、対馬全体からいえば微々たるもので、主食は畑でつくったヒエ、アワ、ムギ、ソバ、それに樫などの木の実や草の根であった。

厳原の南に久田《くた》というところがあり、長信楽《おさしがらき》という人がおられた。今はもう亡くなられたが、その人の話では、米を食べるようになったのは第二次大戦中の配給米制度以後で、それまでは麦と樫の実が常食であった。

樫の実を採って来て粉にする。袋に入れ、川の流れのなかに穴を掘り、そこに入れ、約一ヵ月間置いておく。次にアク抜きをして干し、ひき臼で本粉にひき、麦を炊いた上にあげてむれさせる。そして麦とかきまぜて食べる。手数のかかることおびただしいが、そうまでしても、食べられる量を増やそうとしたのである。

さつまいもが対馬に入ったのは、江戸時代の中期（正徳五年＝一七一五年）で、原田三郎右衛門が薩摩に潜入して種を持ち帰ったときといわれている。対馬では、さつまいものことを孝行いもと言い、三郎右衛門に感謝するまつりを今でもつづけている。

三郎右衛門に薩摩潜入を決意させたのは、陶山訥庵だといわれている。郡奉行までやった人だが、優れた農政家であり学者であった。食糧の乏しい対馬を如何に自立させるか。そのことに訥庵は心血を注いだ。当時島民は三万余といわれた対馬に棲息していた約八万頭の猪を一匹残らず退治したのも彼の計画であったし、当時全島で行われていた木庭作を止めさせ常畑をつくることを奨励したのも、当時数千人といわれ対馬の食糧事情を圧迫していた潜商《もぐり》（朝鮮との密貿易者）を日本本土へ送り返したのも訥庵であった。朝鮮に頼らず自立するために、人口を抑制し、生産を奨励する。その訥庵の努力は、その後の対馬に、良い意味でも悪い意味でも強い影響を残した。容易に家の数をふやさない本戸、寄留の制度も、その一つの名残りともいえる。

対馬に何をみようか　朝鮮に頼らず生きる、これはいろいろな意味で暗示的である。経済的に完全にアメリカに依存してきた第二次大戦後の日本が、これから如何にほんとうの意味で自立していくか、それなども対馬の歴史を通じて考えさせられる。

対馬には、戦前約六〇〇〇人の朝鮮人が住んでいた。李ライン時代にはその半分から三分の一になり、大部分が炭焼きをしてくらしていたが、最近はその数も激減し、わずか数百人がいるにすぎない。

上島東北海岸の古里《ふるさと》辺りに多く住んでいたが、今はもうほとんどいなくなった。本国へ帰った人、大阪辺りへ移った人。わたしは何回かここを訪れ、海女さんたちとも逢ったが、みな一様に「対馬は第二のふるさと」だと言う。その人たちの姿がほとんど見えなくなったのは、いったい何を意味しているのだろう。対馬が「第二のふるさと」たり得なくなったのだろうか。

対馬の神々

宮本常一

対馬は国境の島である。西海岸からははるかに朝鮮が見える。その朝鮮から文化が対馬を経由して九州にもたらされた。いわばここが日本にとって大陸文化の門戸であった。

対馬に早くから人の住んでいたことはここにいくつかの縄文文化遺跡のあることでわかる。現在までに発掘された遺跡は志多留貝塚、佐賀貝塚、吉田貝塚であるが、佐賀と吉田は縄文中期、志多留は後期に属すると見られ、前者は阿高式、後者は鐘ヶ崎式の土器を出土した。これらの土器の様式は九州にひろくおこなわれているもので対馬が九州文化圏に属することを証明するが、これらの土器に刻まれている櫛目文はもともと大陸からもたらされた技法であると考える。そしておそらくはその頃から日本は朝鮮半島を経由して大陸文化の交流を見るようになったと思われるが、それでは朝鮮・対馬・九州の海上交通はどのように営まれていたであろうかということが問題になる。あるいは刳船《くりぶね》のようなものの利用も考えられる。大きな体積のものを運ぶときはその刳船を何艘も横にならべてくくり、この船にのせたであろうことを想像するが、別に筏船《いかだぶね》の利用があったのではないかと思う。島の北部の佐護付近には昭和二五、六年の九学会連合の学術調査の頃にはまだたくさんの筏船を見かけた。藻をとったり、網をひいたりするのに用いていた。この筏船は杉丸太をならべ、その丸太に穴をあけ、そこに棒を通して丸太をつなぎ、櫓で漕げるようにしたもので、不要のときは解体して海岸や川岸などにあげてあるのを見かけた。ところが筏船は朝鮮の多島海にもあり、その方が構造も巧妙になっている。この地域に筏船ののこっていることは興味深いことで、筏船が海上交通の手段として、この海峡に活躍していた日があったのだと考える。しかもそれはきわめて遠い日のことであった。

そしてその筏船によって稲作も稲作技術を持った人もやって来たのではなかったか。そして稲作技術を持った人びとが倭人であったと考える。倭といわれる人びとはもとから日本にいたのではなく、縄文晩期の頃、大陸沿岸から朝鮮半島の

筏舟を利用した橋。上県町・佐護川　昭和38年（1953）11月
撮影・宮本常一

西南岸を経由し、日本に渡来した。海洋民的性格の強い民族ではなかったかと考える。

最近『後漢書』や『魏志』以前の中国の古書の中に見えた倭の位置の検討がおこなわれて、これを沖縄に比定しようとする学者もあるが私は朝鮮を経由する道にこだわりをもっている。それは朝鮮南部に倭人による任那という国が早く成立していたこと、そしてそこから対馬を経て九州への道が倭人の重要なルートであったと考えるからである。しかし『魏志』の倭人伝には対馬には良田がないと誌しているから、文化の中継地としての役割は果したであろうが、対馬に定着した文化は貧しかったようである。それは『魏志』に壱岐は戸数が三〇〇〇もあると誌しているのに、対馬は「土地は山険し深林多く、道路は禽鹿の径のようで、一〇〇〇余戸あり、良田がないので海物を食して自活し、船に乗って南北に交易している」とあることからも推定される。

そして各地から出土しているものを見ても、石剣、銅剣のような武器が少なからずある。それらのうち細形のものは朝鮮半島から伝来されたものが多く箱式石棺の副葬品として出土する。広鋒の銅鉾は細形の銅剣、銅鉾や銅鏡が日本にもたらされた後、九州で鋳直されて、また対馬に送られたものが多い。この広鋒のものは曲げようとすれば曲げられる程度のもので、武器としてではなく、祭礼器具として祭られたもののようである。これまで出土するか発掘されたあとをみると、出土の類形は海に突き出た台地か緩斜面になっているところ。湾口の島。部落の奥、平地から山道にかかるところの三つになる。そういうところへ何故埋めたのであろうか。そこに別に祠などあるわけではない。

今一つ出土地が西海岸に多いことが気になる。それについていろいろのことが考えられる。対馬をたって朝鮮へ向う船が、航海の祈願のために広鋒を埋めたものともいわれるが、対馬にはもと多くのサエの神がまつられており、この神は対馬では隣村との境にまつるというよりも、隣国との境をまつる意味をもっていたのではないかと考える。そして海の彼方から来る敵を防ぐために神へ供えたものではなかったであろうか。

いまもサエノカミ（対馬ではセンノカミ、セーンカミサマなどといっている）に木で作った長刀を供えている例を西海岸の志多留では見かけることができる。

このように考えて来ると、広鋒銅鉾を島の西岸にまつるようになったころから、日本列島に統一した政権が誕生し、海の彼方を異国として見るような思想が生じたものと思われる。それまでは大陸からの文化は滔々として対馬を飛び石の一つとして日本に流入して来た。そして、そこには国の境というようなものもなかった。

しかし大和に強力な中央政権が誕生して来たと見られる四世紀の頃から、対馬はその政治勢力の下におかれるようになり、日本からすればここが最前線であり、朝鮮に対しては国境の島として存在することになった。細形銅鉾の出土と祭礼用の広鋒銅鉾の出土のあり方の差異の見られるのはこのためであろう。

そのとき、大和の文化なり政治勢力が直接対馬へ及んだのではなく、九州を一つの據点として九州から防衛力ともいうべきものが対馬へのびて最前線を形成したもののようで、広鋒銅鉾を作った鋳型も北九州からいくつも発見されている。

一たん国境が設定されると、人びとは国境の向うを異国として、自分たちの国ではない意識を持つようになる。しかし三世紀の頃までは半島の南部に狗邪《くや》韓国という倭人の住む地域があり、日本ではこれを加羅《から》とよび、『古事記』などには任那として記録されていたから、対馬はまだ最前線にはなっていなかった。そしてその頃までは南朝鮮で生産された鉄が、対馬を経由して日本にもたらされていたのであるが、五世紀の初めに任那が亡びてから対馬が最前線になって来ると朝鮮半島は完全に異国になって来る。

さて大和朝廷の成立する頃から日本各地には古墳が多く構築されることになるが、対馬にもまた古墳の構築がおこなわれる。その中には西海岸志多留の大将軍山古墳のように漢鏡や金海式土器を出土した朝鮮の影響のきわめて強いものもあるが、古墳そのものは弥生式箱式棺で日本列島に発達した埋葬法に属している。そのほか一〇〇基ばかりの古墳もいずれも日本文化圏の中にあるもので、朝鮮の影響よりも北九州の影響を強くうけていることに興をおぼえる。

とくに七世紀に入って、新羅が朝鮮半島を統一してからは対馬は完全に日本の最前線として中央政府に意識され、金田城とよばれる山城が築かれ、防人が配備される。この城址はいまも美津島町にのこっている。

対馬は島である。国境といっても地続きではない。朝鮮へ渡るにも朝鮮から来るにも海をわたらなければならない。海をこえてゆくためには海の神をまつらねばならない。海神はワタツミの神といった。対馬には古くからこの神が多くまつられている。

対馬には『延喜式』にのせられた神社が二九座あり、このうち上県郡に一六座、下県郡に一三座ある。さらにそのうちに和多都美神社が上県に一座、和多都美御子神社が一座、下県郡に和多都美神社が二座ある。上県の和多都美神社は峰村木坂の木坂八幡である。和多都美御子神社は豊玉村仁位にいまもその名の社がある。下県の二座はその位置が明らかでない。なぜなら、下県には和多都美神社が現在四社、そのほかに乙和多都美、豊和田都美、和多女、和多女御子、海祇というワタツミ系の神社があり、さらに乙女神社にいたっては八社ある。つまり対馬には海神をまつる神社が実にたくさんあり、どの神社を『延喜式』のそれにあてるかは容易でない。

さて木坂の和多都美神社は後に木坂八幡とよばれるようになる。なぜ海神が軍神になったのか、何時頃なったのかも明らかでないが、『延喜式』の編纂された九二七年より後であることは間違いない。『延喜式』に八幡の名の見えるのは、豊前の八幡大菩薩宇佐宮・筑前の八幡大菩薩箱崎宮とあるものだけである。八幡信仰の流行して来るのはそれから後のことであった。

対馬でもおそらく武家社会の時代、すなわち宗氏が守護代として対馬へわたって来た頃からその信仰が伝播し、海神をも八幡神と称するようになったと思うが、同時に木坂の海神神社を軍神としてまつったのはやはり朝鮮に対する防衛の意味が大きかったと思う。

木坂の海神神社には五軒の社家が残っているが、そのうち長岡氏は阿曇連儀良《あづみのむらじいそら》の子孫と称している。儀良は神功皇后にしたがって三韓征伐の水先案内をしたと

和多都美神社の鳥居。豊玉町仁位　昭和60年（1985）2月
撮影・須藤　功

いわれているが、初め山城の長岡におり、後対馬に下って海神神社の社僧となり山城坊を称し、長岡にいたので長岡を姓としたという。もとより後世の作られた説であろうが、この神社が神仏混淆するようになった頃から海神社が軍神社にかわって来たのであろう。

　海神のまつられていた頃には朝鮮と九州の間の船の往来も盛であり、また船人たちをまもる神として尊崇されたはずで、壱岐にも海神社があり、筑前にも志賀海神社がある。しかも航海にしたがったものは、単なる船人ではなく、漁猟をおこなう海人《あま》だったはずで、海神社が多かったということは、対馬に多くの海人のいたことを物語り、水田はなくても一〇〇〇戸もの人が住んでいたというのも、漁猟によって生活を支えていたことが推定される。

　私はこの海神を日本在来の神ではなく、海の彼方から来た神と考えている。この神は外来神的な性格がつよい。木坂の海神神社が西海岸にあるのははじめは防衛のためではなく朝鮮からそこに渡って来たものがまず祭ったのではないかと思っている。

　これに対して住吉神社は摂津の住吉坐神社を本社とするが、点々として各地にまつられ、筑前那阿郡、壱岐島壱岐郡、対馬下県郡にもあり、長門の豊浦郡にもある。やはり航海の海としてまつられたものであろう。対馬ではこの社は東海岸にある。

　対馬が海人に深い関係をもっていたことは以上のようなことでわかるが、この島に住みついた人たちは海を対象にして生きた者ばかりでなく鉱業に従った者もまたあったかと思われる。上県に那須加美乃金子神社、下県に銀山上神社のあることがそれを示している。ナスカミノカネコは金であったか、銅であったかわからないが、あるいは鉄ではなかったかとも思う。銀山上はいまも発掘をつづけている、佐須の鉱山であろう。早くから銅や銀を出し、あるいはそれが銅鉾の生産にもかかわりあいをもっているかもわからない。

　そればかりでなく、対馬の人たちは山とも深いかかわりあいをもって生きていた。それは山を神体とする神社が少なからずあることで察せられる。山を神体とする神社は島内各地に分布するが、南端に近い多久頭魂《たくずたま》神社と北端に近い天神多久頭魂神社が知られている。いずれも山を神体として聖地としてまつり、そういう聖地をシゲといっており、多久頭魂神社の方は天道法師をまつるともいい聖地を天道茂といっている。まつられている山は竜良山であるが、山には祠はなく、山麓に拝殿がある。天神多久頭魂神社の方は拝殿すらもない。ただ山頂に石積みが見られる。このほか上対馬町豊の島大国魂神社は仁田岳、那須加美金子神社は三浦山、天諸羽命神社は御岳、都々智神社は矢立山を神体としてまつっている。これは神が天より降臨し、その

天道信仰祭祀の八丁郭。厳原町豆酘　昭和60年（1985）3月
撮影・須藤　功

陶山訥庵の猪垣といわれるが、牧の柵ともされる。豊玉町
昭和60年（1985）2月　撮影・須藤　功

依代《よりしろ》としての山を神としてまつった為であろうとの従来の説をすべて否定しようとは思わないが、この島にも古く狩猟社会のあったことを物語るものではないかと思う。一つの地域社会に住みついた人たちは決して一色ではなかった。いろいろの種族が、来住の時期を異にし、目的を異にしつつ、定住に都合のよいところを見つけて住み分けたものではなかったかと思う。そうでないと、そこにまつられた神々の性格がさまざまである理由が十分にわかって来ない。

　この島はもとイノシシとシカがきわめて多く、その害になやまされつづけていたのを、陶山訥庵《すやまとつあん》の綿密な計画と島民全体の参加によって宝永六年（一七〇九）に全滅してしまう。それまでは年々多数の捕獲があったし、領主はしばしば鹿狩をおこなっていた。山神の信仰はもともとは狩猟時代に発するものではないかと思われ、この島にも狩猟を主とする人たちの居住もあったのではないかと思う。

　この島の南端の豆酘《つつ》に雷命神社と太祝《ふとの》詞《り》神社という社がある。『延喜式』に名をとどめている神社であるから格式の高い神社であるが、今見られる両社はきわめて粗末なものである。しかし雷命神社は古くから亀卜《きぼく》をおこなう社として知られていた。亀の甲をやいてその割れ方を見て吉凶をうらなうものである。このような亀卜は古くから島でおこなわれており、『延喜式』にも六月と一二月晦日の大祓のとき、卜占をおこなったが、その卜部は「事に堪える者をえらんでこれに任ずる。その卜部は三国の卜術の優良な者をとる。伊豆五人、壱岐五人、対馬一〇人である」とあり、また「年中用いる亀甲は五〇枚を限りとせよ。紀伊の国の中男作物一七枚、阿波の国の中男作物一三枚、交易六枚、土佐の国の中男作物一〇枚、交易四枚」と規定しており、宮中における亀卜がどの程度におこなわれていたかを知ることができる。

　豆酘では旧正月三日の夕方、雷神社で亀卜をおこなった。この祭を参候祭といった。亀甲を焼いて、そのわれ方を見て吉凶をうらなうものである。亀卜をお

亀卜そのものではないが、岩佐家による占いはつづいている。左は占いの結果の一部。厳原町豆酘
昭和60年（1985）2月　撮影・須藤　功

こなう家を岩佐家といった。岩佐家は雷大臣《いかつおみ》の子孫といわれている。雷大臣は神功皇后のとき、対馬にわたって亀卜の術を伝えたといわれ、また一説には中臣烏賊津使臣《なかとみのいかつおみ》（雷大臣）の子孫真根子命が三韓征伐のとき、軍にしたがって功をたて、後に対馬にとどまって亀卜をおこなったという。そしてその子孫一〇家がこの秘術を伝えたといい、一〇家は島内各地に住んだ。どこどこにいたかはよくわからないが、島の総宮司として対馬の神社を管理していた藤家もこれをおこなったという記録があり、また木坂八幡の社家の文書にも対馬の東海岸で亀甲を手に入れたことを誌したものがあるから、ここでもおこなっていたのであろう。

この島での亀卜の目的は朝鮮の事情を知ることにあった。毎年正月にこれをおこなって大宰府へ報告したのである。そのほかにもいろいろのことを占っている。そのような卜に関する書物が私たちが昭和二五年（一九五〇）対馬の調査にいった頃にはまだ島内に何冊ものこっていた。とくに厳原の山下旅館にはたくさんあって、主人が「要るなら持ってゆけ」と言っていたから、誰かがもらって帰ったのではないかと思う。

もともと卜占は鹿の肩骨を利用することが多い。山口県土井ヶ浜の弥生式遺跡からは卜占をおこなった骨が出ているから、すでにその頃からおこなわれていたことがわかる。奈良春日神社の鹿なども卜占に利用するために飼いならしていたものの名残ではないかといわれているが、対馬で亀甲を使ったというのはそれなりに理由があったようである。鹿を利用するのは狩猟習俗をもつ人びとであったであろうが、亀甲を利用したというのは海洋民的な人たちであったと考えていいようである。対馬には鹿も多かったのであるが、それが使われていない。しかも海亀の方はこの地方にはそれほど多くはいなかったので亀甲の入手のむずかしかったことが記録で明らかであるが、その亀甲を後々まで利用したことに、この亀卜をおこなった社会の性格を読みとることができるかと思う。そして時に亀甲のかわりに烏賊《いか》の甲を用いたこともあるようである。そのことは木坂できいた。この島に亀卜を伝えたとされる雷大臣を中臣烏賊津使臣と書いていることからも察せられる。

対馬をあるいていると海岸などに石を高く積みあげたものを見かける。いまはっきり記憶しているのは佐護湊と小綱のものであるが、いずれも三メートルをこえるものであった。そのほかにも小さいものはいくつか見たがどこであったか記憶にない。この石塔をヤボサとも天道ヤボサともいっていた。矢保佐・矢房なども書いている。神をまつるシンボルであった。私は対馬をほぼ一周するようにして歩いて見たのだが、東海岸では見かけた記憶がない。ヤボサの祭は土地土地でちがっているようであるが、それが西海岸に多いということも国の護りのためのものであったのではないかと思う。

もともと海の道は自由であり、半島から対馬を通って九州へわたった人びとは多く、九州にわたることに半島の人たちは違和を感じたことはなかったはずである。それが九州や大和に国家が発生し、さらに強力な統一政権の出現したとき、いままで一続きだった海の道に国境という断絶が生じて来る。そのことを神の祭礼の歴史の中に読みとることができる。と同時に海の彼方の世界との間に文化や政治その他あらゆるものの差違と断絶を生じて来ている。もとより、半島と対馬との間に文化の差は見られた。しかし今日ほどの大きな差ではなかったと思う。

しかも対馬は大陸にもっとも近い。そこに古くから国境、ひいては国民意識が発達した。

編者あとがき

『あるくみるきく』を発行した日本観光文化研究所、通称「観文研」は、昭和四一年（一九六六）一月に設立されるが、それは突然、生まれたわけではない。母体の近畿日本ツーリスト株式会社が、創立一〇周年を迎えた昭和四〇年にいくつかの記念事業を企画し、実行した。そのなかに日本の宿（旅館）の歴史についての本の出版と、テレビで放映する『日本の詩情』の制作があった。宮本常一はこの二つの企画に求められて応じ、本を執筆し、『日本の詩情』を企画・監修した。このことから、企画にあがっていた、もうひとつの観光文化についての研究所の設立と運営を任されることになる。

昭和四〇年一〇月三日から昭和四一年一二月二五日まで、民放テレビで放映された『日本の詩情』は、日々の何気ない生活に詩情を重ねた一五分の短い番組だったが、文部省選定映画となったものもあって、全体に好評を得た記録映画であった。これもまたこの「あるくみるきく双書」と同じように、その多くが今は消えてなくなってしまったひとつの年代の生活をしっかり収録している。

『日本の詩情』の制作、すなわち現地取材をして台本を書いたのは姫田忠義、撮影は日経映画社があたった。宮本常一が、のちに民族文化映像研究所を設立する姫田忠義を起用するについてはいきさつがあるが、ここでは触れない。国内のどこをどのように取りあげるのかという打合せは昭和三九年から行なわれ、そこでだれかが宮本先生のメッセージが欲しいといった。そのとき宮本常一は姫田忠義の目の前でつぎの一文をつづった。

自然は寂しい
しかし　人の手が加わると
あたたかくなる
そのあたたかなものを求めて
歩いてみよう

この思想は、中心になって編集にあたり、昭和三二年（一九五七）一一月に刊行された『風土記日本』第二巻（平凡社）の月報、「庶民の風土記を」のなかに記されている。

わたしがかねていだいていた意図は、庶民のわたしが、庶民の立場から、庶民の歴史を書いてみたいということであった。上層文化についてはできるだけさけたい。近ごろの歴史では、庶民はいつも支配者から搾取されていて、貧困でみじめで、その結果反抗をくりかえしているように、その点だけを力説して取り扱われているが、小作百姓の子に生まれ、青年になるころまで百姓をしてきたわたしには、かならずしもそうはうつらなかった。（中略）人手の加わらない自然は、それがどれほど雄大であってもさびしいものである。しかし人手の加わった自然には、どこかあたたかさがありなつかしさがある。わたしは自然に加えた人間の愛情から、庶民の歴史をかぎわけたいと思っている。

姫田忠義は観文研を設立する打合せのときから関わり、『あるくみるきく』では創刊号から写真の伊藤碩男とともに活躍する。『あるくみるきく』の書名は、打合せのとき、伊藤碩男が「歩く見る」はどうかと提案したのに対し、宮本常一が「聞く」を加え、さらに平仮名のつづりとすることにした。

対馬には、宮本常一も姫田忠義も特別な思いがある。その一端はこの二巻に掲載の「対馬」にも表れている。宮本常一は、昭和二五年（一九五〇）に行なわれた八学会連合（翌年から九学会）の対馬共同調査に、民族学調査員のひとりとして昭和二五年七月六日に対馬に渡り、島中を歩いた。八月二四日に東京にもどると、師で共同調査団長でもある澁澤敬三に「対馬調査に際して私にはどうにもならない問題をどうすればよいかについて訴えた」、それに対して澁澤敬三は、「石黒忠篤先生にいちど渡島してもらおう」といった。

戦時中に二度、農林大臣を務め、農政の神様などともいわれた石黒忠篤は、澁澤敬三とは親戚になる。戦後は参議院議員として国会で活躍していた。澁澤敬三の話を聞いた石黒忠篤は、対馬総合開発視察団を結成し、昭和二七年（一九五二）八月八日に対馬に渡り、五日間、島の各地をまわった。同行は国会議員に農業、漁業の専門家ら二〇名ほどだった。この視察は翌昭和二八年七月二二日に施行された離島振興法の制定に大きな力となる。離島振興法の制定は、宮本常一が心から望んでいたものだった。

須藤　功

対馬共同調査で古文書に目を通す宮本常一。島民に聞かれると古文書の内容を説明した。昭和25年（1950）撮影・朝日新聞西部本社　提供・牧田　茂

豊玉町仁位を行く、対馬総合開発視察団の一行。先頭の対馬馬に乗るのが団長の石黒忠篤。この乗馬姿は、背の低かった日本馬に乗った戦国時代の武将の姿を連想させる。撮影・昭和27年（1952）8月　所蔵・早川孝太郎

著者・写真撮影者略歴（掲載順）

宮本常一（みやもと　つねいち）
一九〇七年、山口県周防大島の農家に生まれる。大阪府立天王寺師範学校卒。柳田國男の『旅と伝説』を手にしたことがきっかけとなり民俗学者への道を歩み始め、一九三九年に上京し、渋沢敬三の主宰するアチック・ミュージアムに入る。戦前、戦後の日本の農山漁村を訪ね歩き、民衆の歴史や文化を膨大な記録、著書にまとめるだけでなく、地域の未来を拓くため住民たちと膝を交えて語りあい、その振興策を説いた。一九六五年、武蔵野美術大学教授に就任。一九六六年、後進の育成のため近畿日本ツーリスト（株）・日本観光文化研究所（通称観文研）を設立し、翌年より月間雑誌『あるくみるきく』を発刊。一九八一年、東京都府中市にて死去。著書に『忘れられた日本人』（岩波書店）『日本の離島』（未来社）『宮本常一著作集』（未来社）など多数。

姫田忠義（ひめだ　ただよし）
一九二九年兵庫県神戸市生まれ。旧制兵庫県立神戸経済専門学校卒業。一九五四年演出家を目指して上京し、民俗学者宮本常一に師事。一九六六年「日本観光文化研究所」の創立に参加し、中核所員として活動する一方、対馬や沖縄、アイヌの人々など日本各地の村々を取材する。一九七六年「民族文化映像研究所」を設立し、「イヨマンテ―熊送り」「椿結婚式」「焼畑に生きる」「越後奥三面―山に生かされた日々」など二〇〇本以上の映画作品を制作。著書に『ほんとうの自分を求めて』（筑摩書房）『忘れられた日本の文化』（岩波書店）『育ち行く純なるものへ―映像民俗学の贈物』（紀伊国屋書店）などがある。

伊藤碩男（いとう　みつお）
一九三三年東京生まれ。一九五七年映像技術集団「葦プロダクション」を創設し、岩波映画などで照明技師として活躍。一九七六年に姫田忠義と共に「民族文化映像研究所」を創立し、記録映画の撮影・演出・編集を担当。日本観光文化研究所の同人で、雑誌『あるくみるきく』の名付け親。現在フリーランス。

中島竜美（なかじま　たつみ）
一九二八年東京都青山生まれ。本名、中島龍興（なかじま　たつおき）。早稲田大学文学部卒業後、フリージャーナリストとなり原爆被害者の補償・援護問題を中心に取材を続けた。二〇〇八年没。元在韓被爆者問題市民会議代表。著書に『日本原爆論大系』第二、三巻（日本図書センター）、編著書に『朝鮮人被爆者孫振斗裁判の記録―被爆者補償の原点』がある。

下野敏見（しもの　としみ）
一九二九年鹿児島県南九州市生まれ。一九五〇年鹿児島大学卒業後、県内各地の高等学校教諭をへて、鹿児島大学教授、鹿児島純心女子大学教授。著書に『南西諸島の民俗』Ⅰ・Ⅱ（法政大学出版局）『日本列島の比較民俗学』（吉川弘文館）、『南から見る日本民俗文化論』全二五巻（南方社）などがある。

須藤　功（すとう　いさを）
一九三八年秋田県横手市生まれ。川口市立県陽高校卒。民俗学写真家。一九六七年より日本観光文化研究所所員となり、全国各地歩き庶民の暮らしや祭り、民俗芸能等の研究、写真撮影に当たる。日本地名研究所より第八回「風土研究賞」を受賞。著書に『西浦のまつり』（未来社）『山の標的―猪と山人の生活誌』（未来社）『花祭りのむら』（福音館書店）『写真ものがたり　昭和の暮らし』全一〇巻（農文協）『大絵馬ものがたり』全五巻（農文協）など多数。

田村善次郎（たむら　ぜんじろう）
一九三四年、福岡県生まれ。一九五九年東京農業大学大学院農学研究科農業経済学専攻修士課程修了。一九八〇年武蔵野美術大学造形学部教授。武蔵野美術大学名誉教授。文化人類学・民俗学。大学院時代より宮本常一氏の薫陶を受け、国内、海外のさまざまな民俗調査に従事。『宮本常一著作集』（未来社）の編集に当たる。著書に『ネパール周遊紀行』（武蔵野美術大学出版局）、『棚田の謎』（農文協）ほか。

西山昭宣（にしやま　あきのり）
一九四三年台湾生まれ、新潟県で育つ。早稲田大学第一文学部卒業後日本観光文化研究所に参画し、宮本千晴と共に『あるくみるきく』の企画・編集に携わる。後に都立高等学校教諭として転出するが、研究所閉鎖時まで所員として同誌の企画・編集を行った。

監修者略歴

田村善次郎（たむら　ぜんじろう）

一九三四年、福岡県生まれ。一九五九年東京農業大学大学院農学研究科農業経済学専攻修士課程修了。一九八〇年武蔵野美術大学造形学部教授。武蔵野美術大学名誉教授。文化人類学・民俗学。

大学院時代より宮本常一氏の薫陶を受け、国内、海外のさまざまな民俗調査に従事。『宮本常一著作集』（未来社）の編集に当たる。著書に『ネパール周遊紀行』（武蔵野美術大学出版局）、『棚田の謎』（農文協）ほか。

宮本千晴（みやもと　ちはる）

一九三七年、宮本常一の長男として大阪府堺市鳳に生まれる。小・中・高校は常一の郷里周防大島で育つ。東京都立大学人文学部人文科学科卒。山岳部に在籍し、卒業後ネパールヒマラヤで探検の世界に目を開かれる。一九六六年より近畿日本ツーリスト（株）・日本観光文化研究所（観文研）の事務局長兼『あるくみるきく』編集長として、所員の育成・指導に専念。

一九七九年江本嘉伸らと地平線会議設立。一九八二年観文研を辞して、向後元彦が取り組んでいた「（株）砂漠に緑を」に参加し、サウジアラビア・UAE・パキスタンなどをベースにマングローブについて学び、砂漠海岸での植林技術を開発する。一九九二年向後らとNGO「マングローブ植林行動計画」（ACTMANG）を設立し、サウジアラビアのマングローブ保護と修復、ベトナムの植林事業等に従事。現在も高齢登山を楽しむ。

あるくみるきく双書

宮本常一とあるいた昭和の日本 2 九州 1

2011年1月25日第1刷発行

監修者　田村善次郎・宮本千晴
編　者　須藤　功

発行所　社団法人　農山漁村文化協会
郵便番号　107－8668　東京都港区赤坂7丁目6番1号
電話　03（3585）1141（営業）　03（3585）1147（編集）
FAX　03（3585）3668
振替　00120（3）144478
URL　http://www.ruralnet.or.jp/

ISBN978－4－540－10202－8
〈検印廃止〉

印刷・製本　（株）東京印書館

郷土の歴史・文化・資源を生かし内発的地域振興策を考える農文協の本
<九州>

日本の食生活全集　全50巻　各巻2762円＋税　揃価138095円＋税

各都道府県の昭和初期の庶民の食生活を、地域ごとに聞き書き調査し、毎日の献立、晴れの日のご馳走、食材の多彩な調理法等、四季ごとにお年寄りに聞き書きし再現。地域資源を生かし文化を培った食生活の原型がここにある。

●福岡の食事　●佐賀の食事　●長崎の食事　●熊本の食事　●大分の食事　●宮崎の食事　●鹿児島の食事

江戸時代　人づくり風土記　全50巻（全48冊）　揃価214286円＋税

地方が中央から独立し、侵略や自然破壊をせずに、地域の風土や資源を生かして充実した地域社会を形成した江戸時代、その実態を都道府県別に、政治、教育、産業、学芸、福祉、民俗などの分野ごとに活躍した先人を、約50編の物語で描く。

●福岡　3333円＋税　●佐賀　4286円＋税　●長崎　4286円＋税
●熊本　4286円＋税　●大分　4286円＋税　●宮崎　4286円＋税
●鹿児島　4286円＋税

三澤勝衛著作集　風土の発見と創造　全4巻　揃価28000円＋税

世界恐慌が吹き荒れ地方が疲弊し、戦争への足音が聞こえる昭和の初期、野外を凝視し郷土の風土を発見し、「風土産業」の旗を高く掲げた信州の地理学者、三澤勝衛。今こそ、学び地域再生に生かしたい。

1地域の個性と地域力の探求　6500円＋税　2地域からの教育創造　8000円＋税
3風土産業　6500円＋税　4暮らしと景観・三澤「風土学」私はこう読む　7000円＋税

写真ものがたり　昭和の暮らし　全10巻
須藤 功著
各巻5000円＋税　揃価50000円＋税

高度経済成長がどかどかと地方に押し寄せる前に、全国の地方写真家が撮った人々の暮らし写真を集大成。見失ってきたものはなにか、これからの暮らし方や地域再生を考える珠玉の映像記録。

①農村　②山村　③漁村と島　④都市と町　⑤川と湖沼　⑥子どもたち　⑦人生儀礼　⑧年中行事　⑨技と知恵　⑩くつろぎ

シリーズ　地域の再生　全21巻（刊行中）
各巻2600円＋税　揃価54600円＋税

地域の資源や文化を生かした内発的地域再生策を、21のテーマに分け、各地の先駆的実践に学んだ、全巻書き下ろしの提言・実践集。

[1]地元学からの出発　[2]共同体の基礎理論　3自治と自給と地域主権　4食料主権のグランドデザイン　5手づくり自治区の多様な展開　6自治の再生と地域間連携　[7]進化する集落営農　8地域をひらく多様な経営体　9地域農業再生と農地制度　10農協は地域になにができるか　11家族・兼業・女性の力　[12]場の教育　13遊び・祭り・祈りの力　14農村の福祉力　15雇用と地域を創る直売所　[16]水田活用　新時代　17里山・遊休農地をとらえなおす　18林業―林業を超える生業の創出　19海業―漁業を超える生業の創出　20有機農業の技術論　21むらをつくる百姓仕事

（□巻は二〇一〇年一二月現在既刊）